JN120063

堀江秀治全集

第一集

堀江秀治

文芸社

全集刊行にあたってのまえがき

私の人生はニヒリズムに翻弄されたと言ってもいい（ニヒリズムは無同様、言語で表すことのできぬ思想である）。

ニヒリズムとはキリスト教とデカルトのインチキ哲学の上に成り立っているものである。つまりデカルトはヒト自らが作ったキリスト教を利用して「我考える、故に我あり」とし、それによって事実上、西洋人は神人になったのである。別言すれば、生命（ヒト）は進化という肉体の上に、自然なものとして成り立ってきたのが、キリスト教が砂漠（自然を欠いた）の宗教ということもあって、生命進化を進歩に置き替えた。

このことは進化が肉体の無によって行われていたその肉体の持つ意味を放棄し、それまで進化の変異に過ぎなかったものである意識に生命「我」を置き、「考える」ことにした。そうであれば「我考える」は「肉体の無」から見れば、言語化された「我」は虚構（嘘）に過ぎない。

しかしこの「我」はインチキ神人であるから、西洋近代社会がヤクザの如く勝手なことを始めたことは第一次・二次世界大戦、共産主義、原爆投下、環境破壊等、様々なところに現れてくることになった。これは彼らの進歩思想（ニヒリズム）に肉体がないからである。すなわち西洋文明のフランケンシュタイン化である。

この元凶はニーチェも言うようにキリスト教にあり、それを根にもつニヒリズムが現代を覆っているからである。ニヒリズムとは、すでに神が死んでいるにも拘わらず、神人という神が支配しているところにある。それはすでに神は死んでいるのに（『聖書』を完全に無視し）神人による進歩を口実に戦争と欲望とに明け暮れていることからも明らかだろう。にも拘わらず彼らは自らの陥っているニヒリズムを自覚できない。西洋文明の没落は時間の問題だろう。

なお「ニーチェがニヒリズムに陥った」といった表現があるかもしれぬが、それはキリスト教の覆いが取れニヒリズムが本性を現したという意味である。

堀江秀治全集 第一集

思想家としての三島由紀夫

まえがき

私は元々、本書で三島由紀夫について書く気はなかった。本来、日本人の「空気」の思考（第一章）について書くつもりだった。

「空気」の思考（文化）は、日本が島国であり、また江戸時代の士農工商のうちの、農工商（「村」社会）によって作られたものである。それは、良く言えば「おもてなし（思いやり）文化」であり、悪く言えば「狡猾に逃げる文化」である。

それに対して、武士は彼らとは違って戦争をする人々であったから、知謀を働かせ「考える」能力を持ち、しかも名誉を重んじたから「空気」を読むような思考はしなかった。

そして大東亜戦争敗戦後、完全に武士の思考のできる人々がいなくなると、すべての日本人が「空気」の思考で生きることになった。ところが、そんな「空気」の思考で生きていたら、三島も言うように「日本」はなくなってしまうだろう。なぜなら、日本は曲がりなりにも、士農工商という歴史的古層（これについては長くなるので特に説明はしないが、それなりに分かっていただけるだろう）を生きてきて、士が「考え」、農工商は「考えることなく」生きてきたということである。それだけ平和だったということである。

だからそのことは裏を返せば、三島が自衛隊市ヶ谷総監室でクーデターを起こした、その開口一番に自衛隊員に「諸君は武士だろう」と言ったのは、この国は武士が居なくなったら滅んでしまう（なくなってしまう）ということを訴えたかったのである。

私には三島の気持ちがよく分かる。ただ自衛隊員もいきなり「武士だろう」と言われても、一瞬ピンと来なかったと思う。それに三島もクーデターが成功するなどとは思っていなかったのは、檄文で「日本を日本の真姿に戻して、そこで死ぬのだ」と言っていることからも明らかだろう。彼の言う「日本の真姿」とは、士による政治である。彼は日本人に、自由や民主主義を与えてもどうにもならぬことが分かっていた。なぜなら、それらの「歴史と伝統」（歴史的古層）を持たぬ国民が、そんなものをマネしても上手くいくはずのないことを、よく知っていたからである。たとえば自由は、朝日新聞の従軍慰安婦誤報程度にしか理解できず、また西洋市民（「空気」を読まぬ「私」で「考える」人、日本では武士）が存在しない日本で、民主主義の成り立つはずのないことも分かっていた。日本人が民主主義と称しているのは、「村」社会談合派閥主義である。

そこで私は三島の意志を継いで、仮に自衛隊において無血クーデターが成功するとしたら、どのようにして成るかを「第二章　私説　自衛隊無血クーデター構想」で述べる。「空気」の思考は、「村」社会内でのみ通用する、「考える」能力ゼロの思考とも言える思考である。

例を挙げよう。

「村」人が歩いていると、「村内」の者ではないが、ひどく貧しい乞食が物乞いしてきたので、思わず哀れに思い、やや大枚な金を恵んでやった。ところが感謝されるどころか、殺されてしまったのである。「村」人がこれだけの金を持っているのなら、もっと持っているだろうと思われたのである。この「村」人とは、まさに日本人である。日本人の最大の欠陥は、外国人も自分と同じように考えていると思っていることである。これは島国で、長年、「村」の中の蛙生活を送ってきた結果である。自分の思考が世界に通用すると思っているのである。

そのいい例が日韓関係の悪化である。日本人はすべて韓国が悪く、原因が日本人自らの馬鹿さ加減にあることが理解できない。

例えば日韓基本条約である。条約を結ぶのはいい。しかし条約・同盟の類は単なる署名であって、いつでも簡単にインク消しで消せる。それは日本の戦国時代にしろ、第二次世界大戦にしろ、それらのものは簡単に破られてきた。

が、日韓基本条約の愚かさは、無償三億ドル、有償二億ドルの援助を伴っていたことである。日本が韓国と戦争をして敗れ、その賠償金を支払うというのなら理解できる。むしろ韓国は大東亜戦争中、半ば同盟関係として戦った間柄である。そうであれば、五億ドルを与えるどころか、むしろ韓国に投資した資本を回収するのが、国際社会の常識だという理解がない。国際政治の世界に親切という文字がないことを、武士を失った日本人は理解できなくなってしまったのである。戦後日本には、武士の思考のできるものがいなくなった。だからそうした援助を伴った条約を結ぶとは、早い話が「どうぞ振り込め詐欺に引っ掛けて下さい」という情報を相手に与えたようなものである、ということが「考える」能力ゼロの「村」人政治家には分からない。そしてさらに加えて「能なし」新聞が従軍慰安婦報道をすることによって「この国ならいくらでも金が取れますよ」という振り込め詐欺への確信を韓国人に与えてしまったのである。

国際間の関係においては、相手国を逆さに振っても鼻血も出ないというのが常識であるのに、日本に限っては逆さにすれば金が出てくるということを教えてしまったのである。

もうこうなれば、振り込め詐欺犯と、それに引っ掛かる愚か国家という関係でしかない。つまり韓国人にとって従軍慰安婦像とは、歴史問題ではなく金の成る像だということである。さらに徴用工問題も同じである。ただ日韓基本条約の一部をインク消しで消しただけのことである。つまり日本の政治家の愚かさは、金を払えば感謝されるだろうと考え殺された「村」人の愚かさと同じである。しかも「考える」能力ゼロだから何度殺されても繰り返す。

ところがここへ来て日本が、韓国をホワイト国から外すと言い出した。ここに日本に知恵者がいて、これまで韓国が振り込め詐欺で掠め取ったものを、ホワイト国から除外することによって、すべてを取り戻し、元のすってんてんの乞食にしてしまう程の策士が日本にいるかどうか、という問題である。つまり新脱亜論である。そしてまさに韓国が恐れているのはそれであり、それができるだけの武士的思考のできる政治家が日本にいるかどうかである。ただ単にホワイト国から外したというだけでは、――それだけ間抜けな政治家がいるのが日本なのだが――韓国はまた日本に振り込め詐欺を仕掛けてくるだろう（それが彼らの歴史的古層なのだから）。武士のいなくなった戦後の日本には、そういう知略を働かせるだけの政治家がいなくなった。

たとえば護憲という考え方が日本人にはある。彼らは護憲と言うが、それがどこから出てきた思考かを「考える」能力を持つ者がいない。

それは主に江戸時代の士農工商から来たもので、農民は支配者である武士を食わせていたから平和（護憲状態）でいられたので、その歴史的古層に由来するものなのであるが、それが武士の存在しなくなった今日に至っても、武士（アメリカ）の作った秩序（護憲）を守っていれば、平和でいられるという過去の歴史的古層の上に成り立っているだけなのである。そして日本人は「考える」能力ゼロだからいまだその思考の上に乗っかっているのである。世界でこんな馬鹿なことを考えられるのは、日本人くらいだろう（西洋ヤクザ市民は戦争ばかりしてきたから「考える」能力を持ち、日本でそれができたのは武士だけである）。

日本人の馬鹿な例を二つばかり挙げて、まえがきを終える。

一つはアメリカ人の言う性奴隷であるが、これは従軍慰安婦を彼らがこのように訳したわけではない。性奴隷とは彼らの歴史的古層にある、かつて奴隷を性の対象としていたことが思わず口を吐いて出ただけのことである。

今一つは南京大虐殺である。これも中国人の歴史的古層に眠っていた言語が、思わず口に出てしまったものである。それは図らずも、天安門事件によって証明された。

第一章　「空気」の思考と自虐史観との関係

私は約三十年間、世間というものと没交渉に、「（私は）考える」「私はある」（デカルトとは関係なしに）を考え続け、ようやく私の思想を作り上げた（これはそのほんの一部である）。そして今日、折に触れ、言論界に触れるようになり、識者の意見を聞くようになると、彼らに決定的に欠けているものに気づいた。それは進化の概念（ここでは主に地政学的なもの）、および歴史の意味（特にその記憶に宿っている歴史的古層）、またそれへの日本人の思考法の無理解、さらに「（私は）考える」能力の欠如である。

進化とはどういう理由にもせよ「力への意志」（ニーチェ）の下に弱肉強食的に行われるものである。そこでは弱者は、より強くなろうと環境より情報を取り入れ、それを基に強者に成るべく変異してきた。これが所謂（いわゆる）進化の概念である。

さらに言語化によって、サルからヒトに進化する。そうであれば、ヒトが思考（思想）においても進化するのは自然である。つまり、生き延びるために「考える」のである。

ここに一つの問題が生じる。ヒトはサルから進化するに当たって、四つの本能的価値を受け継ぐことになった。食餌本能、生殖本能、闘争本能、群れ本能の各々の価値である（詳細は拙著『ニーチェから見た資本主義論』）。前二者は特に説明を要さぬだろうし、また闘争本能的価値はヒトが戦争することに繋がる。

問題は群れ本能的価値である。群れとは「私たち」であるから、「（私は）考える」ことはできない。そこでヒトは神（ここではキリスト教）を創り出し、その神に服従する「私」を創り出すことで「考える」ことを可能にした（この部分は説明すると長くなるので省く、詳しくは拙著『ニーチェを超えて』）。その結果、ヒトは戦争において「私は考える」ことを可能にし、より有利に戦うことができるようになった。

ヨーロッパは元々、地政学的に大陸であって、多国家、多民族の群居する戦争多発地域であった。そこに砂漠に生まれ、天に神を戴く父性の強いキリスト教が生まれ、その隣人愛と永遠の命の保証とによって戦争宗教化していく。だがここには明らかな矛盾がある。

そうしたヨーロッパにあって、戦争は国家対国家、民族対民族のような様相を呈し、敗者は皆殺しにも奴隷にもされるのが常識であったから、すべての民が戦闘に加わることになった。つまり国家、民族の全員が戦闘員として戦ったのである。これが後の民主主義に繋がるのである。日本においても武士は国家意識を持って同様に戦ったことでは同じだが、日本が地政学的に島国であったことが事情を大きく異ならせた。

以上のように、ヨーロッパ市民は、キリスト教徒であることによって、戦争において「私は考える」という思考法を取ることができた。そのことは、ヨーロッパ市民はキリスト教徒であると同時に、暴力組織構成員（ヤクザ）的資質を持つことになった。それはルソーが『社会契約論』で「そして統治者が市民に向って『お前の死ぬことが国家に役立つのだ』と言う時、市民は死なねばならぬ」ということに繋がる。そしてその「考える私」は資本主義の富の裏付けによって、専制君主より権力を奪い、民主化の方向にむかうのである。彼らはその長い歴史（歴史的古層）を持つことによって、近代キリスト教民主国家に至ったのである。

以上がざっとのヨーロッパ市民の「私」および「歴史的古層」である。

それを日本に目を移すと以下のようになる。

ヨーロッパと日本とでは、地政学的、気候風土的に次のような点において異なる。

ヨーロッパが大陸であり、戦争多発地域であったのに対し、日本はガラパゴス的島国であり、しかもほぼ単一民族であったが故に国家間の戦争はなく、従ってキリスト教のような強い宗教は必要なかった。しかも気候温暖であり、自給自足で生存できたから、時折、大陸から伝わってくる文明・文化の内、自国の利益（価値）になるものを取り入れ、マネ（真似）し——故に「考える」必要がなかった——、それを洗練・進化（価値の拡大）するだけでよかった。その結果として、マネする能力は著しく発達したが、「考える」能力はまったく発達しなかった。つまり「私たちは考えない」群れ本能的価値を生きることになったのである。

しかしヒトは闘争本能的価値を生きるものであるから、自然、武士というものが台頭してくるが、ヨーロッパ市民と武士との決定的違いは、市民は国家の一員として、他国を侵略もすれば、また国防にも当たらなければならなかった。それに対し島国に暮らす武士は、あくまで領国をめぐる武士間の争いであって、農民（農工商）は戦争から逃げていればよかった。なぜなら、島国日本においては、農民が支配者である武士を養っているという関係にあったからである。つまり戦争に勝つために「考える」武士と、「考える」能力ゼロで、マネする能力一〇〇の農工商との二分化が、日本人の歴史的古層においてほぼ江戸時代に定着するのである。

なぜ農工商（以下「村」人と記す）が「考える」能力ゼロかと言えば、日本は島国であるから限られた土地しかない。そうであれば「村」人は「おれが、おれが」という自己主張ができない（武士は武力をもってそれを自己主張し、支配者となった者である）。そういう状況で、「村」人はその集まりで土地の配分を談合し、それを決めるに当たって、誰も「おれが」を主張できぬ以上、お互いにある程度の損をしたところで、折り合わねばならぬことになる（日本人の謙譲の美徳はここに由来する）。そして一度決められたことは「村」の掟という徳になり、それを破ることは恥となり、破った者は「村」八分にされ、生きていかれぬような社会を作った。しかし「村」社会は所詮、武力の世界ではないから、まれに掟を破る者も現れるが、それに「詫び」を入れれば「水に流される」ような一面を持つことになった。そうした「村」社会であれば、自己の利益（価値の拡大）のために「考える」ということは意味を成さぬ（事実上できぬ）から、自然、闘争本能的価値は退化し（日本人の大人しさはそこに由来し）、群れ本能的価値である「私たちは考えない、故に私たちは正しい」という思考法になっていった。その「私たちは考えない」とするのが徳であり、恥の意識である（江戸時代、士農工商として名目上にしろ、商人の身分が一番低かったのは、彼らが「考え」て利益を追求したからである）。つまり「村」人は談合を行っても、誰も「私」の意見を持たず（持ったら「村」人は生きていけぬから）、「私たちは考えない、故に私たちは正しい」とする互いの「空気」（気持ち）を読み合う思考に発展していったのである（日本人の思考、慣習等の多くは、この歴史的古層に由来する。たとえば悪い方に変質した談合、西洋人のように労働を苦としないこと、おもてなし文化、性格のおとなしさ・御しやすさといったものである）。このことは日本「村」人は、「私たちは考えない」「村」道徳社会の「空気」の思考を歴史的古層化し、それをその記憶の深層部に半ば国民性として定着化させるに至ったのである。従って彼らがいくら「私」で「考えよう」と思っても、それは彼らの記憶の深層部（歴史的古層）にある、「私たちは考えない」「村」社会道徳の「空気」の枠内のものでしかなく、いくら「私は考えている」つもりでも、西洋市民や武士の国家（領国）への意識の枠内での「私は考える」とは異なるものである。これが所謂「空気」を読む思考である。

さらに日本人が「私は考えている」と錯覚しているものに、歴史的古層にあるマネ能力がある。それは例えば戦後、日本が自動車、家電等で経済的大国になれたのは、すべて「私は考えた」わけではなく、歴史的古層にあるマネ能力によるものである。しかしそれが余りに高度であったが故に、日本人はあたかも自分たちには「考える」能力があるかのように錯覚したのである。つまりマネすることが、「考える」ことだと勘違いしたのである。それは自動車、家電等が性質上、数学、技術等の能力があれば誰でもマネできるが、思想となるとそうはいかぬことが、分からなかったのである。

だから例えば、日本の歴史を唯物史観で解釈してみたり、また日本に思想がないかのように西洋にかぶれるいかい知識人が現れるのである。むろんそれは単に「考える」能力がないだけのことである。

例えば福沢諭吉は西洋文明にかぶれたわけではなく、日本が独立国家として、独り立ちするための手段として取り入れただけである。

日本人は古来、豊かな自然に恵まれ、そこに聖なる神々の息吹を感じて生きてきた。例えば日本人の三輪山信仰に見られるように、神山への信仰は稲作文化を営んできた農民にとって、それは水の恵みの源であったからである。そしてその神の御座(おわ)す場所を祀るため神社が建てられ、またその後、仏教渡来によって寺院も建立され、それらは神仏習合していった。と、そう言ってしまえば簡単だが、なぜそれらが習合できたのかと言えば、誤解を恐れずに言えば、両者がほぼ言語を持たぬ宗教だったからである（ただし言語を持った仏教は後(のち)に戦争をすることになる。それは同様に言語を持ったキリスト教が、夥しい数の宗教戦争を起こしていることを考えればよい）。

日本人が西洋戦争思想を幼稚園児並みにしか理解できぬのは（武士は除く）、言語から成る思想の歴史的古層には夥しい数の死体が眠っている、ということが分からぬからである。それは民主主義にしてもそうであれば、共産主義がどれほど悪質なものであるかの見当もつくだろう。なぜなら言語とは価値であり、その言語を生きるヒトはその拡大を行動に移していこうとする。さらにそこに宗教による言語による正統性が加わると、その正統性を主張するために夥しい数の殺戮、戦争が起こることになる。これは人間の負った宿命である。

戦後の日本人がまったく誤解しているのは、まるで日本には思想がないからのような劣等感である。その空っぽが如き劣等感に日本人は、あたかもなんでもいいからとして西洋思想を詰め込んだ。だから日本人はいまだにＧＨＱ体制から抜け出せぬのである。

かつての日本人にとって思想は、神仏のような性質のもので十分であって、それを言語化したようなものは必要なかった。つまり身体の思想だけでよかったから、資本主義、民主主義、共産主義、自由、平等、核兵器等の下らぬものを生み出さなくて良かったのである。民主主義を下らぬというと、頭の空っぽの日本人は誤解するかもしれぬが、日本国憲法に九条がある限り、日本は民主国家ではない。単なるＧＨＱに洗脳された似非民主国家であるに過ぎない。

日本人は（武士は異なるが）身体の意識（群れ本能的価値）を生きてきた。それは「村」社会の「空気」の思考であって、言わば言語化できぬ身体で繋がり合っている面が多分に強かった。だから「村」社会に背くような行為も、神の前で詫びれば「水に流される」ようなことになったのである。そこには徳・恥があるだけで、法の入る余地はなかった。

ところが戦後、西洋から、思想とは言語（文字）によってのみ表されるものだ、という考え方が入ってきた。それに対し、それまでの日本人は身体の意識を生きてきたから、その意味では頭は空っぽ同然であった。そうした西洋の考え方は、「考える」ということをまったくしてこなかった「村」人にとっては、なんだか分からぬがマネするに価する有り難いものだと思われたのである。

その事実は、戦後の日本人はそれまでの日本の思想をなにも考えず、ただ単にＧＨＱに言われるがままに悪いものだとして否定してしまったことを意味する。頭が空っぽだから仕方のないことだとしても。

例えば、明治維新を作るに当たって、「考える」能力のあった武士にしても、天皇を担ぎ出し、政権の象徴として現人神にまで祭り上げてしまった遣り方は、日本人の思考の限界と言えよう。なぜなら天皇に象徴権はあっても、実権はなかったのだから。それより天皇は昔通りのままに置き、むしろ薩長等の武士による中央集権的幕府体制を作り、武士道精神に基づく武士による政治、軍事、教育等の下に置かれた、若干の身分差を伴った新政府を作るべきで――それは西洋市民と違って、長年「村」人という平和ボケの暮らしをしてきた彼らの歴史的古層など当てになるものではないから――と言っても、それは所詮、後知恵でしかないが、結局、そうしなかったことが大東亜戦争という愚かな戦争に走らせてしまったのである（アメリカも相当の悪（わる）だったが）。

問題は武士ですら天皇という「君臨すれども統治せず」という、ほとんど無力に近い君主を国家のトップに据えてしまったことである。それは「考える」能力がある武士といえども所詮限界があったということなのか？

この国の最大の思想とも言えるものは、文字に表せぬ神々的なものであり、それは神道に代表される霊的なもの、さらにそれに禅を含めるのは間違いかもしれぬが、それらに対する無自覚にして、それでいて圧倒的力を持ったものが、民衆をして天皇を神的、霊的威厳を持つ現人神にまで押し上げてしまったのであろうか？　つまり薩長が天皇を担いだのは無意識にもそれを知っていたからで、彼らと民衆とを含めた対徳川幕府との勝負はすでについていたのではないのか？　ただそれが後に彼らの大きな誤算になるのである。それは日本が今後も、天皇を現人神とした武士道精神を持ったままの国家を維持できるものと思ったこと、つまり民衆も江戸時代の平和ボケの世界をこのまま生きられると思ったことである。

そしてそうした思考の誤算がなければ——天皇を霊的存在としてそのままに置き、現人神などと言語化せずに、実質、武士が統治していれば——大東亜戦争の敗北に繋がらなかったかもしれない。連合国は天皇の戦争責任を問おうと考えたが、あれだけの大戦争の名目上のトップとはいえ、国民からほとんど責任を問う者も現れなかったこと、また以前ほどではないにしろ——それは天皇に人間宣言させたこともあったかもしれぬが——天皇に対する国民の尊崇の念に並々ならぬものがあったことである。結局、ＧＨＱは天皇の戦争責任を問うことの非現実を悟った。

日本人は「考える」能力ゼロであっても、無自覚に文字に表せぬ神々の世界（思想）の下にあった。しかし戦後の日本人は、そうした自国民の持つ思想を理解することはできず——思想とは言語によって表されるものだ、というＧＨＱによる無自覚の洗脳によって

――日本人はあたかも自らに「考える」能力があるかのように、その空っぽ頭をなんの根拠（歴史的古層）もなく西洋思想で満たしていったのである。まさに猿マネであり、そこには自らの「考える」視点（判断基準）もなく――それを持っていたのはかつての武士だけであり――ただ西洋思想というだけで、例えば自由と民主主義（これについては後に三島のところで述べる）を取り入れることになったのである。そして戦後日本人が、いまだにGHQに洗脳され続けているのは、空っぽ頭のままで、視点を持っていないことにある。ここからもいかに日本人が振り込め詐欺に引っ掛かりやすいかが明らかだろう。それは別言すれば、それを自覚できぬほど振り込め詐欺被害者大国だということである。彼らは自分の頭が（博覧強記ではあっても）幼稚園児並みの「考える」能力しかないことを自認できず、その頭で自由だ、民主主義だなどと言っているから、とんでもないことになるのである。

それは例えば靖国神社問題で、あそこにはA級戦犯（この判決はあくまで連合国側のものである）が合祀されているから、首相が参拝するのはケシカランというような類の人々は、自分がどれほど馬鹿かということが分からない。神や霊にAとかBとかの文字が付けられぬのが日本の思想だということが、ちっとも分かっていないのである。

そも、戦前の思想がどんなものであったかはよく分からぬながらも、ともかくそれは悪だと教えられた。しかし戦前の日本人はそれを信じていたのであれば、この寝返りの早さは、どこから来るのかと考えてもよさそうに思う。

ところで戦前、西洋思想の流入に対し、日本の思想を以てそれに対決した哲学者がいた。西田幾多郎である。彼は日本の思想の基底にあるものが文字に表せぬもの（彼は禅を取った）だということを直観し、そこから自己の哲学を築こうとした。

西田は自分の行く道の険しさを初めから承知していたものと思う。なぜなら、禅（無）というものが言語として理論化できぬものだということは分かっていただろうから。そしてそこを基点に西洋哲学を理解しようとすることは、彼の不幸な人生――彼はそれを単に不幸とは受け取らず、それさえも哲学の糧（かて）とした――に加えて西洋哲学との関係は、彼にとっては、まさに暗闘と呼ぶに相応しいものであった。彼の文章の晦渋さはそこに由来するのだろう。

正直、西田の哲学がどこまで成功したのかは分からない。しかし日本人として、神々、禅の下に、身体の思想で自己の哲学を築こうとした彼の思想家としての立場は、大いに評価されてよいと思う。特に西洋のような戦争社会ではない日本においては、そこから思想するしかないだろう。

さらに彼の取った禅の身心脱落（無）の思想が、機構的（メカニズム）にはニーチェのニヒリズム（虚無）に近いことは一考に値することを述べておく（『ニーチェから見た資本主義論』を参照）。禅は身体（「肉体の無」）の思想であるが、ニーチェのそれも「肉体のもつ大いなる理性」（『ツァラトゥストラ』）のそれである。

「身心脱落」による「肉体の無」も「肉体のもつ大いなる理性」も機構的には同じである。そしてその「肉体の無」によって生命の本質が「力への意志」（生の上昇）の下にあって、ヒトはそれを価値の拡大に置き替え生きる存在であることが明らかになる。

それを禅の場合で言えば、ヒトは人間社会にあって様々な苦しみを抱えて生きる存在であり、それを禅（「肉体の無」）は、禅語（禅問答のようなもの）という愚者（無）の価値にまで、身心を脱落させることによって、その無の価値で考えることができるようになることである。ここに禅と武士道との共通項がある。武士道とは武道を通じて愚者の無に達することであり、その無の価値で考えればこそ、尋常では思いつかぬ戦略・戦術が生み出せるのである。

その無に至る道として剣術、座禅という方法が用いられる。これは生命的に言えば、進化を逆行させることで（だから困難なのだが）、無の世界にまで価値を脱落させることである。これによって死、苦からの解脱が可能となる。

これに対して、ニヒリズムは機構（メカニズム）的には禅と同じだが、こちらの至るところは無ではない。つまり身心を脱落し、無化すれば悟れると言うわけではない。

ニヒリズムは武士道、禅のように、ここまで達すれば愚者（無）になれるという目標を持たず、神秘体験という、多くは心身の極度の衰弱によって、一挙に進化の逆行をサル＝四次元身体にまで、身心脱落と同様のことをヒトとしての価値を脱落することによって至る虚無の世界である。

ここで四次元身体というほぼすべての人に理解できぬ造語思想を持ち出したが、これは私の根本思想の一部なので、理解できずともどんなものであるか一応、説明しておく。宇宙は四次元であるから、当然、ヒトも四次元生命を生きている。しかし現実には三次元世界を生きているという謎にヒトは置かれている。この謎が分かっていたのがニーチェである。そしてその一部が「肉体のもつ大いなる理性」であるが、『ツァラトゥストラ』を熟読すればより理解できるかもしれない。むろんそれは武士道、禅の「肉体の無」と同じ生の領域のものであるが、武士道、禅は四次元身体にまで達しないからニヒリズムの持つ四次元身体のなんであるかを、理解することはできない。

ところがヒトは、価値の拡大を生きる存在であるから、ニヒリズムという無価値（虚無）の世界を生きることはできない。ニヒリズムの世界とはもはや狂人のそれと言ってもよい。そこでヒトはニヒリズムから逃れるため、自己自らで言語に基づく価値を作り出し、その価値の拡大を行うことによって、ニヒリズムという四次元身体から三次元身体という価値の世界を作り出すことによって生きようとするのである。その原動力が「力への意志」である。

これは、ヒトがヒトとなるべく「力への意志」に基づいて神話という言語より成る価値の世界を生み出さねばならなかったのと同じである。これは現代人にはその実感はないが、われわれも神話の世界を生きているのである。

そのことはまた、ニーチェもニヒリズムに陥り、そこから自らの価値を生み出すべく『ツァラトゥストラ』という神話を作ることによってヒトへの道を独りで築き上げたということである。つまりヒトが、神話から長い年月をかけて今日に至るまでのことを、彼は一人独力で行ったところに、彼を理解できぬ根本原因がある。

そうした過程でニーチェは（私も）様々な思想を生み出していくことになった。私の「歴史的古層」もその一つである。

それに対して、ヨーロッパ戦争社会に生まれた文字に基づく自然科学的思考は、余りにも無邪気に、思想とは言語に基づくものだと信じ社会科学を生み出した。彼らが間違ったのは、自然科学の言語は数学のように、人間の内面を探らなくてもよいが、社会科学は「肉体のもつ大いなる理性」に係わる、人間の内面深く（歴史的古層）を知らねばならぬ性質のものであることが分からなかった。そうしたものをまったく無視した結果、共産主義のような思想を生み出すことになったのである。それを日本人は無邪気に、というよりまったく考えずにマネしたのである。その結果、どうなったかは今更言うまでもない。

戦後「私は考える」ことのできた武士が滅んでしまうと、残された日本人は「村」社会道徳に基づく「空気」の思考を歴史的古層に持つ国民だけとなった。それをヨーロッパにおいて、千年以上に渡る歴史的古層を蓄積してきた末に生み出されたキリスト教民主主義をマネしようとしたところで、その歴史的古層をまったく持たぬ日本人にマネなどできるわけがなく、ただ上っ面でマネしているだけだということが分からない。そんなものが民主主義であるわけがない。

日本人がやっている民主主義は、キリスト教抜きの、その思想の上っ面の暗記であり、実質は歴史的古層にある「村」社会道徳の「空気」に基づくものであって、本来の民主主義である（ヤクザ）市民に基づくものとはなんの関係もない。つまり日本人がやっている民主主義は、「村」人（市民ではない）の行っている「村」社会談合派閥主義なのである。

しかも「考える」能力ゼロ（視点がない）であるから（あるのは「空気」だけだから）世界を客観視することができない。ただ敗戦によって四十五歳のアングロサクソン族（マッカーサー）の下に集められた十二歳の少年は「子供国会合唱団」を作らされ、それをわけも分からず、背後の目に見えぬ指揮者の下に「民主主義、民主主義」と合唱させられているだけなのである。そしてこの合唱は今日まで変わることなく続けられ、そこで彼らはただ「護憲だ」「改憲だ」と騒いでいるだけで、将来、指揮者（アメリカ軍）がいなくなったらどうするかなど「空っぽ頭」には考え及びもしない。

これは別言すれば、日本人の歴史的古層にある江戸時代までの士農工商の思想が、明治になって、その士が武士の魂を失った「村」人軍人に代わり、その結果として、大東亜戦争の敗戦によって民主主義を表看板とした、アメリカによる米農工商に変わり、今日に至っているだけなのである（ここに日本人の平和ボケの根本原因がある）。その意味では、日本はいまだGHQの作った半国家であり、また国民自身も国家を作る気がない。

このことは日本人の愛国心のなさと表裏の関係にある、つまり日本という国の国体は、歴史的古層の構造から言っても、士農工商であって初めて日本という国なのである。

日本は古代より外国との戦争とはほぼ無縁であり、従って元より国家の意識は、歴史的古層において希薄であった。そうであれば、愛国心とは無縁と言ってよく、それに近いものを持っていたのは武士だけだった。しかしその士が明治維新と共に消えてしまったのである。

残された武士出身の政治家は、富国強兵の国家を一夜漬けで作り上げねばならなかった。当然、そこには愛国教育、徴兵制等も含まれたから、当然、「村」人は「考える」能力はなかったとはいえ、有り難くはなかった。

それがさらに昭和初期から、大東亜戦争が激しくなるにつれ、徴兵制の強化と軍部の劣化とによる無謀な戦術拡大により、ついに大東亜・太平洋戦争へと突入していくのである。

そして敗戦である。敗戦で学んだのは、GHQの洗脳による旧日本軍=悪、戦争=悪、愛国心=悪といった、戦前の全否定であった。

これで戦後はほぼ滅茶苦茶となった。なぜなら「村」人はまったく「考える」能力がなかったから、GHQが作った体制をほぼ変えることができなかった。戦後という平和が米農工商による最悪なものだ、と見抜けるものはいなかった。

ここに誰もが知っている戦後最悪の「村」人平和ボケの例を三つばかり挙げる。

一、朝日新聞の『吉田証言』に基づく、所謂従軍慰安婦報道

二、大江健三郎著『沖縄ノート』（岩波新書）に係わる名誉棄損裁判

三、河野洋平氏による、所謂『河野談話』

まず、朝日新聞従軍慰安婦報道から入れば、なぜこれが最悪かと言えば、そも「考える」能力ゼロの彼らの頭は、GHQによって旧日本軍＝悪と洗脳されているところへ、吉田清治なるペテン師から従軍慰安婦なるものを吹き込まれ、それを碌に調べもせずに報道したのは、まさに振り込め詐欺に引っ掛かりながら、それを疑う能力もなくその報道を流し続け、それが誤報と分かっても責任を取るでもなく頬被りしている姿は、いかにも「村」人の「無責任の体系」というしかない。まさに「無責任印」の新聞社の本領というところだろう。責任とは彼らの主張の「正しさ」「間違い」の問題ではなく、あくまで結果責任だということが分かっていない。

彼ら幼稚園児並みの精神耗弱新聞は、自由印マッチを与えられたからといって喜び、そ

の自由印のために自分の家に放火したようなものである。そしてその火は二十年にも渡って燃え続け、ようやく鎮火したものの、精神耗弱新聞は自分のしたことがどういうことなのかまったく理解できない。そうした人たちは病棟にでも隔離すればいいのだが、なにしろ日本人の多くが耗弱者なのだからどうにもならない。

ここで一言、私なりにジャーナリズムについて論じておきたい。むろん私はそれを美化するつもりはない。所詮、商売だからである。とはいえ、ジャーナリズム道とでも言うべき、彼らなりの信義は持つべきだと思う。

それは国民の利益を考え、そのために自らの一命をも抛つジャーナリスト魂とでも言うべきものを持つべきだと私は考える。そのためには、時には伏せるべき情報もあるだろう。はっきり言って朝日新聞は、卑劣というより、博覧強記を誇りと勘違いしている「考える」能力ゼロの国家意識のない「村」人新聞である。彼らの空っぽ頭に誇りのなんであるかを言っても無駄だと思うが、一応、繰り返しになる部分もあるが述べておく。

彼らはなにかと言うと「権力と対峙する」などと御立派なことを言う。だが戦前、彼らは権力と対峙したか、そして戦後、日本から権力と言えるようなものがなくなると、その特価品の博覧強記の頭脳は権力らしきものを作り上げ、あたかもそれと対峙しているかのように見せかけ始めた。それは長い物に巻かれる「村」人思想家・丸山眞男の発想と瓜二つである。

つまり視点がなく、「空気」で右から左に自由に動く朝令暮改思考である。

例えば、従軍慰安婦報道を捏造して韓国に漁夫の利を与えておきながら、韓国兵がベトナム戦争で同様のことをやったことには触れようともしない。彼らの頭の中には犬の糞でも詰まっているのかと思いたくなる。

また私から見れば、アメリカの傘下にある安倍政権はそれなりに良くやっていると思う。しかしそのことを認めてしまうと「権力と対峙している」彼らには甚だ都合が悪い。つまり彼らの遣り口は、弱者を見つけ出し、その粗を徹底的に探し出し悪者にできると思ったら、朝日新聞という正義の看板の下に裁く（いじめる）のである。彼らはジャーナリズムとは本質的にその種のいじめだと思っている。

彼らの空っぽ頭は、まずＧＨＱの特価品思想という振り込め詐欺に洗脳され、さらに『吉田証言』のそれに引っ掛かったのである。とはいえ、そこまでは被害者は出ていないのだから、彼らを振り込め詐欺犯とは呼べまい。しかし彼らの特価品頭は、自ら「考えている」と思っても、それは単に振り込め詐欺に引っ掛かっているだけの思考に過ぎぬことが分からない。しかも振り込め詐欺に引っ掛かっているから、裏を取ることもせず、ただ金になる記事だという社益だけで、一切、国民の利益を考えるという思考は浮かばない、そうであればこそ、彼らは朝日クオリティー新聞を表看板に、大々的に従軍慰安婦報道という捏造記事（振り込め詐欺）に入っていったのである。そして多くの購読者が騙され、金を巻き上げられた。

その意味では彼らは今日流行っている振り込め詐欺犯の先駆者である。そうであれば、従軍慰安婦像のように朝日新聞の社屋の前に、「振り込め詐欺記者の像」でも建てたらどうだ。

彼らがなによりも質（たち）の悪いのは、今日の振り込め詐欺犯でもする、自分のしてきたことへの自省がないことである。犯罪も余りに巨大化すると、もはや犯罪とは呼ばぬということなのか、革命がそうであるように。だから自分らがジャーナリスト魂を失ったとして腹を切る者はおろか、「記事に事実のねじ曲げない」などと居直る始末である。これはいまだに振り込め詐欺思考の中にいることの証である。そして日本人はこんな新聞を読んでいるから、振り込め詐欺はなくならぬし、「考える」能力ゼロなのである。これは金になればいいとする瓦版屋以下の世界である。なぜなら瓦版屋は自分らを利口だなどとは思っておらぬし、また「記事はねじ曲げだらけ」だとよく知っているから。

さらに大江健三郎著『沖縄ノート』（岩波新書）に係わる裁判も、振り込め詐欺に引っ掛かっていることでは朝日新聞に酷似している。

これについては些か説明が必要だろう。旧日本軍守備隊長が渡嘉敷島島民に「集団自決命令」を出し、多くの島民を殺したと記載されていることに対し、守備隊長らが名誉棄損で大江氏および岩波書店を訴えた裁判である。

これら戦後三最低「村」人に共通しているのは、国家（士）の意識がすっぽり抜け落ち、「村」道徳意識を歴史的古層に持った「私たちは考えない」「空気」の思考下にあることである。従って三者とも、国家（士）の意識を持った者なら当然取るべき情報を取っていない。つまりジャーナリズムとは無縁だということである。なぜそうなるのかと言えば、「村」人に情報は必要なく、彼らに必要なのは「村」道徳だけだからである。

つまり「村」人にとって戦争は理屈抜きで悪であり、従って朝日新聞にとって『吉田証言』があるだけで十分だったのであり、『沖縄ノート』はただ『鉄の暴風』という「空気」で書かれた（著者自身そう語っているのだから）ネタ本を下敷にすれば済んだのである。

そして河野氏は「村」の村長よろしく「詫び」を入れて、すべてを「水に流そう」としたのである。

また朝日新聞が、戦前は軍国支配者を主人とし、敗れれば新しいアメリカを主人とし、その主人が旧日本軍は悪だと言ったから、それらしい「空気」の材料を探し出し悪としただけである。つまりこれらの言動は日本「村」人の歴史的古層にあるものであって、例えば江戸時代、藩主に諂（へつら）っていた「村」人が、代わった新しい藩主の前に出て、揉み手をしながら前藩主の悪口を言っているようなものである。大江氏にしても岩波書店にしても同じである。「村」人はこれまでそうして生き延びてきたのである。

つまり彼ら国家意識を持たぬ者に愛国心などあるはずもなく、しかも「村」人の視点しか持たぬ彼らに、国を愛するなど、そも、なんのことだか分からねば、反日だと非難されても、なんのことだかさっぱり分からない。そも「考える」能力ゼロの「村」人に自由など与えたのが間違いなのである。彼ら「村」人の頭は自由とはただの反権力でしかなく、それ以上の知恵を日本人は歴史的古層に持たなかった。つまりそれは藩主に逆らう自由もあるのだという「村」人の子供っぽさ（十二歳の少年の頭）から来ているものであり、朝日新聞が左傾化した根拠もそれだけでしかない。彼らが確信的根拠に基づくジャーナリスト精神の持主であるなら、従軍慰安婦報道などという馬鹿げた誤報など起こるはずもない。しかも彼ら「村」人の頭には国家意識がないから、それらしく見せかけはしても、国民のことなど考えもしないただの反権力であって、それは日本人にとって反国民になる——だから彼らは平気で国民に不利益を与えた——のだが、彼らの歴史的古層は封建時代のままであるから、あくまで反藩主なのである。だから反安倍になるのである。ただし彼らは真の御主人アメリカには楯突けない。

今一つは彼らのエリート意識である。つまり彼ら「考える」能力ゼロでありながら、エリート意識に結びつくのは、それが博覧強記の知識（マネ）に基づくものである。

これは『沖縄ノート』裁判における大江氏で痛感したのだが、氏には（これは「空気」で考える日本人一般に言えることだが）論理的思考がまったくできぬことである。はっきり言って支離滅裂である。そして自称、民主主義者であるにも拘わらず、氏はその欠片すらも理解できていない。それはこの裁判に係わった曽野綾子氏が、日本では珍しいキリスト教民主主義者であるにも拘わらず、大江氏には氏の言がまったく理解できなかった。曽野氏が民主主義者だと言うのは（民主主義者は基本キリスト教市民であり）、氏が逸速く「集団自決」に関しての情報収集を行い、その結果を『ある神話の背景』に「『赤松が自決命令を出した』と証言し、証明できた当事者に一人も出会わなかった」と記し、さらに「そして今もなお戦争ではなく、軍隊の存在そのものが悪であるという考え方ができるのは、世界で日本だけかもしれない」と言えたことである。そしてこの裁判が被告（大江氏）側の無罪で終わったのは「空気」の圧力であったと秦郁彦氏は述べているが、私もそう思う。

つまりこの国のエリート意識を持つ者は、「考える」能力ゼロでもマネする能力さえあればいいのであって、だから戦後、エリートはほとんど無考えに「空気」として左翼（サヨク）に走ったのである。戦前は右翼であったが、それに「悪」のレッテルが張られてしまえば、「考える」能力ゼロの戦後の知識人は「空気」としての左翼に走るしかなかった。つまり自分の頭で「考える」能力がなかったのである。

そうした「空気」の思考であれば、朝日新聞もそのエリート意識から、反権力、反国家以外の知能は持ち合わせていなかった。そこで彼らは『吉田証言』の下に、戦時中旧日本軍が従軍慰安婦という、いかに「村」道徳に反したことをしていたかを告発し、自分たち朝日「村」新聞が、いかに立派であるかをアピールしたかったのである。

そのことは、ただ彼らの「考える」能力ゼロを露呈しただけで、そこに朝日「村」道徳はあっても、ジャーナリズムとは無縁であることを示したに過ぎない。しかも彼らは「考える」能力ゼロのマネ乞食だから、その本質が理解できず、『吉田証言』の従軍慰安婦の現地・済州島の取材、調査の結果、それが誤報だという事実の前に立たされて、ようやく渋々兜を脱ぐことになったのである。そのことは、彼らはいまだに事の本質が分かっていないことを意味する。

そも、彼らの頭には、人はなぜ「考える」のか、また「考える」とはどういうことなのかなど、生まれて此の方「考えた」こともないから、なにを言っても蛙の面に小便でしかない。つまり彼らはマネすることと「考える」ことの区別がつかぬ「考える」能力ゼロの「村」人知識人なのである。

戦後七〇年はそうしたゴミのような知識人が溢れることになった。確かに地政学的条件——日本がガラパゴス的島国だという条件が——が日本人をしてマネ民族化し、「考える」能力を奪ってしまったのは事実である。しかし今日、グローバル化した世界にあって、それが困難なことではあっても、「村」人の視点を卒業し、国家の視点で世界を俯瞰できなければ、この国はなくなってしまうだろう。

晩年の三島由紀夫は『果たし得ていない約束——私の中の二十五年』で次のように言っ

ている（ほんの一部分だが）。

「私はこれからの日本に大して希望をつなぐことができない。このまま行ったら『日本』はなくなってしまふのではないかという感を日ましに深くする……」

また『英国人記者だからわかった日本が世界から尊敬されている本当の理由』（ヘンリー・S・ストークス著）から三島の自決の際の檄文の部分を引用させてもらう（『　』内は三島の檄文）

「『日本の真の魂は、どこへ行ったのか、天皇を中心とする日本を守るという自衛隊は永遠にアメリカの傭兵として終わるであろう』

三島の檄文の最後の部分は、以下のようだった。

『日本を日本の真姿に戻して、そこで死ぬのだ。生命尊重のみで、魂は死んでもよいのか、生命以上の価値なくして何の軍隊だ。今こそわれわれは生命尊重以上の価値の所在を諸君の目に見せてやる。それは自由でも民主主義でもない。日本だ。われわれの愛する歴史と伝統の国、日本だ』

市ヶ谷での事件直前の三島は、右翼にも、政治家にも、期待していなかった」

正直、ストークス氏のこの書を読んだ時、意外さと驚きとを覚えた。それは西洋人が切腹を野蛮な行為として嫌うこと、そして日本人のほとんどが三島の死を理解できぬのに、なぜストークス氏は肯定できたのかという疑問であった。

私は日本「村」社会の「狡猾に逃げる文化」については、ちょっと先に触れたが、彼らは憲法九条を守ると称して自衛隊員の命を粗末に扱うことでは、戦前の「無責任の体系者」となんら変わらない。

私は自衛隊の戦力が決して弱くないことは知っている。しかしそれは数字の上でのことである。問題は専守防衛というあくまで防衛に徹するという、日本人の頭の空っぽさにある。先制攻撃能力があるということを見せつけてこそ、はじめてそれが防衛抑止力になるということが分かっていない。隊員たちはどこまでが先制攻撃で、どこまでが専守防衛であるかを教室で学んでいるわけではなく、実戦形式で肌で学んでいるのである。

それを自衛隊機等に乗り、彼らの過酷な現場を知りもせず「自衛隊を憲法に明記すると、侵略戦争に繋がる恐れがある」などと寝惚けたことを言う国会議員が、ペテン師さながらに国民の税金を掠め取る（取られる方も馬鹿だが）のがこの国の現実である。自衛隊員のためにも、また国民のためにも、この国の国防状況がどうなっているかを学校等で教育すべきであると思う。なぜならそれは国の浮沈に係わることだからである。

この国には祖国のために死ぬ気もない竜馬ファンの類で溢れている。せめて生きる理由が「死して不朽の見込あらばいつでも死ぬべし、生きて大業の見込あらばいつでも生くべし」（吉田松陰、高杉晋作に答えて）として、そこに生の意味（価値）がなければそれは単なる酔生夢死である。それは三島の言う「生命尊重以上の価値の所在」である。

戦後の日本人は奴隷（「村」人）であり、奴隷（属国）好きである。次はどこの国の奴隷になろうかと思案する「村」人もいれば――だから国軍ではなく自衛隊なのであり――また戦争になったらどこへ逃げようかと算段する「村」人もいる。

ストークス氏はキリスト教徒だろう。キリスト教が死に立ち向かえる宗教であるように、武士道もそうである。そこに両者を結ぶ絆があったのだろう。そして自由と民主主義の国である英国人であっても、なによりも祖国の歴史と伝統を重んずる氏であればこそ、祖国の歴史と伝統のために命を抛（なげう）った三島に共感したのではないかと私は考える。

しかし私は三島同様に、この国はなくなってしまうだろうという感を拭えない。

第二章　私説　自衛隊無血クーデター構想

西洋人が日本について書く時、多くの場合いい部分が（時には曲解して）書かれている。たしかにそういう面はある。私はその意味では、ストークス氏から多くを学んだ。しかし私は彼らが口に出さぬ悪い面の方が気になる。まず日本人の西洋猿マネ思考、それに伴う軽佻浮薄・付和雷同性、また政治家等からしての属国好き、日本国憲法を平和憲法だなどと読み替える奴隷性である。そしてそれを暗示するかのような朝日新聞従軍慰安婦誤報である。しかもそれに対する責任の自覚もない。それが結果責任の問題だということさえ分からない。彼らは国家に損害を与えたのだから、それなりの償いをせねばならぬはずである。それは河野洋平氏にも言えることである。江戸時代なら間違いなく斬首だろう。

話は変わるが責任に関してこんなことがあった。北朝鮮のミサイルが日本列島を横断して太平洋上に落下するという事件である。これは国境侵犯という大事件であるにも拘わらず、メディアはほとんど取り上げず、国会は森友・加計問題で激論である。彼ら政治家には国民の生命、財産を守ることになど興味はなく、ただ党益に奔走しているだけである。

なぜ撃墜しなかったのかと問題視したのは、日本に住む人（記憶がはっきりせず、日本人なのか、外国人か覚えておらぬ）が、どうも後者らしい。なぜなら後に「なぜ撃墜しなかったのか」と明確に発言したのが、トランプ大統領だったからである。

ただ私の推測では撃墜する能力がなかったからだと考える。なぜなら撃墜していれば、我が国にはこれだけの防衛能力があるのだということを示せたからである。しかしそれを防衛能力がなかったからだとすれば、これは大問題となる。だからその能力があるとも、ないとも明確にしないまま、曖昧のまま葬ったものと思われる。これはまさに似非民主国家であることの証である。防衛能力がないのが、国防費の不足によるものなら、国民にそれを訴え国防予算を増すよう働きかけるのが、民主国家の基本ではないか。それともなにか国家機密でもあったとでも言うのか。この国の平和ボケはかって広島・長崎に原爆が落とされたにも拘わらず、北朝鮮のミサイルは落ちぬという、まったく根拠のない楽観論にあるように思われる。なぜ落ちぬと言えるのか？

戦後の日本人は「考える」能力ゼロの猿マネ人間である。三島は檄文の最後に「それは自由でも、民主主義でもない。日本だ。われわれの愛する歴史と伝統の国、日本だ」と書いている。恐らくストークス氏が共感したのはこうしたところだろう。日本人にとって自由も民主主義も、所詮、奴隷が主人から教えられたことをやっているに過ぎない。日本人の持っている歴史と伝統（歴史的古層）はどうなってしまったのか。なぜそれを溝に捨て、知りもしない自由や民主主義をやるのか。空っぽ頭とはこうしたものなのか。

日本人の歴史的古層には、自由も民主主義もない。西洋文明（技術）に関しては、数学と技術とから成っているから猿マネもできよう。が、思想は歴史的古層の問題であるからそうはいかない。せいぜいそこから西洋思想の長所を取り出すことはできても、基本的には日本の歴史と伝統の持つ古層の問題である。

ところが「考える」能力ゼロで、猿マネで生きている知識人には、日本の歴史や伝統などと言われても、考えたこともないから、なんのことだか分からない。それがほぼ江戸時代に完成された、士農工商から成る日本人の歴史的古層（思想）であり、日本人のすべてがそこに入っているのだ、ということが。

士は戦争をしたから「考える」ことができた。しかし農工商は士を養っていた関係上、逃げるだけでよかったから「考える」能力ゼロの「村」人になってしまったのである。

そこへ黒船来航による幕末・明治である。福沢諭吉は『学問のすゝめ』で「一身独立して一国独立する事」のためには、「逃げ走る」客分（「村」人）から主人（武士の志を持つ者）にならなくてはならぬと言った。しかし歴史的古層はそんな簡単に身につくものではない。つまり学問した位では駄目だということである。しかも明治政府は、国家の中枢を精神的に担っていた武士を廃してしまったから、その後の大東亜戦争は「村」人政治家・軍人に頼るしかなく、結果、惨敗を喫することになった。

そして戦後も似たようなものである。それまでの「村」人の空っぽ頭は、GHQの民主主義や日本国憲法に入れ替えられただけである。空っぽ頭は一切「考える」ということをせぬから、日本国憲法（特に九条）はあたかも江戸時代の平和が戻ってくるかのように歓迎された。軍隊なしで平和でいられるなどと考えるのは、所詮、奴隷（「村」人）であり、人間ではないという自覚が持てない。少なくとも西洋的価値観ではそうである。だから西洋に軍隊を持たぬ民主国家は存在しない。だが日本人（奴隷）はそれを理解しないし、またしたくないのかもしれない。

ところで問題として、自衛隊員の出身者は「村」人である。果たして彼らは武士になれたのか。なぜなら武士になるのは、映画やテレビの世界のそれとはまったく異質な命を賭けた世界である。

三島が市ヶ谷自衛隊総監室のバルコニーから発した第一声は「諸君は武士だろう」だっ

た。三島にとって彼らは武士でなくてはならなかった。この士農工商の国においては、士しか国を守れぬからである。国会議員など、森友・加計問題で税金をムダ使いするだけの存在でしかない。

私も基本的に自衛隊にしか武士はいないと思っている。ところが「考える」能力ゼロの日本国民という「村」人は、自衛隊が存在しなければ自己の生命の危ういことを、どこかで薄々と知っている。しかし彼らのＧＨＱに洗脳された空っぽ頭は、憲法九条があれば日本国の平和は江戸時代のように守られると歴史的古層では信じたがっている。あるいはまたアメリカが守ってくれるかもしれぬというトンチンカンな考えの者もいるかもしれない。しかも自らが権力を握っているという自覚を持っている国民は、いざとなったら自衛隊に守ってもらう積りでいながらも、――日本国民は自分で自分を守るという責任感もないくせに――自衛隊の持つ軍隊性に対する不安から、憲法学者まで動員して「違憲だ、違憲だ」と言わせることで、なんとなく自分を安心させているのである。

これは「村」人のもつ狡猾性である。どこにでも「逃げられるように」と考える灰色蝙蝠性である。これまでも何度も述べてきたので詳述はしないが、大江氏がアメリカで述べたと言われる「日本の保守派にはこの憲法が米国から押しつけられたものだから改正する必要があるという意見があるが、米国の民主主義を愛する人たちが作った憲法なのだからあくまで擁護すべきだ」である。こんなことは民主国家の国民なら幼稚園児だって言わない。なぜならこうした論理思考しか持たぬ人間は簡単に「中国の共産主義を愛する人たちが作った憲法なのだからあくまで擁護すべきだ」にも替え得るからである。これは別言すれば、国なんてなくてもいいということである。そして揉み手をしながら、前の主人アメリカの悪口を平気で言うはずである。朝日新聞と大江氏との親近性はこうした「村」人の持つ蝙蝠奴隷性に由来する。

彼らはやたらと平和を口にするが、それは単なる「逃げ走る」「村」人の口先のきれい事であって、常に灰色の立ち位置を取るためにしていることである。自衛隊を合憲、違憲で争うのも、日本国憲法を読めば馬鹿でも違憲だと分かるはずだが、それでは国際社会において存在し得ない。しかしまた合憲となると、それがさらに国防軍になるのでは、という恐れが「村」人の歴史的古層の平和観（平和ボケ）が許さない。つまり自衛隊を常に灰色状態に置いておきたいのである。

「考える」能力ゼロの「村」人日本人には、今が江戸時代ではない、という時代認識が歴史的古層においてできない。つまり今が国際的戦国時代、言い換えれば人と生まれた以上、否も応もなく暴力（ヤクザ）組織の一員（武士）として生きるしかない宿命を負わされているという事実が認識できない。すなわち戦争に反対しようとすまいと、ミサイルは否応もなく、飛んでくる時は飛んでくるのである。その危機感がないのが国会議員であり、国民である。つまり明確な、人間としての生存の意志が幼稚園児のようにない。その意味するところは、恐らく日本にミサイルが着弾するまで「違憲、合憲ごっこ」をするつもりだろうということである。

こんな話まで聞いた。自衛隊員と行き合った父親が、連れていた息子に彼を指さし「あの人は法を犯して、人を殺す人だよ」と言ったとか。

西洋民主化はその長い歴史で、国民と軍隊とがどう和解すれば調和の取れた国家を作れるかの難問の末に、統治者（国民）が市民に向かって「お前の死ぬことが国家に役立つのだ」という徴兵制の基礎のようなものを成り立たせた。それが民主主義の基礎であるが、日本人はあたかも、自分の「考える」能力がゼロであることを口実にするかのように、それを無視し続けた。ただ民主国家アメリカが作った憲法だから擁護すべきだというだけで。日本人はここまで奴隷（「村」人）根性の国になってしまったのである。そして自衛隊は三島の言うようにこのまま行ったら「アメリカの傭兵として終わる」と思わぬわけにはいかない。彼の炯眼は、自衛隊がアメリカの傭兵としてイラク戦争に派兵されるのを、予見していたかのようである。彼は理論家ではなかったが、武士としての勘は確かだった。

軍事と政治とは――むろんその基礎を作る教育の重要性は言うまでもないが――もう一方の柱である経済とともに国家の要である。西洋人がキリスト教を芯とした「私」（市民）に基づいて民主国家に至ったことを考えれば、「私たちは考えない」「逃げ走る」「村」人日本人による軍事を否定した民主国家など有り得ない。従って歴史的古層にある士農工商に戻るしか、日本が属国ではなく独立国家になる道はない。そして今日、士に一番近いのが自衛隊である（彼らが士でなければこの国は終わりである）。

私の言う、自衛隊無血クーデターは、ストークス氏の著書における三島のそれから霊感を受けたものである。それは三島の死がさながら戦後という不毛な繁栄の中に捨石のように転がっていたものを、氏が拾い上げ、それがダイヤモンドの原石であることを私に教えてくれたようなものである。

私の自衛隊によるクーデターにはほとんど血腥いものはない。ある意味極めて単純なものである。つまり自衛隊員自身が憲法九条に抵触する存在であることを自覚し、全員が（といかなくてもよいが）防衛省長官に辞表を提出し、退官すればよいのである。これで

「自衛隊　合憲・違憲論」はなくなる。むろん自衛隊がなくなれば国もなくなるが、この国の国民は国などなくていいと思っているのだから、それでいいではないか。せいぜい国がなくなるということがどういうことかを、ユダヤ人のように味わってみるのもいいだろう。そこまで馬鹿なら。

いや、自衛隊に居てもらわなくては困る、と言うなら当然、自衛隊の言い分も聞かなくてはなるまい。

まずそれには改憲し、自衛隊を国防軍として正規の軍隊として憲法に明記し、国防軍を否定する政党を許可しないことである。これは軍人（武士）としての誇りの問題である。

これが最初の一歩である。これ以後は三島の言う「歴史と伝統」に基づく、私なりの国家改造構想論である。

ここからは多少、血腥くなるかもしれない。なぜなら戦後のＧＨＱ体制を大きく変えることだからである。だからと言って対米政策を変えるわけではない。日本人の歴史的古層に基づいて国の形を変えるだけである。なぜならここは日本なのだから。

まず国防軍、政治家、知識人の中で武士の思想、あるいは西洋市民のそれが分かる者が仮の政府を作り、一切の「村」人の自由を停止する。この意味は、国を売って恬（てん）として恥じぬ——というより「考える」能力ゼロだからだが——政治家、ジャーナリスト、知識人の言論を一時的に封鎖する。それに対する抵抗はまず起こるまい。彼らは丸山眞男と同類で、己の思想に命を賭けられるほどの誇りは持ち合わせていないから。所詮、「逃げ走る」「村」人である。

そこで日本人が歴史的古層に持つ士農工商の身分制度を取り戻す。つまり士を士民とし、農工商を平民とするのである。士民の資格はルソーの言う、国家のために死ねるかどうかの一点に尽きる。そして彼らを中心に政治、軍事、教育を行い、選挙権（の類としておく）を彼らにのみに与える。

これは「村」人に自由や民主主義など与えると、どんなにロクでもない事になるかを、戦後、武士思想を生きた私の実感から言うのである。

細部については述べなかったが、それには自衛隊が決起せぬ限りどうにもならぬからである。

私はこうした構想を考えつつ、明治国家を作った先人がいかに偉大であったかを痛感させられた。所詮、「暗殺だけは、きらいだ」などと言っている小説家の作品を愛読する「村」人とは、人間の質が違うということである。

あとがき

私にとって唯一、三島は生前、国家、憲法、自衛隊等について語り合いたかった人物である。

天才と狂気との関係について——我が狂気——

私は「運命」と和解した

まえがき

まず標題から説明していく。

天才とはいわゆる才能のある人のことではない。才能のある人とは、人々と共通（たとえば国民、大衆等）の価値の中で抜きん出た価値（才能）を持ち、それを発揮するが故に人々から崇め、尊敬、羨望される人のことである。それに対し天才とは、人々の共通の価値とは異なる価値を生きるが故に理解されず――彼を人々（国民、大衆等）が天才だと崇めるのは、まったくの誤解であり――天才は一般に孤独、不遇の中を生きる。と言うより、天才自身が国民、大衆との間に価値の落差を感じるが故に、自ら彼らから遠ざかる。

次いで狂気に基づく天才であるが、狂気は精神病とは異なる。むろん天才とて単なるヒトであるから、精神病者と共通する面もあるが基本的には異なる。

なお、これはあくまで仮説であるが、狂気を持つ者（天才）は男（オス）に限られることである（これについては最終章で述べる）。

そして最後に「わが狂気」とは、私が狂気を持つ者であるが故に、「天才と狂気との関係」が分かったということである。

私が本書で取り扱うのは、ニーチェ、ランボー、三島由紀夫、プルースト、ポー、禅者（良寛）であるが、主にニーチェに焦点を当てる。その理由は読み進むにつれて分かってくると思う。

今一つ本書を読むに当たって無理な注文かもしれぬが（その理由は後に述べる）、常識的思考「私は考える」を外し「他者が考える」、つまり「『私』は一個の他者であります」（ランボー）、あるいは「主体（「私」）は虚構（嘘）である」（ニーチェ）の視点から見るよう心掛けなければ、本書は理解できぬだろう、ということである。

私が「無理な注文かもしれぬが」といったのは、西洋市民あるいはかつての武士は「私」の視点を持っていたから「考える」ことができたが、戦後の日本人はそれを持たぬ空っぽ頭だから、「考える」能力ゼロなのである。ただ「私は考える」と思っているだけで、実質「私たちは考えない」で「空気を読む」だけである。それはマッカーサーが自らを四十五歳のアングロサクソン族と称し、日本人を十二歳の少年と言ったことを意味するが、当然、十二歳の少年には、四十五歳のアングロサクソン族の頭の中は分からない。

さらに私が、常識的思考では分からぬと言うのは、本書がニーチェ同様の狂気の下に書かれているからである。

第一章　日本人はなぜ考える能力ゼロなのか

戦後の日本人が「考える」能力がゼロなのは、やや本題から逸れるが、無駄ではないと思われるので記す。

まず西洋は古代ヨーロッパから戦争社会であった、という事実から始めるが、その前に、ヒトはなぜ戦争をするのかを、ざっと述べておく。

それは生命の起源にまで遡らねばならない。

宇宙は四次元（時空）世界であり、その膨張する（今日の宇宙物理学の視点では）宇宙に地球という惑星が存在し、そこに生命というものが生まれた。それは宇宙の膨張と係わりがありそうであり、それはあたかも「生命の意志」であるかのように進化によって「生を上昇」させてきた。ニーチェの言う「力への意志」である。

それは別言すれば、生命の世界は自己の生を上昇させるための、半ば食うか食われるかの闘争社会である。その進化のメカニズムは、生命体が環境から情報を取り入れ、それを個体内の記憶層の深部に蓄積し、その「情報の下降」を基に「生を上昇」させることによって、自らの個体（身体）を環境内で生き延びさせるために、進化してきたのである。生命は四次元世界でそのように進化してきた。

そうした四次元生命体がサル（ヒトの起源）にまで進化し、さらに言語化によってそれが四次元身体を持つ人類（ヒト）にまで進化すると、同時にヒトは時間と空間（三次元）とから成る三次元身体（意識）を生きる存在となった。言い換えれば、四次元身体上に言語から成る虚構（嘘）としての三次元身体というものを生み出し、ヒトは時間と空間とから成る意識という虚構（嘘）の世界を生きる存在となり、そこにあたかも「私はある」かのような錯覚（虚構）の世界を生きることになった（この辺りのことは拙著『ニーチェを超えて』を参照）。

このことは別の視点から見れば、それまでのサルの「生の上昇」の世界から、ヒトは虚構としての「価値（言語）の拡大」（三次元身体）としての意識の世界を生きる存在になった、ということである。しかし虚構としての三次元身体（意識）を生きるにしても、その身体は四次元身体の支配を強く受けている。つまりサルの本能（四次元生命）はヒトに進化することによって、本能的価値（四次元身体）としてそれを受け継いでいるのである。すなわち、それは食餌本能、生殖本能、闘争本能、群れ本能のそれぞれの価値である。

ヒトはそれらの支配の下に生きているのである。それをニーチェの言葉で言えば次のようになる。

「君はおのれを『我』（三次元身体＝意識）と呼んで、このことばを誇りとする。しかし、より偉大なものは、君が信じようとしないもの――すなわち君の肉体と、その肉体のもつ大いなる理性（四次元身体）なのだ」（『ツァラトゥストラ』）。

ヒトは闘争本能的価値を持ち、その価値の拡大を生きるが故に、古代ヨーロッパは戦争社会となったが、問題はそれほど単純ではない。なぜならヒトは同時に群れ本能的価値を生きているからである。「群れ」とは「私たち」であり、「私たち」では「考える」ことはできない。つまり戦争社会であるにも拘わらず、戦争に勝つ（得する）ための「私は考える」ことができぬのである。そこでヨーロッパ人は無自覚にしろ、キリスト教を利用することによって、群れ本能的価値を衰退させる巧妙なトリックに思い至った。つまりキリスト教を疑似群れ宗教集団とし、その下に帰属する者は、その信仰によって永遠の命を与えられると共に、「私で考える」ことを可能にしたのである。これによってキリスト教徒は「私で考える」ことができるようになり、ヨーロッパは一層、戦争社会化していくことになった（戦争は、基本、得するために行われるものである）。

このことは、ヨーロッパにおいて国家＝キリスト教＝「私」（市民）という関係を形作り、その思想は四次元身体の記憶層の深部（歴史的）古層）に蓄積されることになった。つまりこの歴史的古層があって、はじめて今日の西洋文明がある、ということである。そして主にこの戦争（得する）社会における「私」化とキリスト教とによって近代資本主義が生まれ（これについては拙著『ニーチェから見た資本主義論』を参照）、この資本主義の富が市民に行き渡ることによって、近代民主主義が生まれたのである。

西洋において民主主義に行き着いたのは、それが戦争にもっとも強い（徴兵制による）政治思想だったからである。民主主義が平等だと言うのは、徴兵においてそうだというように過ぎない。

これが日本になると事情は異なる。むろん日本人も闘争本能的価値を持っていたから、戦う人、武士が存在した。武士は西洋市民がキリスト教を神とすることによって、「私」を成り立たせたように、主君を神とすることによって「無私」の「私」（それはニーチェの言う「肉体のもつ大いなる理性」によって）を成り立たせた。それは明治維新、武士が天皇を現人神とした主たる理由である。つまり天皇が神であったから「無私」の「私」が成り立ったのであり、それは明治天皇の死とともに乃木希典が殉死したのも、昭和天皇の人間宣言に三島が憤ったのも、彼らが武士だったからである。

ところが日本は、ガラパゴス的島国であったという点で特殊であった。つまりヨーロッパ戦争社会はそこが大陸であったから、国家間の侵略、略奪は限りなく行われ、敗れれば殺され、奴隷化された。従って国民は、否応なく戦う人（市民）にならざるを得なかった。従ってそもヨーロッパにおいて、殺人、強盗、窃盗等は単なる犯罪（損得の問題）であって、日本のように道徳的悪ではないのである。

それに対し、島国日本は自然豊かではあっても、同時に自給自足で生きていかねばならぬ運命にあった。つまり大陸と適度の距離があったから、外国との戦争は皆無といってよく、またその距離が大陸の文明、文化を運んでくるのに適度であったから、日本人はそれが自己に利益になるものであればマネ（真似）し、それを自己の価値の拡大になるよう工夫、洗練させていった。従って日本人は古代から「考える」能力を持たず、マネする能力だけを発達させ、それを四次元身体である記憶層の深部（歴史的古層）に蓄積する民族となった。とは言え、日本人も闘争本能的価値を持っていたから、中世、武士による乱世が起こることになる。彼らは戦争をする人々であったから、ヨーロッパ市民のように「考える」ことができた。

しかしそれも江戸時代二六〇年の太平によって、ほぼ決定的に「考える」能力はゼロになってしまった。今日の日本人の歴史的古層は、そのとき決定的に形作られたと言ってもよい。わずかに「考える」ことができたのは下級武士だけであり、彼らによって明治維新が成し遂げられたのは、皆の知るところである。その理由は、彼らが貧困という戦の中において、公のために死ぬという、「無私」から成る武士道を維持できたからである。

しかし明治新政府を作った武士たちは、武士道の本質を解することなく、それを廃することによって――それも明治期頃までは武士の末裔が残っていたから、どうにか国家を維持できたが、その後――日本は大東亜戦争、その敗戦へと至るのである。そして戦後、「考える」能力ゼロ、マネ能力一〇〇の日本人は経済的繁栄へと至る。

正直、日本人は「考える」能力ゼロ、マネ能力一〇〇というよりもその区別ができない。つまり「考え」て得をすることと、マネして得をすることとがまったく別だ、ということが。

戦後、日本の政治・言論界の不毛さの本質は、マネして得をしようとしたところにある。それに対して経済の発展はマネして得をしたのである。その別が理解できぬのは歴史的古層が分かっていないからである。

江戸時代に今日の日本人の歴史的古層（四次元身体である記憶層の深部）が決定的に形作られたとは、具体的にどのようなことであったかを記す。

問題となるのは、江戸時代の士農工商の身分制度である。この制度の意味は、ヨーロッパ大陸において侵略、略奪はある意味、仕放題であったのに対し、島国日本においては、支配者・武士は「村」人（農民）に食べさせてもらっている関係にあったから、一定の秩序があった。そのため「村」人は「逃げる」ことができ、逃げていさえすればよかったから「考える」能力がまったく発達しなかった。

が、とりあえず、ここでは今日滅んでしまった武士は問題としない。問題は農工商という「村」人である。

日本は島国であるから「村」人（農民）は限られた土地しか与えられなかった。従って「村」人は土地の配分などに当たって、その談合において「おれが、おれが」という自己主張（「私」の意見）を言うことは、「村」の秩序の破綻に繋がるので許されなかった。そのため、談合は自分がどれだけ損をすることで、「村」の総意と妥協することができるか、という思考に行き着くことになった。つまり談合において、「村」の総意（それぞれが損をする）という談合の「空気」に従って、自分の意見を述べることになったのである。これがいわゆる「空気を読む」思考である。そしてその「空気」に従わぬ者、つまり「村」の掟（総意）を乱す者は、「村」八分にされ生きていかれぬ社会とした。すなわち、嘘、盗み等をする者は、「村」の秩序を乱すから、その掟を破ることは悪とされた。そしてそうした「村」社会が円滑に運んだ理由は、互いに損をすることを当たり前としているから、仲間意識としての「和」の思想が生まれたのである。言い換えれば、誰かが「考え」て得をする社会であれば、そこに妬み嫉みが生まれ、嘘、盗み、誹謗等の「村」の秩序を乱す者が出てくる。しかし「村」社会は「考える」社会ではなく、従って時に「村」の秩序（掟）を乱す者が現れても、「村」社会はもともと戦争社会ではないから（損をする社会であったから）、「詫び」を入れれば「水に流し」て仲間に復帰できる社会となった。これがもし戦争社会であれば掟を破った者は法によって罰せられるが、「村」社会はもともと「考えず」損をする社会であるから、そこに復帰させるために「考え」させるための罰を与える必要はなかったのである。

　そのように「村」社会には「和」（仲間意識）の思想があったから、労働にも共同体的共感性価値観が生まれ、過酷な労働の苦痛も和らげられることになった。日本人が勤勉に働くのは、こうした労働価値観が歴史的古層に蓄積されている結果である。

この事実は「村」社会においては、ヒトの持つ闘争本能的価値を退化させ、代わって群れ本能的価値を進化させることになった。つまり群れ本能的価値とは、「私たち」であるからそも「考える」ことができず、ただ「逃げる」だけである。そしてこの「逃げる」ことは生命（サル）の持つ「力への意志」（生の上昇）の視点から見るとき、それは草食動物的集団ヒステリーとなる。集団ヒステリーとは、ヒトであれば誰もが持つものであり、それはヒトの思考を超えた生命の本源に備わった「力への意志」（生の上昇）へのヒステリー性である（この辺りのことは『ニーチェを超えて』を参照）。この集団ヒステリーはこの外に、肉食動物的等の集団ヒステリーがあるが、中でも肉食動物的集団ヒステリーは、もともと肉食動物は獲物を「狩る」能力を持つものであって、西洋戦争社会における「私は考える」多くのヤクザ市民、また日本で言えばかつての武士が持っていたものである。

そうであれば大東亜戦争とは、草食動物的集団ヒステリーに陥っている「村」人が、武士によって俄(にわか)肉食動物的集団ヒステリーの教育を受けた結果、丸山眞男のいう「何となく何物かに押されつつ、ずるずると国を挙げて戦争の渦中に突入したというこの驚くべき事態は何を意味するのか」（『超国家主義の論理と心理』）というある種の悲劇に至るのである。

そして戦前が悲劇であれば、戦後はある意味喜劇である。なぜなら日本人の歴史的古層は、相変わらず「村」社会道徳価値観であり、「私たちは考えない」草食動物的集団ヒステリーを生きているからである。

この意味するところは、そもそも彼らは「考える」ということができず、しかも草食動物的集団ヒステリーに陥っているから、なにかの弾み（たとえばGHQの流した「空気」）によって、どっと一つの方向に走り出すことになる。それが戦後の一連の左翼（西洋思想）運動であり、六〇年安保、全共闘運動等である。彼らはそれらをやらねばならぬ明証性のある根拠を歴史的古層に持っていない。ただGHQから与えられた「空気」が「村」人にとって得だったから、左翼に走ったに過ぎない。

そのことは明治初期、日本を訪れたチェンバレンが、日本人の国民性として「知的訓練を従順に受け入れる習性」「付和雷同を常とする集団行動癖」「外国を模範として真似するという国民性」（渡辺京二著『逝きし世の面影』より）として挙げている事実と一致する。「私」を持たぬ日本人にはそれが分からぬだけのことである。

日本人（武士は除く）は「私たちは考えない」から、「私」の意見というものを持たぬ空っぽ頭の歴史的古層のままで明治維新、大東亜戦争敗戦後を生きてきた。「私」の意見

（「考える」能力）を持たぬ空っぽ頭であるということは、そこをマネすることによって埋めるしかない。つまり戦前、軍国支配者によってそこを埋められていたものが、戦後それが否定されるとそこをなんらかのマネによって――なぜなら日本人は「考える」能力ゼロの空っぽ頭だから――埋めるしかない。それが戦後、西洋思想（左翼思想）全盛になった理由である。つまり日本人は「考える」ということができぬ以上、西洋思想をいいとも悪いとも判断できぬまま、それによって空っぽ頭を埋めるしかなかったのである。それは今も変わらず空っぽ頭を西洋思想で埋め、それを「村」人が談合するように「ああでもない」「こうでもない」と言っているだけである。

それは日本憲法についても言える。つまりそれは民主憲法ではなく、「村」社会談合憲法だったから、日本人はそれを支持しているに過ぎない。

西洋に近代民主主義国家が生まれたのは、それが西洋戦争社会における徴兵制に基づく、戦争にもっとも強い国家体制だと「考え」られたからである。つまり彼らの民主憲法は市民、軍隊、資本主義、キリスト教に支えられて国家を成り立たせている、ということである（それはアメリカを見ればよい）。

それに対して、日本の似非（エセ）民主憲法は、日本人の歴史的古層にある「村」人の「私たちは考えない」「逃げる」記憶層の深部（四次元身体）のそれに基づいている。だから「逃げる」「村」人にとって戦争も軍隊も単純に悪となり、しかも「考える」能力ゼロだから、民主主義とはなにかを考えることもできない。ただ「逃げる」草食動物的集団ヒステリーの内にあるだけだから、日本人は日本国憲法（特に九条）を支持するのである。しかも彼らは集団ヒステリー状態に陥っているから、いかなる外部からの言葉も受け付けない。

これが戦後日本人の主流であるが、そんな中で唯一、武士の「無私」で「考える」ことができたのが三島である。彼が自衛隊市ヶ谷駐屯地でクーデター未遂事件（三島事件）を起こしたのは、武士としての「已むに已まれぬ大和魂」からである。

しかし国家意識のない日本「村」人には、なんのことやらさっぱり分からなかった。彼は檄文でこう言っている。「自由でも民主主義でもない、日本だ」と。この「日本だ」の意味は「天皇を中心とする歴史と文化と伝統を守ること」である。三島が直感として分かっていたのは、日本人の歴史的古層には、自由も民主主義もなく、それを言う日本人はアメリカを猿マネしているだけだと。そしてそれは「日本はなくなってしまう」という彼の危惧でもあった。

この日本人の「村」人意識は至るところに見出せる。その一つに日韓関係の悪化がある。

戦後、日本は韓国に資金面等で様々な「いいこと」もしてきた。「いいこと」とは西洋諸国なら決してしない、という意味である。まず、侵略したからといって、彼らは決して「謝罪」などしない。彼らヤクザ市民は武士と同じ発想の下を生きているからである。ところが戦後、「考える」能力を失ってしまった日本「村」人にとって侵略は悪であるから、それを謝罪によって「水に流そう」としたのである。西洋に限らず、外国では謝罪をすれば金を取られるのが当たり前だ、という常識が「村」人にはない。その結果、日本は金を払い続けてきたのだが、それは「村」人の歴史的古層にある、損をすれば「和」が図れるという思想があったからである。だが一向に「和」は図れなかった。つまり韓国人は（に限らぬことだが）こう考えたのである、日本を叩けばいくらでも金が引き出せると。そして日本人もようやく、おかしいと気づき始めたようではあるが。

以上、述べてきたことは、すでに私が既述書で書いてきたことである。従って以下は、本書を初めて読む方のためのものである。

それはこれまで私もうんざりするほど述べてきたことだが、朝日新聞従軍慰安婦報道、また大江健三郎著『沖縄ノート』（岩波新書）が引き起こした名誉毀損訴訟の問題である。

私の頭にあり続けたのは、彼らはどうしてこれほど愚かになれるのか、そしてそんな愚かな新聞、作家、出版社の活字を喜んで読む日本人とはなんなのか、という問題だった。日本人が彼らを愚かだと認識できていれば、そも彼らは存在していないのである。

結論を先に言おう。

それは日本人が歴史的にガラパゴス的進化（思想退化）をした結果、鳩並みの頭になってしまった、ということである。つまりこの国の人々の歴史的古層は士農工商であったものが、その士がいなくなった結果として起こったことである。

進化の逆は退化である。生命（特に動物）は闘争社会の中で進化してきた。サルから進化してきたヒトもその中にあり、それを闘争本能的価値として受け継いでいる。しかしヒトは同時に、群れ（「私たちは考えない」）本能的価値も受け継いでいるから、それだけでは「考える」ことはできず、闘争社会を有利に生きることはできない。

それについてはすでに述べたように、西洋戦争社会ではキリスト教を利用して、「私は考える」ことができたから、西洋文明は戦争に強かったのである。つまり「私は考える」とは、戦争社会のなかで思想進化した結果として生まれたものなのである。

ところが、日本は孤島といってもいいから、外国との戦争も明治に至るまでほぼなかった。ただ大陸から伝わってくる文明・文化をマネし、それを日本の風土に合わせて、洗練させたものに改めさえすればよかったのである。その結果、マネ能力は進化することになり、それが歴史的古層化されるに至り、すでに述べた、戦後日本の経済成長に繫がったのである。

そのことは、戦争をした武士以外はまったく「考える」能力を身に付けなかったことを意味する。つまり明治に至るまで、農工商という「村」人は一切「考える」能力を持たず、ただ歴史的古層にある「村」社会道徳価値観を「考える」ことだと錯覚していたのである。彼らは「考える」ということが、生命進化の食うか食われるかの世界で、生き残るためのものだということが、まったく入力（インプット）されぬまま今日に至ってしまったのである。つまりそれが、戦後武士のいなくなった「考える」能力ゼロの日本になったのである。

ところで、朝日新聞、従軍慰安婦報道とは『吉田証言』の下に、旧日本軍が済州島で慰安婦狩りをしたという話に基づいている。朝日新聞の愚かさは、軍隊は戦争をしに行くのであって、たとえそこに慰安婦の問題が生じたとしても、それは派生的なものであって、軍人は敵国にレイプをしに行くわけではない、という常識が鳩頭にはない。

これは譬え話でいえば、吉田という人物が、某所でAという男が、Bという女性をレイプした、と言って警察に駆け込んだら、その話を信じた刑事が、そのまま検事に伝え、それを元に告発に至ったと言うような話である。むろんこんな馬鹿な刑事はいない。なぜなら、たとえAとBとから話を聞いたとしても、両者は利害関係にあるから、どちらの言い分が正しいか分からない。まっとうな刑事なら、当然レイプの起こった某所の聞き込み捜査をするはずである。なぜなら刑事は犯罪者と戦う人であり、従って「考える」能力があるからである。

ところが、朝日新聞にはまったくその能力がないから、そうした考えも思い浮かばない。なぜなら、彼らの頭は「考える」ということが、どういうことかも分からぬほど思想退化してしまった結果、『吉田証言』を「村」社会道徳価値観でしか計れなかったから、それを悪と判断し報道したのである。

彼らがそこまで退化したのは、「村」人は西洋戦争（あるいは武士）社会とは異なり「逃げ」てさえいればよく、「戦う」ということをしなかったから「考える」能力がまったく発達しなかったのである。

しかし彼らは「われわれは権力と対峙している」と言う。だが、そういう頭を鳩頭というのである。いったい日本のどこに権力があるというのか？

早い話が、戦後日本は経済復興こそしたが、現実は終戦直後とほとんど変わっていない。相変わらず進駐軍（アメリカ軍）は居座り、アメリカ製平和憲法なるものを与えられてそれを守り、湾岸戦争に参戦しなければ彼らの機嫌を損ない、あげくに憲法九条の「戦争の放棄」を破らせても、イラク戦争に参戦させたのである。いったい自衛のための軍隊が、どうして外国へ派遣されねばならぬのか？　それが現実なのであるが、鳩頭にはそれが分からない。つまり日本政府に権力など微塵もなく、日本国憲法など守るにも値しない、ただ張りぼて独立国家の体裁を保つためのお飾りに過ぎぬのである。すなわち、彼ら「村」人が歴史的古層にもつ、「長い物には巻かれ」、「勝ち馬に乗る」、「逃げ走る」「村」人が、「棚から牡丹餅」式に手に入れた権力で、権力者と称する弱い者いじめ（自虐史観）をしているだけのことなのである。それは福沢諭吉が『学問のすゝめ』の「一身独立して一国独立する事」の項で、次のように言っていることに当て嵌まる。

「もとこの国の人民、主客の二様に分かれ、主人たる者は千人の智者にて、よきように国を支配し、その余の者は悉皆（しっかい）何も知らざる客分なり。既に客分とあれば固（もと）より心配も少なく、ただ主人にのみ依りすがりて身に引き受くることなきゆえ、国を患（うれ）うることも主人の如くならざるは必然、実に水くさき有様なり。国内の事なれば兎（と）も角（かく）もなれども、一旦外国と戦争などの事あらばその不都合なること思い見るべし。無智無力の小民等、戈(ほこ)を倒(さかしま)にすることも無かるべけれども、我々は客分のことなるゆえ一命を棄つるは過分なりとて逃げ走る者多かるべし。さすればこの国の人口、名は百万人なれども、国を守るの一段に至ってはその人数甚だ少なく、迚(とて)も一国の独立は叶(かな)い難きなり」

つまり戦後の日本人は、彼の期待を見事に裏切り、「逃げ走る」「客分」のままなのである。福沢自身は語らなかったが、「国を患(うれ)う」「主人」とは、自分のような「一身の独立」を志す武士の自覚を持たねば、とうてい「一国独立する事」などできぬ、といっているのである。

それを「村」社会道徳価値観を「考える」ことだと思っている鳩頭で、ただ西洋の猿マネをする彼らに、ジャーナリズムなど分かるはずもない。ジャーナリズムの起源は、西洋が戦争社会であったから、国民の得(とく)になる情報を命がけで（「逃げ走る」「客分」ではなく）報道することであり、従って必ず現場を自分の目で見、確実な情報を伝えることを使命とする。それは、ジャーナリズムの起源がマラソン（マラトンの戦での勝利を祖国に報告するために走死したこと）にあることを思い出せばよい。

朝日新聞はこの二つを怠ったのである。つまり彼らは、江戸時代の瓦版屋の歴史的古層を今も生きているのである。この情報を無視するというのは、戦前の「村」人から成る旧日本軍と同じである。「村」人に情報は必要ないからである。

だから朝日新聞には常に誤報が付き纏う。これはかつて読んだか、聞いたか記憶は曖昧だが、和田という記者がポル・ポト政権を賛美していたのを覚えている。自分で現場を見ていないから、このようなことが起こるのである。

この従軍慰安婦問題は、報道されてから約二十年後、秦郁彦氏が『吉田証言』の現場となった済州島を実際に取材、調査した結果、それが虚偽であることが明らかになって、ようやく結着がついた。

が、それに対する朝日新聞の対応が振るっている。「記事に事実のねじ曲げない」と。報道機関ともあろうものが、「振り込め詐欺」に引っ掛かり――それがまったく自覚できぬほど、「考える」能力のないことを証明し――虚報を流しておいて、こうした台詞（せりふ）を吐くとは、まさに「馬鹿に付ける薬はない」の世界である。そしてそうした新聞を、有り難がって読む日本人も鳩頭だということである。

ちなみに戦後、進駐軍（主にアメリカ兵）の日本人女性に対する慰安婦、レイプは相当のものであったらしい。私の耳にも入ってくる位だから。それに、彼らは日本人のような道徳価値観を持たぬから、それらを悪だとは思っていない。そしてそれが日本で報道されなかったのは、進駐軍の検閲によるのか、それともジャーナリズムの怠慢（長い物には巻かれろ）によるのかは分からぬが、あたかも彼らが紳士的であったかのように見做されたのは、――むろんそこには、彼らの情報操作・統制があっただろうが――むしろそこには日本人女性の国民性（歴史的古層）があったからである。

それはある記者（？）が、そうした女性に「なぜ告発しないのか」と尋ねたところ、戻ってきた答えは「これ以上、恥の上塗りができるか」であったと言う。恥とは「村」社会道徳価値観である。つまり日本人女性は韓国人女性と違って、自らの口を噤むことによって、慰安婦問題は起こらなかったのである。

さらに『沖縄ノート』裁判である。これも朝日新聞、従軍慰安婦報道と構図は同じである。

これは大江氏が同書において、旧日本軍守備隊長・赤松が渡嘉敷島島民に「集団自決命令」を出したという全くでたらめな記述に対し、守備隊長が名誉毀損で、大江氏、岩波書店を訴えた裁判である。

まず大江氏、岩波書店が鳩頭なのは、彼らは何百年と「逃げ走る」「村」社会道徳価値観の中を生き、「考える」ということを一切してこなかったことが、彼らの歴史的古層から「考える」能力をまったく奪ってしまい、その結果、呆れるような「集団自決命令」などという妄想を生み出すことになったのである。彼らの頭には、世界のどんな馬鹿な軍人でも、集団自決命令を出すような者は一人もいない、という常識がない。軍隊という所は、基本的に「殺す」か「殺される」かの二項しかない、という当たり前のことが考えられない。

そも集団自決命令など出して、軍隊になんの「得」があるのか、反撃されて命取りになるかもしれぬのである。しかも当時の島民は手榴弾を持っていたのである。

そうした頭は、すでに述べた福沢が「無智無力の小民等、戈(ほこ)を倒(さかしま)にすることも無かるべけれども、……」が実際、大江氏、岩波書店に起こったということである。それだけでも十分鳩頭であるのに、氏は一切、現地の取材、調査を行わず『鉄の暴風』という書物を種本としたのである。しかもその『鉄の暴風』を書いた著者・太田氏自身が、曽野綾子著『「集団自決」の真実』（『ある神話の真実』の改訂版）の中で次のように語っているのである。

「この戦記（『鉄の暴風』）は、当時の空気を反映しているという。当時の社会事情は、アメリカ側をヒューマニスティックに扱い、日本軍側の旧態をあばくという空気が濃厚であった。太田氏は、それを私情をまじえずに書き留める側にあった。『述べて作らず』である。とすれば、当時そのような空気を、そっくりその儘記録することもまた、筆者としての当然の義務の一つであったと思われる。／『時代が違うと見方が違う』／と太田氏はいう……」（傍点　堀江）

そこから読み取れることは、太田氏は紛れもなくアメリカの情報操作（洗脳）に引っ掛かっており、さらにそれを種本とした大江氏の描く「旧守備隊長の持っていたはずの夢想、幻想を、私の想像力を通じて描きました」世界は、もはや鳩ではなく蚕の世界である。

この裁判の中でキリスト教民主主義者であった曽野氏には、ジャーナリズムのなんであるかが分かっていた。氏に民主主義が分かっていたと言うのは、氏が『「集団自決」の真実』の中で「そして今もなお戦争ではなく、軍隊の存在そのものが悪であるという考え方ができるのは、世界で日本だけかもしれない」と言えたことである。

ジャーナリズムは戦争社会から生まれたものであるから、「空気」を基本とするものではなく、「情報」をそれとするものである。つまり戦争は空気でできるものではなく、情報が不可欠だということである。だから氏は、現地を取材、調査し、その結果を『「集団自決」の真実』で「『赤松が自決命令を出した』と証言し、証明できた当事者に一人も出会わなかった」と記したのである。当然の結果である。

それにも拘わらず、この裁判の裁判長・深見氏は原告・赤松の訴えを退け、大江氏、岩波書店を無罪にしてしまったのである。なんの証拠もなく、そういう判断を下すということは、日本人の「空気を読む」思考に基づくものである。要するに、日本のジャーナリズムは「村」人の噂程度であり、瓦版屋の世界なのである。

ところで、ここに一つの疑問が浮かぶ。なぜ渡嘉敷島島民は、集団自決に走ったのか、ということである。が、答えは案外と簡単である。

それは西洋人がキリスト教を利用することによって、群れ本能的価値を退化させ「私」化したのに対し、日本人はそれを維持したまま（戦争社会ではなかったから）「私たち」を生き、しかも「考える」能力ゼロで、「村」社会道徳価値観を生きていたからである。つまりこの集団自決とは、古来、日本に存在する一家無理心中の拡大版だということであるが、これ以上の論及は本書の意図ではないので、ここで止める。

ここまで書いてきて私が感じるのは、多分、読者には私の言いたいことが通じていないのではないか、という思いである。それに私は今まで朝日新聞、『沖縄ノート』に係わりすぎた——それらを論じないと先に進めぬという現実があったにせよ——という気がし、また私が単に彼らを非難しているようにしか、受け取られていないのではないか、という危惧があるのである。仮に非難して問題が解決するならそうするが、問題はもっと深刻だということである。

私の言いたいことを要約すれば、戦後日本の民主主義の不毛さは、「逃げ走る」「客分」の歴史的古層しか持たぬ「村」人がやっていることにある。彼らは「考える」能力ゼロであり、ただ「村」社会道徳価値観を「考える」ことだと思っているから、ジャーナリズム一つを取っても滅茶苦茶なのである。

つまりそれは、西洋市民は歴史的古層において「戦う」人であり、日本「村」人は「逃げ走る」「客分」だ、ということである。前者は「考える」ことができたのに対し、後者は「考える」能力ゼロであり、「村」の「空気」で判断するからである。そんな「空気」で判断する人に民主主義など分かるはずもなく、彼らがやっているのは、外形こそ似てお れ実質は、「村」社会談合派閥主義である。そんな「村」人であれば、歴史的古層に国家ャーナリズムが分からず、そのことは延いては、政治家、言論人等の御粗末さに繋がる。従って、さらにその本質を掘り下げる必要を感じて以下を論ずる。

私は以前から述べていることだが、ヒトは生まれ落ちたとき空っぽ頭であり、その空白を躾、教育、宗教、社会慣習等によって——さらにそれらは広く地政学的、気候風土的条件の下に決定され——埋められた（洗脳された）世界で「考えている」と思っているに過ぎない。つまり私たちの思考はそのような条件の下に成り立っているのであり、私たちはそうした歴史的古層（四次元身体、本能的価値）を埋め込まれた言語（価値）に支配されているのである。それをさらにニーチェの言葉で言えば次のようになる。

「こうして、この『本来のおのれ』（〔歴史的〕古層、四次元身体、本能的価値）は常に聞き、かつ、たずねている。それは比較し、制圧し、占領し、破壊する。それは支配する、そして『我』の支配者でもある。／わたしの兄弟よ、君の思想と感受の背後に、一個の強力な支配者、知られない賢者がいるのだ、——その名が『本来のおのれ』である。君の肉体のなかに、かれが住んでいる。君の肉体がかれである」（『ツァラトゥストラ』）

この「本来のおのれ」は『肉体のなかに住む」ものであり、先に挙げた「肉体のもつ大いなる理性」と同じものである。つまり「私」(「我という意識」)は、「肉体のなかに住む『本来のおのれ』」、「肉体のもつ大いなる理性」(〔歴史的〕古層、四次元身体、本能的価値)の支配下にあるということである。そしてその「肉体のなかに住む『本来のおのれ』」は、「それは比較し、制圧し、占領し、破壊する。それは支配する、そして『我』の支配者でもある」闘争本能的価値としての、「力への意志」である生における「戦う」ものであるから、自然、ヒトは生き残るために「考える」ようになったのである。

それに対して、日本「村」人は「逃げ」ていさえすればよかったから「考える」能力はゼロにまで退化し、ただ「村」社会道徳価値観という、「空気」さえ読んでいれば生きていかれたのである。そうであれば彼らの歴史的古層には「村」社会意識しかなく、そも国を守るという愛国心そのものが分からない。

戦後の日本人に愛国心がないのは、GHQに洗脳されたからという訳ではなく、もともと日本人(「村」人)はそれを持っていないのである。彼らが戦前、勇猛にして無知に戦えたのは、彼らが鳩頭であり、「村」社会道徳価値観という強い「空気」の圧力の下にあったから、つまり「村」の掟に逆らえば「村」八分にされ、事実上、生きていかれぬという歴史的古層があったから、彼らは半ばシカタガナイとして従軍したのである。と同時に、彼らは鳩頭の十二歳の少年であったから、現人神、「生きて虜囚の辱めを受けず」、靖国神社等に容易に洗脳され、信じたのである。

そして戦後である。戦後もまた、アメリカを容易に信じるという構図になった。これは譬えとしては悪いが、主人から闘犬として躾けられた犬が負け、今度は新しい主人にペットとして育てられたことで、すっかり懐（なつ）いてしまったのと同じである。まさに忠犬アメ公の世界である。

それは別言すれば、日本人は武士道を失い、ほぼ完全に「村」人の歴史的古層になってしまったから、「考える」能力ゼロの鳩頭化すると同時に、鸚鵡（マネ）化した頭になってしまったのである。従ってその空っぽ頭は、西洋思想への何の理解もなく、戦前同様にそこをそれで埋めていったのである。そんな猿マネ頭に、戦前の日本には、まだ優れた日本の思想のあった、ということも当然分からない。それは「無」の思想である。

それはたとえば『日本の弓術』で、先生から弓術を学んでいたヘリゲルが述べているように、

「日本人はヨーロッパ人の物の考え方にまだ通じていない。ヨーロッパ人の問題の出し方

にも通じていない。それゆえ日本人は、自分の語る事をヨーロッパ人としてはすべて言葉を手がかりに理解するほか道がないのだということに、少しも気づいていない。……日本人の論述は、その字面だけから考えるならば、思索に慣れたヨーロッパ人の目には、混乱しているというほどではないにしても幼稚に見える」

ようなものとはまったく異なる。彼らがそう思うのには一理あるにしても（日本人は鳩頭の十二歳の少年だから）、と同時それはヨーロッパ人の傲慢さと無知によるものである。

それは玉城康四郎著『仏教の根底にあるもの』の次のような記述、

「『無を考えてみよ』というが、そもそも無理な話である。ハイデガーは『無とは何であるか』という問いそのものがおかしい、という。無を問うのに、あるという仕方で提出するのは矛盾ではないか、というのである」

というのは、無を知らぬ者の戯言である。

西洋は戦争社会であったから、有の思想で「考える」しかなかったのに対し、日本の風土は空っぽ、ないしは無の土壌であったから、西洋人が歴史的古層に持っている価値で、日本人のそれを計っても分からぬ、ということである。

さらに日本人にとって残念なことに、無の思想はもともと言葉で説明できるような性質のものではない。だからと言って、それはヘリゲルの言うような幼稚さに由来するものではない。日本人は戦争社会ではなく、空っぽの土壌を生きてきたから、西洋人のようにキリスト教を利用して「私は考える」必要がなかったのである。それに武士にしても禅者にしても、「考える」ことができればそれで十分だったから、その根底に横たわる無の思想を問う必要はなかったし、また日本人は西洋人と違って群れ（「私たちは考えない」）本能的価値を生きていたから、無のなんであるかを、そも「考える」ことができなかったのである。

そしてその答え（になっていないかもしれぬが）は、まったく予想外のところに見出されることになった。それは有の思想の土壌であるはずの、ヨーロッパから出てきたのである。

それが私が再三、ニーチェを取り上げる理由である。彼における無の思想は、「肉体のもつ大いなる理性」、「肉体のなかに住む『本来のおのれ』」という形で表現されている。ただし一言付け加えておかねばならぬのは、取り敢えずニーチェの思想を無と言ったが、それはある意味正しく、ある意味間違っていることである。

ニーチェのそれは無ではなく虚無（ニヒリズム）だからである。

無とニヒリズム（虚無）との区別は私自身にもよく分かっておらぬのだが、無は四次元身体（歴史的古層）にまで、つまり原ヒトにまで進化を逆行（これを俗称、神秘体験と呼ぶ）させたものであるに対し、ニヒリズムは四次元生命（歴史的古層）にまで、つまりサルにまで進化を逆行させた世界であって、後者では四次元身体を生きるヒトは、サルにまで進化を逆行させるとヒトとしての価値の拡大ができぬという苦痛に陥ることになるから、ヒトは自ら虚構（嘘）としての価値を意識上に思想として生み出していくしかないのである。それがニーチェの（私の）生み出した諸造語思想である（特にニーチェの神話『ツァラトゥストラ』はその事情を物語っている）。

そしてある意味、正しいと言ったのは、無もニヒリズムも進化を逆行させることでは等しいからである。無とニヒリズムとの違いは、一言でいえば（それだけではないが）どこまで進化を逆行させるかの問題なのである。そして、それだけではない、と言ったのは、西洋人は群れ本能的価値を失った「私」を生きているから、ニヒリズムにまで進化を逆行させてしまう——健全な本能的価値を持っていないから——のに対し、日本人は群れ本能的価値を生きているから、そこまで進化を逆行させることはなく、無で止めることができたのである。だから日本人は禅を維持することができたのである。しかも群れ本能的価値は「私たちは考えない」であるから、禅はついに言語としての思想を生み出すことはできなかった。そして私はその思想を、できる限り理論化しようと四次元身体、（歴史的）古層、本能的価値等の諸造語思想を生み出すに至ったのである。

ところでニーチェのものにしろ、私のものにしろ、それらの思想はニーチェの言うように「意識にのぼってくる思考は、その知られないでいる思考の極めて僅少の部分、いうならばその表面的部分、最も粗悪な部分にすぎない」（『悦ばしき知識』）で考えているから実質分からぬ、ということである。つまり彼の言っていることは「無意識（ニヒリズム、歴史的古層）から意識を考えねば」意識にのぼってくる思考は分からぬ、ということである。それを誤解を恐れずに言えば、フロイトの無意識（ニーチェのニヒリズム）から意識を見上げたのが、ニーチェの思想だということである。しかしヨーロッパ人は意識から（日本人は「空気」で）しか意識下を見下ろすことができなかったから、フロイトの言う無意識には限界があり、ニーチェの思想（ニヒリズム）も理解することはできなかった。そしてニーチェの意識を見上げる視点（ニヒリズム）が「肉体のもつ大いなる理性」、「肉体のなかに住む『本来のおのれ』」でありそこから意識を見上げたとき、それは「表面的部分、最も粗悪な部分」ということになるのである。ニーチェが、このようにして「無」

（四次元身体）を、ある程度定義できたのは、すでに述べたように、彼がニヒリズム（四次元生命）にまで、進化を逆行させることができたからである。その意味では、フロイトの思想は無意識を除けばつまらぬものである。これが一応、フロイトとニーチェとの関係である。

ところで禅の無とは、一言でいえば「私を捨てる」、つまり「無我」「無心」といったものであり、ここに武士道と禅との共通項がある。それは『葉隠』の「武士道といふは死ぬ事と見付けたり」とは、「私（の命）を捨てる」ということである。

つまり江戸時代、武士が戦争兵器としては使いものにならぬ剣の道に励んだのは、彼らがまったく無自覚に剣の修行によって、「無心」の「私」（「無私」）に――禅での身心脱落に――達することを、直観していたからである。

それはヘリゲルに弓道の先生が「（弓）術のない術とは、完全に無我となり、我（われ）を没することである。あなたがまったく無になる、ということが、ひとりでに起これば、その時あなたは正しい射方ができるようになる」と言っているのは、そのことである。しかしそれが分からぬヘリゲルは「無になってしまわなければならないと言われるが、それでは誰が射るのですか」と尋ねている。所詮、有（意識）の土壌を生きてきたヨーロッパ人には、無というものは分からぬのである。それはすでに述べたハイデガーの「『無とは何であるか』という問いそのものがおかしい、という。無を問うのに、あるという仕方で提出するのは矛盾ではないか、というのである」からも明らかだろう。「無とは何であるか」と問うのではなく、意識（在る）を捨て素の肉体（四次元身体）となり、その肉体で自らの肉体自身に問うのが「無」の思想である。

それは武士道においては、剣の修行ばかりでなく常住坐臥においても「私を捨てる」ことを教育を通して学び、また禅においては、座禅によって「無心」（私を捨てる）になることに励むのである。そしてようやく「肉体のもつ大いなる理性」、「肉体のなかに住む『本来のおのれ』」に達することができるのである。

だが所詮、西洋人には無（虚無）は分からない。それをニーチェは、無とは完全に一致せぬにせよ、またその理解もなかったにしても、先に挙げた「肉体のなかに住む無（虚無）」の思想に行き着くことになったのである。

その証拠というと語弊があるかもしれぬが、彼がキリスト教を否定したのも、そこに理由がある。つまり西洋人はキリスト教を利用することで、群れ本能的価値を否定してしまったが、ニーチェは（その自覚はなかったが）ヒトとは力への意志に向かって、群れ本能的価値を生きる存在だ、と言ったのである。しかしそうした彼の思想は、「私」を生きる西洋キリスト教文明の中では少しも理解されなかった。なぜなら、キリスト教がなければ西洋文明の持つ「私は考える」そのものが成り立たなかったから。

ところで、福沢は無自覚にしろ武士の無を直覚していたから、「考える」ことができたのである。そして西田幾多郎も無自覚にしろ、日本の思想が無にあることを直観していたから、彼は自らの思想の基点を無に置き、西洋哲学に挑んだのである。

しかし禅の無は所詮、定義のできぬ思想であるのに対し、西洋哲学は有（言語）のそれであった。そこには初めから無理があったのだが、彼は日本の思想が無にあることを直観できた思想家である。

そして戦後、武士道は滅び、禅思想も衰え、日本の思想の本質を理解できる者はいなくなった。つまり鳩頭の鸚鵡化である。だから三島事件を理解できた日本人は皆無といってよく、むしろ英国人記者・ストークス氏のように「三島の思いは、軽々に批判することはできない」という仕儀に至ったのである。

氏はなぜ三島の死を評価できたのか？　それは恐らく愛国心の問題と係わっていると思うので、それについて若干述べておく。

愛国心は、西洋人の間では常識的に善であるのに対し、日本人の多くは悪だと思っている。ケント・ギルバート氏は「なぜ日本人は『愛国心』にアレルギーを持ってしまったのでしょうか？」と述べ、それを主にＧＨＱによる洗脳によるものだとしているが、そうでないことはすでに述べた。

西洋人がそれを善とするのは、彼らが戦争社会を生きてきたから、それを持って戦わねば国が滅びる、つまり自分の死に繋がるから嫌でもそれを持って戦わねばならなかったのである。すなわち、戦わずに死ぬよりも、戦って生き延びる可能性を選択したのである。そして彼らはそうした歴史的古層を生きてきたのである。

多分、彼らは（ギルバート氏も）それ以上の答えは持っておるまい。それがストークス氏の三島への評価の根底にあるものだと思う。つまり国家のために死ぬ――私（わたくし）より公（おおやけ）を取る――というのが西洋思想の常識である。それはルソーが『社会契約論』で「そして統治者が市民に向かって『お前の死ぬことが国家に役立つのだ』というとき、市民は死なねばならぬ」と言っていることからも明らかだろう。

それは武士であった福沢が「一身独立して一国独立する事」で、「逃げ走る」「客分」（「村」人）では、「この国の人口、名は百万人なれども、国を守るの一段に至っては」「迚（とて）も一国の独立は叶い難きなり」と言っていることと同じである。だから戦後の日本は名目上、独立国ではあっても、真の独立国ではないのである。

日本の武士も西洋人の愛国心とほぼ同じものを持っていた。しかし西洋が戦争社会（市民社会）であったが故に、有の土壌になったのに対し、日本は無ないしは空っぽの土壌であったから、西洋のようにキリスト教という戦争宗教は発達しなかった。そのことは、一部の武士（戦争をする人）がキリスト教に走ったことが、キリスト教の本質を物語っている。そしてそれは、戦後の西洋かぶれの日本「村」人が、キリスト教に無関心であったことによって裏付けられている。

では、武士は西洋人のようにキリスト教による永遠の命の保証もなく、どのようにして戦ったのか。それはすでに述べたように「武士道といふは死ぬ事と見付けたり」の根底にある「私（の命）を捨てる」という無の思想によって愛国（愛藩、愛領）のために戦うことができたのである。従って彼らのそれは、西洋の愛国心とは外形こそ同じであれ、内容はまったくと言っていいほど違っている。

しかし武士にその自覚がなかったから、明治維新とともに、武士の身分を廃してしまったのである。それによって、無に基づく愛国心の思想も捨ててしまうという自覚がなかったが故に、日本人から愛国心は次第に失われていき、戦後に至ってはほぼゼロになってしまったのである。

私は正直、戦後日本というものは、存在しないと思っている。しかし少なくとも、大東亜戦争に敗れるまでは日本は存在し、日本人も存在した。

そのことは、戦後日本が存在しないように、もはやこの土地に日本人は存在しないことを意味する。存在するのはアメリカ製日本人であり、しかも愚かな鳩頭はアメリカが存在保証までしてくれると思っているのである。それを証明しているのが三島事件を理解できる人間が、もはやこの土地には存在しないことである。それは三島が檄文で言うように「国民の精神を失ひ……自らの魂の空白状態へ落ち込んで」いることを、自覚できる人間が存在しないことが明かしている。つまりこの国の歴史が終わったことが自覚できぬことによって、それは逆説的にこの国が終わったことを証明している。

第二章　天才と狂気との関係について

これまで書いてきたことは、これから述べることと決して無関係ではないので、敢えて長々と論述する。

重要なことなので繰り返すが、四次元生命（サル）が進化による言語（価値）化によって、それをヒトは四次元身体（歴史的）古層、本能的価値、「肉体のもつ大いなる理性」、「肉体のなかに住む『本来のおのれ』」化すると同時に、虚構（嘘）としての三次元身体（我という意識）を生み出すに至った。つまりヒトは四次元身体（「本来のおのれ」）に支配された「我という意識」から成る虚構（嘘）の主体（三次元身体）を生きる存在となったのである。ニーチェが「主体は虚構である」と言ったのはこのことである。

結論を先に言えば、天才とは「肉体のなかに住む『本来のおのれ』」（四次元身体）から「我という意識」（三次元身体）を見上げることのできる人である。これをフロイト風に言えば、「無意識」（ニーチェのニヒリズム（虚無＝「本来のおのれ」））から「我という意識」を見上げることのできる人であり、フロイトとは真逆の見方のできる人だということである。つまりフロイトに限らず（ヘリゲルにしろハイデガーにしろ）、西洋人は戦争社会を生きてきたから、理性（「私は考える」）の哲学、意識（「私はある」）の思想を生きてきたが故に、その呪縛――それ以外の思考法があるなどとは考えられない――から逃れられぬのである。確かにフロイトの無意識の発見は卓見には違いないが、残念ながら彼は意識の視点でしか世界を見ることができなかったから、それ以外はガラクタになってしまったのである。つまり彼は、意識から理性によって無意識を見下ろすことしかできなかったから、ガラクタ化してしまったのであり、ニーチェのように無意識から、すなわち「肉体のもつ大いなる理性」、「肉体のなかに住む『本来のおのれ』」から意識を見上げることができなかった、ということである。その差は、ニーチェの言う「意識にのぼってくる思考」が、「極めて僅少の部分」「表面的部分」「最も粗悪な部分」だということがフロイトには認識できなかったから、無意識という卓見に至りながら、その外（ほか）の思想は御粗末なものになってしまったのである。

むろんニーチェにとって、そんな事はどうでもよいことである。ただ彼が言いたかったのは、生の本質（力への意志）から見たとき、西洋キリスト教文明そのものが「最も粗悪な部分」だということである。つまり西洋文明は「肉体のなかに住む『本来のおのれ』」

である生を否定した文明だ、と言いたかったのである。それは彼が半ば嘲るように「キリスト教はプラトニズムの大衆版だ」と言っていることからも明らかだろう。

確かに彼の言う生は、「比較し、制圧し、占領し、破壊する。それは支配する、そして『我』の支配者でもある」ような「権力への意志」への一面を持っていたが故に、そうした面がナチスに利用されたのも事実だが、しかし重要なのは、「君の思想と感受の背後に、一個の強力な支配者、知られない賢者がいるのだ、――その名が『本来のおのれ』である」ことである。つまり「我」（主体＝三次元身体）とは虚構（嘘）であり、その背後には「肉体のなかに住む『本来のおのれ』」（「肉体のもつ大いなる理性」、四次元身体、〔歴史的〕古層、本能的価値）という賢者がいることである。しかしそれが見抜けぬ西洋文明は「極めて僅少な部分」「表面的部分」「最も粗悪な部分」で考えざるを得なかった。彼らの文明は「我という意識」に支配された傲慢な、「我を誇りとする」ヤクザ文明なのである。

それはたとえば、彼らの文明は戦争に明け暮れ、あげくに原子爆弾を生み出すに至り、今更「核兵器のない世界」などと寝言のようなことを言い出していることにも見て取れる。なぜ寝言かと言えば、西洋文明（思想）の思考法が核兵器を生み出すに至ったのであり、その思考法（歴史的古層）の中にある限りは、西洋思想を否定し、新たな思考法を見出し、西洋文明という価値を新たな価値に転換しない限り、「核兵器のない世界」など訪れるわけがない、ということが彼らには分からない。西洋人が意識（有）の思想を捨て「君の思想と感受の背後に、一個の強力な支配者、知られない賢者がいるのだ」ということ（無あるいは虚無（ニヒリズム））を悟るまでは、「核兵器のない世界」など訪れることはないのである。そしてニーチェは天才だったからそのことが分かったが、戦争狂という凡夫・西洋人にそれが分かる日は来ないだろう。つまりニーチェは自らの思想を持ってその価値の転換を図ったのであり、その代表作『ツァラトゥストラ』を彼らが理解することはないだろう。

ところで「天才と狂気との関係」とは、ニーチェ、私からも分かるように、凡夫（日本人は凡夫にも入らない）に天才が理解できぬのは、彼らが「意識という表面的部分、最も粗悪な部分」（三次元身体）からしか世界を見ることができず（それがフロイトの限界であり）、「肉体のなかに住む『本来のおのれ』」（四次元身体、（歴史的）古層、本能的価値）から見ることができぬことにある。つまり天才のもつ狂気とは、「本来のおのれ」（四次元身体、無（虚無＝ニヒリズム））からの生の上昇を通して、意識という虚構の「我」（三次元身体）で発言するから凡夫には、天才の狂気の意味が分からぬのである。所詮、価値の脱落（三次元身体から四次元身体への脱落）のできぬ凡夫には、分からぬ世界である。

さらに深掘りすると、天才も二種類に分かれる。天才の持つ狂気性を自覚して生きねばならぬ者（ニーチェや私）と、それを自覚せずに生きる者とである。どうしてそのような事が起こるのかと言えば、繰り返しになるが、「進化の逆行」によって意識が四次元生命（サル）にまで下落した場合が前者（ニヒリズム）であり、後者（無）はそれが四次元身体（原ヒト）で止(とど)まった場合である（どちらとも取れるランボーのような場合もある。本来両者は無意識（非言語）の世界であるから明確な区分はできない）。前者は、四次元生命（サル）にまで進化を逆行させてしまった中で、「我という意識」（価値）を生きることは、ヒトとしての生存が成り立たない。ニヒリズム（虚無）だからである。そこでニーチェや私のように、自ら価値の拡大としての思想を生み出していくしか生きる術(すべ)がないのが、サルにまで価値を脱落した場合である。それに対して後者は、原ヒトのもつ群れ本能的価値までの進化の逆行であるから、その「肉体のなかに住む『無』」の発言を意識（三次元身体）を通して行うだけでよいから、ニーチェや私のように思想を生み出さずに生きていかれたのである。

以下それぞれの天才に言及する前に、二つばかり注釈を述べておく。

一つはどのようにして「進化の逆行」（神秘体験）が起こるのか、ということである。それが起こる理由としては、一般に身体の虚弱さ、あるいは極度の肉体疲労による心身の衰弱、耗弱等によって起こると考えられる。なぜそれが進化を逆行させるのかと言えば、進化とは力への意志（価値の拡大）の方向になされるものであるから、それらの身体の不具合は価値の拡大への逆行であって、それが進化を逆行させる原因になると考えられる。

今一つは、狂人と精神病者との違いである。前者が進化の逆行によって「肉体のなかに住む『本来のおのれ』」（四次元身体、本能的価値）に達したのに対し、後者には進化の逆行は起こっておらず、単に無意識としての四次元身体、本能的価値を病んでいるに過ぎぬから、彼らが天才に成ることはないのである。

結論を言えば、天才とは「我」という「表面的粗悪な意識」（三次元身体）を生きると同時に、「本来のおのれ」という「知られない『賢者』」（四次元身体）との劣と優との二重性を、後者の視点から見て生きる者だ、ということである。

その比喩とも言えるものを小説化したのが、ポーの『ウィリアム・ウィルソン』である。そこには、優のウィルソンと劣のウィルソンとが登場するという天才（狂人）の二重性が見られる。そして言うまでもないが、優のウィルソンが勝つことになる。ポーは天才の特長である不遇な生涯を送ったばかりでなく、いまだアメリカ人の間では不評である。それに残念ながら、彼に神秘体験を経験したという証拠はどこにもない。

それに対し、ある意味まったく対照的なのが三島である。彼は明らかに神秘体験を経験している。それは彼のほぼ処女作である『仮面の告白』に次のように記されている。「五歳の元旦の朝、赤いコーヒー様のものを吐いた。主治医が来て『受けあえぬ』と言った」、そしてその書の冒頭で「永いあいだ、私は自分が生まれたときの光景を見たことがあると言い張っていた」と記しているのは、明らかに神秘体験者の証である。

彼はこの体験によって、無意識の内にも「肉体のなかに住む『無』」のもつ宿命を帯びてしまったのである。それが彼に『仮面の告白』を書かせたと言ってもいい。つまり「仮面（虚構）の我」（三次元身体）と、「肉体のなかに住む『無』」（四次元身体）との二重性である。

むろん三島自身、その事実に気づいていたわけではない。ただ彼、本名・平岡公威（きみたけ）という文学好きで、真面目そうな（彼の若き日の写真を見る限りそう見える）青年が『仮面の告白』によって、恐らく予想外の好評――なぜなら同性愛を扱った異常な作品だから——によって一躍、文壇の脚光を浴び、その後もそうした異常な世界を描くことによって、文壇における確たる地位を築くに至った。と同時に、彼の真面目な悪ふざけも始まった。なぜ真面目な悪ふざけをしなければならなかったのか？　なぜなら、戦前にはまだあった「日本」が、戦後、失われ、それが彼の「肉体のなかに住む『無』」には「日本」が失われたと感ぜられたのだろう。それがして彼に「私は戦後を鼻をつまんで生きてきた」ということにさせたのである。そして「自由でも民主主義でもない」（檄文）と、それを否定してきた人間にとって、人生は小説を含めて自らの演ずる喜劇とも悲劇ともつかぬ演技に喜ぶ大衆を見て、「大笑い」するしか生きる術（すべ）がなかったのである（彼は生前しばしば大笑いを見せたと言うが、平岡公威の写真からは想像もつかない）。

しかし彼は徐々に自分の本質である「肉体のなかに住む『無』」の存在に気づいていく。その一つがボディービルによる肉体の鍛錬であるが、世間はそれを悪ふざけ程度にしか見なかった。そしてそれが自衛隊体験入隊、「楯の会」あたりになると、さすがに世間も首を傾げながらも、「考える」能力ゼロの彼らは安直に右翼化で片付けてしまった。

そも日本に右翼、左翼の対立軸などない、ということが戦後の空っぽ頭の日本人には分からない。それは単にヨーロッパから借りてきた安直な猿マネ思想であって、そこにあるべきは日本対西洋だということすら、考えることができない。なぜそんなことも分からぬのかと言えば、戦後「考える」能力のある武士（たとえば福沢）のような人間がいなくなり、ただ空っぽ頭の猿マネ人間しかいなくなってしまったからである。つまり大東亜戦争の敗戦によって、「空気」の流れが西洋に変わったから、戦後の「考える」能力ゼロの日本人は、日本に無の思想のあることさえ分からず、西洋漬けになってしまったのである。そもそもプラトン、デカルト、ヘーゲル、マルクス、民主主義等が、日本人の歴史的古層となんの関係があるのか？（日本人の情けなさは限りを知らぬようである）

理論家ではなかった三島は、「肉体のなかに住む『無』」を認知できなかったが、無意識にもせよ徐々にその「無」に目覚めていった（ちなみに、彼が関心を寄せた唯一の西洋思想家が、ニーチェであったことは偶然ではない）。そこに一人の天才的文学青年の数奇な運命の源があった。

彼が神秘体験によって、「無」に達したということは、それは同時に本能的価値（四次元身体）であるからして、そこに住む四つの本能的価値を無意識にも、自覚することになる。特に闘争・群れ本能的価値である。

戦後、草食動物的集団ヒステリーに陥っている日本人、つまり闘争本能的価値を退化させ、群れ本能的価値で生きている「考える」能力ゼロの日本「村」人には、ヒトは「肉体のなかに住む『無』」に支配された本能的価値の下に生きている、ということが分からない。すなわちヒトは、草食動物的集団ヒステリーから目覚めていけば、自然と闘争本能・群れ本能的価値のバランスの中を生きていくことになる。それが三島にあっては、神秘体験によって「肉体のなかに住む『無』」に目覚めることで、彼はその闘争本能的価値としての武士道、そしてその武士が群れ本能的価値として持つ武士集団としての国家（憲法）の意識に目覚めていくのは、ある意味自然なことである。そして戦後、日本「村」社会の中にあって、ただ一人武士であった三島は「鼻をつまんで生き」るしかなく、またそれを奇矯な振る舞いによってごまかすしかなかった。しかし彼の武士としての「已むに已まれぬ大和魂」は、なんとか再び武士の統治する、――「村」人にはできぬから――「天皇を中心とする国家」に戻すべく、暗愚な主君（国民）を諫めるべく「三島事件」を起こしたのである。しかし当然、暗愚な国民（「村」人）にはなんのことやら、さっぱり分からなかった。むしろストークス氏のような「英国のサムライ」の方が理解を示したのである（なお、これまで度々取り上げたので、本書では扱わなかったが、『アーロン収容所』（会田雄次著）で英国軍の捕虜となった日本人将校（「村」人）の謝罪に対し、サムライである英軍中尉が「君は奴隷か」と憤る場面が描かれている。そのことは、サムライは誇りを持っているが、「村」人はただ「逃げ走る」だけの存在であることを示している)。

そこで新渡戸稲造著『武士道』だが(これは西洋人向けに書かれたものであるから、日本の武士道の無については触れていないが、日本書籍として西洋でベスト・セラーになったということは、彼ら戦争社会を生きる市民には、武士道が理解できたということである。

三島事件への日本人の無理解とは、一言でいえば天才への誤解と同時に、日本人が「村」人に退化したことの証でもある(彼の奇矯な振る舞いがそう思わせた面もあるが)。

そして次に述べるランボーも、その無理解と誤解とによる日本人の「空気」に基づく集団ヒステリーによる熱狂の下に置かれることになった。

ランボーも三島同様、文学少年であったが、彼は三島と違ってヨーロッパという理性(「私は考える」)の哲学、意識(「私はある」)の思想の土壌の下に生まれた。彼はその風土の中で詩を書き始めるのだが、その少年時代、彼は何度かパリへ放浪の旅に出ている。彼が神秘体験(進化の逆行)を経験したのは、その過酷な旅による肉体的極度の疲労から来る精神の衰弱、耗弱によるものではないか、と思われる。それにより、彼はヨーロッパの価値観を脱落(消失)し、「肉体のなかに住む『本来のおのれ』」に達することになり、そこから「私という意識」を見上げたとき、「『私』は他者を生きている」と直感したのである。

それを彼は「『私』は一個の他者であります」と手紙に記し、さらに別の手紙では同様のことを述べた後、次のように記している。

「『詩人』はあらゆる感覚の、長期にわたる、大がかりな、そして理由のある錯乱を通じてヴォワイヤンとなるのです。あらゆる形式の恋愛や、苦悩や、狂気によって、彼は自分自身を探求し、自分の内部に一切の毒を汲みつくして、その精髄だけをわが物とします。それは完き信念、超人的な力、を必要とするいうにいわれぬ呵責であって、そこで、彼はとりわけ偉大な病者、偉大な罪人、偉大な呪われ人となり、――そして、至高の『賢者』となるのです！――なぜなら彼は未知のものに達するのです！」

ここで言うヴォワイヤン（見者）とは、ニーチェの「肉体のなかに住む『本来のおのれ』」と同じ視点のものである。それにより、彼はヨーロッパの価値を脱落し、ニヒリズムに達したことで、「恋愛や、苦悩や、狂気」を通じて「一切の（ニヒリズムという）毒を汲みつくく」すことによって、彼は「偉大な病者、偉大な罪人、偉大な呪われ人」となったのである。

　これはドストエフスキーが『悪霊』で描いた主人公・スタヴローギンの神（キリスト教）の支配から脱した完全な自由の苦痛（ニヒリズム）であると共に、それはニーチェの「知られない賢者」同様に、ランボーも「至高の『賢者』」となり、「未知のもの（『本来のおのれ』）に達する」ことになったのである。ニヒリズムにはこうした二面性があるのである（日本人には神の支配を脱した完全な自由の苦痛というものが理解できない）。

　そしてそれは同時にランボーに、一瞬、自分が新しい詩の境地に達したと思い込ませ、「イリュミナシオン」等の訳の分からぬ――なぜなら、世俗の価値を脱落してしまっているのだから――詩を書かせることになったのである（彼の『地獄の季節』が一般読者に理解できたのは、それが自伝詩だからである。日本では小林秀雄がいい例である）。

　が、彼の炯眼、と言うより「肉体のなかに住む『本来のおのれ』」は、すぐにそれが実につまらぬ、無価値なものであることに気づいてしまう。それは当然で、彼の禅問答のような詩は、意識の世界から見たとき、ほとんど意味を成さなかったからである（そんなものに熱中するヨーロッパ人の頭もどうかしている）。と同時に彼の「未知のものに達」した炯眼は、「肉体のなかに住む『本来のおのれ』」を失っているヨーロッパ・キリスト教文明の無価値さにも気づいてしまう（だが彼はそこでニーチェのように思想することはなかった)。彼はそれらの理由をもって、弱冠二十歳にして詩を放棄すると共に、ヨーロッパをも捨て肉体をもつアフリカへと旅立ったのである。

プルーストもランボーと同じ土壌に生まれた文学青年である。彼が神秘体験を経験することになったのは、肉体的虚弱さからである。

その体験は彼の『失われた時を求めて』に次のように記されている。

「マドレーヌの一片が浸されてやわらかくなっているお茶を、ひとさじ、機械的に、唇にもっていった。ところが、お菓子のこまかいかけらのまじった一口のお茶が、口蓋にふれた瞬間、私は身ぶるいした。何か異常なことが私の内部に起こっているのに気づいて。それはなんともいえない快感が、孤立して、どこからともなく湧き出し、私を浸してしまっていた」

彼も「肉体のなかに住む『本来のおのれ』」に達したのであるが、ヨーロッパにそれを理解できる思想はなかったから、それは取り敢えずフロイト風に「無意識的記憶」と名づけられたのである。しかしそれはプルーストの(歴史的)古層(「肉体のもつ大いなる理性」、四次元身体、本能的価値)から、生が上昇することで記憶層を通過し、意識の表面に現れた記憶によって書かれた書物なのである。

彼もランボー同様に天才扱いされたが、ほとんど理解されていない。それは意識の思想から抜け出せぬ、ヨーロッパ人の未熟さ故である。

最後に禅者であるが、これについてはすでに無のところで述べたので、ここではそれを補う形で（ただし重要なところは重複させた）言及する。

禅は世俗の価値を身心脱落することによって解脱しようとするものである。そしてそれは座禅という修行によって、禅定（ぜんじょう）（これは必ずしも禅だけに限るものではなく、修験道などでも行われる）の無（神秘体験＝進化の逆行）に至ることによって達せられるものである。禅定の無とは、座禅によって目覚めながらも意識を脱落（消失）し、無になることである。それによって世俗の価値を脱落し、本能的価値（四次元身体、古層）だけを残して、ニーチェの言う「肉体のもつ大いなる理性」、「肉体のなかに住む『本来のおのれ』」と近似なところに達することであるが、無がニーチェの虚無（ニヒリズム）と決定的に異なるのは、日本人は群れ（「私たちは考えない」）本能的価値を生きているから、身心脱落によって「進化を逆行」させても、「私は考える」を生きる西洋人と違って、ニヒリズムに陥ることはなく、従って無に達しても、ニーチェのようにそれを思想言語によって表すことはできない。ただ「私は考える」と定義できずとも、進化（肉体）を生きる日本人は

（西洋人は肉体のない進歩を生きる）、武士道の無のように「無私」となって「考える」ことができれば、それだけで十分だったから、彼らは西洋人のようにそれを理論化する必要を覚えなかった。つまりニーチェの「知られない賢者」、あるいはランボーの「至高の『賢者』」となって、「未知のものに達」することができさえすればよく、それを言語化する必要性を覚えなかったのである。

そも禅定の無に達するとは、たとえば夕刻、禅定に入り（無になり）、気づいたら夜が明けていた、というようなものである。これを聞いたある凡夫は「眠っていたんだろう」と言った。西洋人ならさらに笑ったかもしれない。

そこで天才になって考えてみれば、仮に眠っていたとして、眠るとヒトはなぜ無になるのかと。世間の人の答えは「人間はそのように作られているのだ」としか答えられぬだろう。しかしそれは科学的解答でもなければ、また哲学者がしばしば口にする「哲学するとは、世界を驚きをもって見ることだ」という見方にも反する。

実は睡眠の無も（夢を見ることを除けば）、禅定の無も、四次元身体になることでは同じなのである。

ヒトが禅定に入るとは、「意識にのぼってくる……その知られないでいる思考の極めて僅少の部分」、「表面的部分」、「最も粗悪な部分」を身心脱落（進化の逆行）によって無（四次元身体、「肉体のもつ大いなる理性」）化することである。つまり無とは、意識を脱落することによって「知られない賢者」「至高の『賢者』」になることである。

それに対し睡眠の無とは、ヒトはサルから言語（価値）化することによって三次元身体（意識）化する、つまり価値の拡大を生きる存在となったが、睡眠時は休息時であるから、価値の拡大を図る必要がなく、従ってサルの四次元生命から、ヒトの四次元身体への間ではほとんど進化しなかった。唯一異なるのは、ヒトが夢を見ることであるが、それは睡眠から覚醒に至ろうとするとき（睡眠の深度が浅くなったとき）、古層（四次元身体）からの生の上昇が、記憶層を通過するとき、その言語情報が無作為に――なぜなら睡眠時は休息時であるから、価値の拡大を行う必要がないから――意識上に現れるのが夢である。フロイトは神秘体験の経験もなく、あくまで「意識」の思想を生きていたから、ニーチェの「本来のおのれ」が認識できず、その結果として、あたかも夢に意味があるかのような過ちを、犯すことになったのである。

禅の無についてはこれ位であるが、禅定に入り悟りに達するとどうなるかについて、良寛の逸話を例に述べてみる。

彼は人から、銭を拾うことは嬉しいことだ、という話を聞き、それなら自分もやってみようと、懐（ふところ）から銭を取り出し、それを道端に投げ、それを拾ったのである。何度やっても彼は少しも嬉しさを覚えなかった。どうしてなのか彼には分からなかった。彼は完全なまでに世俗の価値を脱落し、愚者（賢者）の世界に入ったのである。禅の悟りとはこうしたものである。

第三章　男（オス）はなぜ戦争をし、レイプをするのか

これはあくまで仮説である。仮説という意味は、必ずしも私の肉体の経験から導き出されたものではない、という意味である。唯一の思想的根拠は「生命の意志」の持つ力への意志（生の上昇）に基づく集団ヒステリー性である。つまり生命が持つであろう狂気とでも言うべき「生命の意志」の帯びる生殖的集団ヒステリー性に基づくものが、男（オス）を戦争、レイプに駆り立てるのではないか、という仮説である。それは私がこれまで述べてきたこととの延長線上にあるものである。と同時に、ある程度の科学的根拠もそこに加えての仮説である。言い換えるなら、必ずしも肉体の思想から導き出された説ではなく、DNAレベルのそれも含んだものであり、人によっては単なる私の妄想に過ぎぬ、と受け取るかもしれない。

それはまず、地球上の生命が今から三十五億年前に生まれた、というところから始まる。私も一応それを目安とするが、私は宇宙年齢が一五〇億年という説を、そこが四次元（時間も空間もない、あえて言えば、無であり無限であるような世界）であるが故に、それは

取らぬが、宇宙が無限に向かって膨張しているという説は取る。そしてそれがあたかも宇宙の意志だとすれば、地球上の生命もまた、その意志を受け継いでおり「生命の意志」として膨張する、つまり「進化」として力への意志に向けて「生を上昇」させているのではないか、という仮説である。

生命はその始まりにおいて、始原細胞（単細胞）として生まれ、細胞分裂することによって複製化する母体細胞化したものと見ることができる。母体とは生命の基体という意味であって、それは言い換えれば、基体・母体細胞ということである。しかしこの進化では「生命の意志」としての膨張である「生の上昇」としては余りに遅く、やがて「生命の意志」は一部の基体・母体細胞内に、生殖細胞としてのオス細胞を内包させ、その生殖によって進化の速度を速めるに至った。そしてその進化はさらに、母性（メス）細胞とオス細胞とに分裂するに至り、生命の一部はメス・オス化し、その生殖によって進化を早めたのだが、それと同時に「生命の意志」の底部に明確な「力への意志」としての生殖力が芽生えることになった。

つまり強い複製体（子孫）を残すために、一個の母性細胞（卵子）の中に生殖細胞としての、無数のオス細胞（精子）が争って侵入する（レイプする）ことを、一部の生命は宿命とするに至ったのである。このことは、一個の卵子に無数の精子が侵入しようと群がる映像を、御覧になった方もおられるだろう。

これが「生命の意志」が進化として行き着いた一つの終結点であり、生命は強い複製体（子孫）を残すために、精子（オス）は一個の卵子（メス）を求めて生殖するために、闘争することになったのである。

この事実は、もともとオスという存在は、メスという基体・母体細胞を、生殖によって強い複製体を残すための役割しか与えられておらぬ、ということである。それが一部の生命に与えられた生の上昇としての宿命である。つまり「生命の意志」からすれば、基体・母体細胞が主役であって、オス細胞は脇役に過ぎぬのである。

だがそれが、オス（精子）が一個のメス（卵子）をめぐって、争い闘いメスを生殖させるために、その中に侵入する（レイプする）ことによって、生命を進化に向けて上昇させようとすることを、オスは本能に持つことになり、それが「権力（力）への意志」としてオスが帯びなければならぬ生殖的集団ヒステリーとしての「狂気」の宿命である。ここに生の膨張としての「生命の意志」として、半ば必然的にオスが権力としてのメスをめぐって、狂気の思考をもって闘争しなければならぬ遠因がある。そして結論を先に言えば、ここに女が狂気に基づく天才を生み出せぬ理由がある、と考える。

　これが超歴史的古層（ＤＮＡ）、すなわち四次元生命の記憶層の深部（ＤＮＡ）に記憶され、それが進化によって動物（サル）の内部に蓄積されることになり、さらにヒトに進化すると、男はオスのもつ生殖的集団ヒステリーと同時に、闘争本能的価値に宿る肉食動物的集団ヒステリーの両者を帯びることになる。

　このことは、男は普段、理性（三次元身体）の下に社会的価値を生み出し、その下で社会生活を営んでいるが、その下部（四次元身体）には、「力への意志」のもつ闘争・生殖的集団ヒステリーが潜んでいる、ということである。そしてそれはすでに述べたように、一個の卵子に――それが精子にとっては権力の座であるかのように――向かってその中に進入しようと（レイプしようと）することになるのである。男はその本能的価値を、超歴史的古層（ＤＮＡ）、つまり四次元身体に持っているということであり、従って一度、理性による社会的価値が戦争等によって崩れれば、男は半ば生命のもつ狂気の本能の思考としてレイプに走ることになる。つまり男は無意識にも精子の持つ、卵子という権力を侵そうとする力への意志としての生殖的・肉食動物的集団ヒステリーを内包している、ということである。そのことは、そうした集団ヒステリーを内包する男（オス）は、権力のために、またレイプのために「考える」能力を無意識にも発達させたのに対し、権力そのものである女（メス）は逆に「権力への意志」を持たず、その「考える」能力を発達させなかった。女にできたのは、権力への意志を持つ男が作った社会の仕組み、思想等をマネし、また本来、生命としての権力そのものであったはずのメスは、――それは日本神話に見られる天照大神（あまてらすおおみかみ）のように――その権力を失うことで、かえってそれを取り戻すという奇怪な思想行動を取らねばならぬことになった。たとえば男女平等。従って女は、その超歴史的古層（ＤＮＡ）に「考える」ための闘争・生殖的集団ヒステリーとしての「狂気」を持たない。なぜならすでに権力としてＤＮＡ内に内包してしまっているからである。そのことは女ニーチェ、女三島、女マルクス、女ヒトラー、女スターリン等を生み出すことはない、ということである。それが良くも悪くも進化の行き着いた一つの到達点である。

　その意味での戦後日本人の平和ボケは、単なる平和ボケではなく、オス化の退化である。それを平和でいいと考える人は、ヒトはオス化の狂気による戦争によって初めて「考える」ことができたのであり、世界はオス化の退化による日本人のように「考える」能力ゼロではない、ということを意味する。つまり世界の男たちは、彼らのＤＮＡに潜んでいる精子の本能が帯びる集団ヒステリーの力によって、侵略しようとする意志を、内面に忍ばせているということである。

それを戦後、本能的直観として唯一分かっていたのが三島である。彼は虚弱体質者として生まれたが、神秘体験によって、精子が孕む力への意志のもつ生殖的・肉食動物的集団ヒステリーに行き当たり、精子の持つ宿命である、闘って死ぬことを自らに課したのである。彼は檄文に書く。

「日本を日本の真姿に戻して、そこで死ぬのだ。生命の尊重のみで、魂は死んでもよいのか、生命以上の価値なくして何の軍隊だ」と。これは死に行く精子としての男（オス）の誇りである。

それを戦後、日本人はオス化の退化と共に、「考える」能力を失った鳩頭には、彼の言っていることはさっぱり分からなかった。そしてその先にある滅び行くこの国土のことも。その意味では、三島が「日本を真姿に戻して」と言っているように、もはや戦後に日本など存在しない、ということである。戦前の日本人は、日本国また日本人であることに多少なりとも誇りを持っていた、ということである。

あとがき

男（オス）は、その精子の孕む狂気の思考によって目先のことしか考えない。特に顕著なのが西洋オス文明の自然を破壊する思想である。そしてそこから派生してくるのが戦争である。

人類史はわずか数千年であるにも拘わらず、戦争史に外ならない。そうであれば、女（メス）が本来の権力（天照大神のような）を取り戻すような奇蹟でも起こらぬ限り、人類は数千年後には滅んでいるか、さもなくば、生き延びていたとしても細々としたものだろう。

人類史など宇宙史から見れば「無」にも値しない。つまり、人類は己の小ささが少しも分かっていない。そしてそのことは、私の著作は永遠に理解されぬことを意味する。

私の愛国心——ニヒリズム（虚無）と無——

まえがき

私は前作『天才と狂気との関係について』、そしてその扉に「私は『運命』と和解した」と記した。その意味するところは、その著作をもって私の思想的使命を終えたとするものであった。そして私自身もその積もりでいた。しかしそれを許さぬものが、私の内部にあった。

私の人生は、半ば私自身、理解不能、挫折、失敗の連続であった。しかしあたかも、武士の意地とでも言うべきものが、決して弱音を吐くまいと、そうしたことを他人(ひと)に吐露したことはなかった。たとえばあの三島由紀夫でさえ「私は戦後を鼻をつまんで生きてきた」と言った。もっとも三島は作家として成功者であるのに対し、私は無名の隠遁者であるという違いはあるが。そして彼にしても、あるいはまた後に述べるニーチェにしても、自分たちの思想が五〇年後、一〇〇年後に「分かった」という人が現れるかもしれない、という意味の極めて悲観的、というより、半ば人類を「末人(まつじん)」的に見るような、突き放したようなところがある。それと同様に、私も私の思想が分かる人が現れるとは思わない。

なぜなら私同様、彼らの思想も狂気に駆られたものだからである。そしてその狂気の名（思想）をニヒリズム（虚無）と呼ぶ。

西洋人は簡単に愛国心と呼ぶ。しかし彼らはどのようにして愛国心を持つに至ったのか、そのメカニズムを知らない。ましてやそうであれば、戦後の空っぽ頭の猿マネ（真似）日本人に西洋の愛国心など分かるはずもない。それを明らかにするためには、どうしてもニヒリズム・無について言及しなければならぬのだが、それは極めて分かりにくいので最終章に置くことにした。しかしそれに触れぬ限り、私の思想は成り立たない。従ってそれに関連した私の造語思想、たとえば「歴史的古層」「自己偽善」等の思想の下に本書は成り立っている。

なお、本書には愛国心とはまったく関係のない内容が含まれ、――それは最初に置くべき定義（ニヒリズム（虚無）・無）が私自身よく分からなかったが故に――それを結果的に最後に持ってくることで、内容がかなり錯綜することになってしまった。

後にその不要な部分を省くことも可能だったが、「考える」能力を持たぬ――ただ暗記することを「考える」ことだと思っている――日本人に「考える」ということが、時にいかに無駄道であり、遠回りであるかを、そしてそれがさながら宗教的苦行のような行為であるかを、分かってもらいたいので残すことにした。

さらに結論的なことを先に言っておけば、愛国心を持とうと持つまいと、また分かろうと分かるまいと、どうでも良いということである。つまり愛国心がたとえ嘘であっても、それを信じなければただ国が滅びるだけだ、ということである。それは福沢諭吉の『学問のすゝめ』の「一身独立して一国独立する事」の項の次の箇所に示されている。

……もとこの国の人民、主客の二様に分かれ、主人たる者は千人の智者にて、よきように国を支配し、その余の者は悉皆何も知らざる客分なり。既に客分とあれば固より心配も少なく、ただ主人にのみ依りすがりて身に引き受くることなきゆえ、国を患うることとも主人の如くならざるは必然、実に水くさき有様なり。国内の事なれば兎も角もなれども、一旦外国と戦争などの事あらばその不都合なること思い見るべし。無智無力の小民等、戈を倒にすることも無かるべけれども、我々は客分のことなるゆえ一命を棄つるは過分なりとて逃げ走る者多かるべし。さすればこの国の人口、名は百万人なれども、国を守るの一段に至ってはその人数甚だ少なく、迚も一国の独立は叶い難きなり。

彼の言う愛国心（報国心）とは、賊が家に入ってきたら（時には入ってくる前に）、主人は家族を守るために命を賭けて戦わねばならぬ、ということである。ただ「逃げ走る」「客分」（農工商＝「村」人）では、家（国家）は滅びるということである。

愛国心はこうした思想に基づくものである。ただ明治の武士出身の政治家・思想家らの過ちは、素朴に「逃げ走る」「客分」が「主人」になれる、と思ってしまったことである。彼らは、両者が天と地とほどに違った存在であることに気づかなかった。

たとえば、山県有朋は西洋をマネして、愛国心に基づく徴兵制を敷けば問題は解決する、と思ってしまった。むろん彼は（福沢も）武士の目で他者を見る（単眼で見る）ことしかできなかったから、已むを得なかったが、それでは国が滅びるということが分からなかった。

以下、そうした彼らの欠陥を補うために、私なりの思想、論理をもって説明しようとする試みである。

なお、本書はケント・ギルバート著『ついに「愛国心」のタブーから解き放たれる日本人』、および佐伯啓思著『自由と民主主義をもうやめる』に刺激されて書かれたものである。

第一章　愛国心について

ギルバート氏・佐伯氏、両著作の問題点

ギルバート氏はその著作で「はじめに——愛国心と日本人」として次のように記している。

Q：「あなたは日本人に生まれて良かったと思いますか？」
A：「はい」
Q：「日本という国が好きですか？」
A：「はい」
Q：「ということは、日本に愛国心を持っているのですね？」
A：「う〜ん、愛国心ですか……」

日本人に「愛国心」について街頭インタビューをしたら、このようなやりとりが続出するのではないでしょうか。一〇〇パーセントの確信をもって断言しますが、現代の日本人は「愛国心」という言葉に対して、何かしらの抵抗感を持っています。

後に述べるように、日本人がそれに対して何かしらの「抵抗感を持ってい」るのは事実である。それを明らかにするのが、本書の目的の一つである。

また同書は「第3章『草莽＝Grass Roots Patriots』と武の精神」の「草莽の意識は今の日本人に残っているか」の項で次のように述べている。少し長くなるが本質的問題なので引用させてもらう。

スイス・チューリヒにある「WIN――ギャラップ・インターナショナル」という機関が二〇一四年末に、世界六四カ国・地域で「自国のために戦う意思」について実施した世論調査があるのですが、日本はわずか一一パーセントというスコアとなり、世界で最低でした。何年かに一回実施されているアンケート調査ですが、日本は長年、ずっと世界最低を維持し続けています。

世界でいちばん高いのは、モロッコやフィジーで九四パーセント、パキスタンやベトナムが八九パーセントとなっています。ちなみに、中国は七一パーセント、アメリカは四四パーセントです。過酷な受験戦争や就職難に嫌気がさし、若者たちが自国を「ヘル（地獄の）朝鮮」と揶揄するお隣の韓国ですらも、四二パーセントが国のために戦うといってます。

では、日本人は国のためには戦いたくないのか。そこは一概にいえません。なぜなら、このアンケートの答えは「はい」「いいえ」「わからない」の三択であり、日本人は「わからない」が世界でいちばん多く、四二パーセントにも上るのです。

大東亜戦争の敗北後、日本を永久に武装解除し、日本人を精神的に骨抜きにすることをめざしたGHQの影響が色濃く残っている証拠です。日本のメディアと教育界は「平和主義」に改宗し、その結果、戦争は怖い、戦争は悪だと日本人は繰り返し教えられてきました。逆に、国家や社会のために自分を犠牲にすることの尊さはまったく教えられず、そんな事態を想定すらせずに生きてきました。テレビで、たまに真面目な番組があるかと思えば、有名なコメンテーターや識者と呼ばれる人たちが深刻な顔で、日本の戦争犯罪や過去の侵略とされるものを通じて、日本の昔の姿を描き出すばかりです。

これでは、自国のために戦うかどうかについて、日本人の多く（半数近く）が本当に「わからない」のも当然でしょう。そんな事態を考えたこともないのですから。

ここで氏の論述に対し、私がある意味意外だと思い、また当然だと思ったのは、氏が同書で書いているように、アメリカでは徹底した愛国教育が行われているにも拘わらず、「自国のために戦う意思」を持つ者が四四パーセントだったことである（調査対象の問題もあるだろうが）。もっと高くてもいいと思うのである。が、そうでない理由は、多分アメリカが資本主義（得する主義の）国だ、ということである。つまり金持ち（得している者）は、戦争へ行ってなにも死ぬという損はしないだろう、と考えるからである。戦争へ行くのは、政治家等の金持ちではなく貧乏人だ、ということである。

これは余談になるかもしれぬが、アメリカがイスラム教と戦っても決して勝てぬと思われるのは（人口の問題は別にしても）、オサマ・ビンラディンのような金持ちが、自らの命もいらぬといって戦場へ行く宗教だ、ということである。

いずれにせよ、キリスト教徒は余りに自己の優越意識が強すぎ、他宗教、他民族等を見下すだけで、理解しようという配慮に欠けている。だから9・11同時多発テロ（それは真珠湾も同じである）のような戦争を引き起こすのである。

さらに氏の論述の後半部分に対し、一言付け加えれば、氏はアメリカの価値観（単眼）で日本を計るから、このような結論を引き出すのである。氏は自らの「私は考える」視点で見るから、「わからない」と答える日本人の「考える」能力のなさが、どのような構造のものであるかが理解できない。それを解かぬ限り「わからない」の意味も不分明なままである。

また佐伯氏はその著作の「第五章　日本を愛して生きるということ」の「自国に誇りを感じない日本人」の項で次のように述べている。

> 中公新書ラクレの『日本人の価値観・世界ランキング』という本に、こんな調査結果が載っています。
>
> 自分の国に誇りを感じるかどうか、というアンケートを取ると、誇りを感じる人の

割合が日本は圧倒的に低い。調査した世界七十四カ国中、日本は七十一番目です。トップはエジプトで九八％と、ほぼ全員。二番目がフィリピンで、これも九〇数％。アメリカもかなり上位で、九〇％程度。カナダやオーストラリアも同じような数字です。

ヨーロッパ諸国はだいたい八〇％台。中国も八〇％ぐらい、韓国も同じぐらいです。これに対して日本は約五〇％と、断トツで低い。

これもよく知られている調査ですが、戦争が起きたら参加するかというアンケートでは、日本は五十九カ国中、圧倒的に最下位です。

トップはトルコで、九五％。中国も九〇％と、高いです。韓国は七五％、アメリカは六四％。アメリカの数字は以前の調査と比べて下がっています。

二番目に低い国はスペインですが、それでも四〇％ぐらいあります。日本の一五％というのはずば抜けて低い数字です。

これは少し前の調査なので、今では多少は変わってきているかもしれませんが、日本人の自国に対する意識が、世界標準からすると、たいへん低いのは事実です。

私自身について考えてみても、愛国心という言葉は、正直あまり好きではありません。

氏の「正直あまり好きではありません」と言うのは、氏も「愛国心」があまりよく「わからない」からだと思う。氏がしきりに愛国心について語るのは、その現れだと思う。氏には『日本の愛国心』という著作がある。

ところで両氏の挙げているこれらの数字は、あくまで意識調査であり、その調査対象を問題としていないことである。つまり私が対象というのは、イスラム圏では基本的に女性は戦争に参加しない。またそうであれば、公的発言権を持たない。従って彼女らは調査対象に入っていない可能性が高い。

それにこれらはあくまで意識調査だ、ということである。それはたとえば韓国である。彼らは自らを「誇りある民族だ」と自称している。事実、私はサッカー・日韓共催ワールド・カップでそう叫んでいた若者を、テレビ画像で見た。しかし彼らはいざ戦争になると、常に「逃げてきた」という歴史的古層を持っている。

この（歴史的）古層については、最終章「ニヒリズム（虚無）と無」で説明するが、ここでは取り敢えず、集団的無意識としての過去の記憶（国民性、民族性等）としておく。
なお、それを既述の佐伯氏の著作「第四章　漂流する日本的価値」の「『清き明き心』という宗教観」の項の冒頭部分に搦めて私の歴史的古層を説明すると次のようになる。

戦後六十数年、日本人は西洋から植えつけられたものをいったんすべて疑い、日本の長い歴史の中で積み重ねられた（これが私の言う歴史的古層にほぼ当たる）日本精神、考え方・感じ方、そして美意識といったものが、日本人の歴史的古層に蓄積され、それがやがて日本型、集団的、組織的労働ではうまくいかないことになった。かと言ってアメリカ型の個人主義的な能力主義もどうも落ちつかない。その理由は、日本人の歴史的古層に蓄積された無意識の記憶が、意識上に昇り、それが日本人の考え方・感じ方、そして美意識を形作っているからである。

歴史的古層をニヒリズムと無との概念を交えずに述べると、ざっとこんなことになる。

話を戻す。

さらに中国において、彼ら人民が中国という国家意識を持っているかどうかは、賄賂政治が横行していること一つを取っても疑問である。しかも彼らの近現代史において、文化大革命、法輪功に対する弾圧、天安門事件等を考えたとき、彼らの持っている愛国心とは、単なる歴史的古層にある王朝意識としての愛朝心ではないか、と思うのである。なぜなら中国四〇〇〇年の歴史というが、そこには国家としてのなんの正統性もなく、元（げん）、清（しん）のような異民族によって成った王朝もある。それはかつて孫文が中国人を評して「砂の民」と嘆かせたことからも窺える。

それに戦争に対する意識として、現に戦争をしているアメリカと、そうでない中国において、後者のそれの方が高いというのは、あくまで意識の問題だ、ということを示している。

さらにギルバート氏の「日本人は国のために戦いたくないのか」に対する日本人の解答が「わからない」というのが、世界でいちばん多いのは、ＧＨＱによる洗脳の影響もあるにしても、それは日本人の思考法（歴史的古層）の特殊性にあると思われる。そしてこれはあくまで私の推測であるが、ギルバート氏が問題としているのは、この「わからない」部分ではないか、と思うのである。

さらに佐伯氏が「愛国心という言葉は、正直あまり好きではありません」という思考法を西洋人は基本的にしない、ということである。彼らは白か黒か（イエスかノーか）の世界なのである。それはヘンリー・S・ストークス著『英国人記者だからわかった日本が世界から尊敬されている本当の理由』で「『灰色の決着』を重んじる日本人」の項で「日本人は、黒か白かの決着がつくまで戦うことを避け、『灰色の決着』でことを丸く収める傾向が強い」と指摘していることである。それは過去、ヨーロッパ人が宗教戦争をしたのに対し、日本では神仏習合で事が収まってしまったことからも明らかだろう。これは東西の歴史的古層の違いから生じたものである。

西洋人の思考法

西洋人の思考法がどのようなものであるかを明らかにするため、ざっと日本人のそれについて述べておく。

まず日本が、アンケートに示されている他の国々と違っているのは、大陸との間に適度の距離を持った島国であり、また地形的に森林に覆われた、山々から成る四季に恵まれた、比較的気候温暖な土地だ、ということである。これは日本を「木の文明」とすると同時に、稲作文化を生み出すことになった。そしてそれによって自然の恵みを神々とする八百万(やおよろず)の神(かみ)の国とした。以上が簡単な日本の外観である。

それに対し古代ヨーロッパ（地中海世界を含む）は「石の文明」であった。

その理由は、それまで森林の文明であったものが、紀元前一二〇〇年頃にギリシャ、シリア、トルコ周辺に乾燥化による気候変動が起こることで、自然が失われ、砂漠化が起こることによって、もはや自然は神々とは成り得ず、神は自然をそのように変えた天にあるとする一神教（ここではキリスト教）が生まれたことである。

それにもともと古代ヨーロッパが戦争（侵略）社会だったことである。むろん初めからそうであったわけではなく、気候変動によって、それまであった森林の歴史が失われてしまったことで、同時にそれまであった歴史も失われてしまったのである。

もともとサルから進化したヒトは、元来「考える」ことができない。なぜならヒトはサルの本能から受け継いだ四つの本能的価値である、食餌本能、生殖本能、闘争本能、群れ本能のそれぞれの価値を生きている。そうであれば、ヒトは闘争本能的価値は持ってはいても、同時にそこに群れ本能的価値という「私たち」があるから、「私たち」では「考える」ことはできない。しかし闘争本能的価値に基づく争いがある以上、戦争に勝つためにはどうしても、「私は考える」ことの必要性が生まれてくる。そしてそれに係わってくるのがキリスト教である。

古代ローマ帝国において、当初キリスト教徒は迫害され、多くの者が殉教していった。それはキリスト教の根本思想が、イエスが磔刑死の後、復活し、天国へ昇天していったという教えに基づく、永遠の命を保証してくれる宗教だったことである。

それを見たローマ帝国の執政者たちは、軍隊を強くするためには、死をも恐れぬ宗教を戦士たちに持たせることは国益に適うと考え、キリスト教を国教化するに至った。

その意味することは、ヒトは自分の死を真正面から見ることができぬ、つまりヒトは自分の死を知っていながら、いざそれを正面から見据えるとなると「不安」に駆られる存在だ、ということである。すなわちローマ帝国は戦争社会であり、さらにその後のヨーロッパ、と言うより全人類においても、ヒトは死の不安から目を逸らすことができなかった、ということである。

ちなみに後に述べるが、戦後の日本人がやたらと日本国憲法にしがみつき、なにかと言うと「平和」をいうのは、平安朝期に伝わってきた浄土教における「念仏」さえ唱えていれば、武士のようにに戦うこともなく、西方極楽浄土が叶うという歴史的古層を持っているが故に、死を真正面から見ずに、平和という念仏によって死から目を逸らすことになったからである。当然、そこから愛国心など生まれようがない。

なぜ死が不安なのかと言えば、ヒトは無意識にも「価値の拡大」（得）の世界を生きる存在と成ったから、命を失うことは損なのである。と同時に、ヒトは闘争本能的価値を生きる――得をするために戦争（侵略）をする（後に述べるが日本人は例外）――が故に、ヨーロッパのように戦争多発化社会においては、それに勝つため（得するため）には、「私は考える」能力が必要になってくる。そこでヨーロッパ人は無自覚にも、ヒトが本来、古層（歴史的が外れたもの）に持っている群れ本能的価値を破壊し、それに代わってキリスト教という疑似群れ宗教集団価値による自己偽善の思想（次章で述べるが、自己を自らの価値の拡大（得する）のために、自己自身を騙すという思考法）を思い付かせることになった。愛国心を善とするのもその一つである。

ここにキリスト教は隣人愛を表看板にしながら、その裏において戦争（侵略）宗教化を加速させることになった。そしてそれと共にそこに、古代ギリシャ哲学の持つ理性的、数学的思考が流入することによって、神に保証された彼らの「私は考える」は、無意識にも自らを自然をも破壊してよい（砂漠化思想に基づくが故に）神のごとき存在だと見なし、傲慢にも本来、神の下にあるべき「私」を、「私は考える、故に私はある」（デカルト）として、事実上、神なしでよいことにしてしまった。この事実上とは、神なくしてはヨーロッパ人の「私」は成り立たなかったから、それが神の死に至ることはなかったが、神は敢えていえば、利用価値にまで引き下げられてしまったのである。それに対して猛烈なデカルト批判をしたのがパスカルである。そうであれば、もともと自然に価値を置いていないキリスト教は、ギリシャ哲学（特に数学）の力を借りて、自然を延長する物質とし、そこに手を突っ込んでいったのが、後のガリレオ、ニュートン等である。

そのことは、もともと動物（サル）は、生き残るために本能的に他の動物を殺し食っていたのが、進化による言語化によってヒトになると、ヨーロッパ人はその本能を価値の拡大（得する思想）に置き換え、自然を数値という言語から成る価値で計り拡大しうるものに変えていったのが、自然科学である。そこからヒトにとって価値の拡大となる富（得になるモノ）を得ようとしたのが産業革命であり、さらにそれは資本主義へと発展し、その富を増やそうとして侵略していったのが植民地主義等である。

この本質にあるのは、ヨーロッパ人が労働を神の罰として嫌ったことと無関係ではない。

本来、労働とはかつての日本人（農民）のように自然と一体となって、「私たち」「村」人（群れ集団）が協力して収穫物（富）を取り入れるのを目指すものであった。彼らがその労苦を厭わぬのは、たとえて言えば、スポーツ選手が勝利を目指して苦労をするのと同じようなものである。しかも当時の日本農民は、働く以上のこれと言った楽しみもなかったから、彼らは働くことを苦としない歴史的古層を、国民性として蓄積することになった。

しかしヨーロッパ社会は、群れ本能的価値を失っているから、たとえキリスト教という疑似群れ宗教集団価値を持とうとも、働くのはあくまで孤独な「私」の嫌な労働である。つまり日本人は、だらだらと長時間労働をしても苦を感じないが故に、それが後の年功序列、終身雇用の労働価値観を生み出したのに対し、ヨーロッパ人は嫌な労働を一刻も早く終えたいから、個人の能力を重んずるに至ったのである。そしてこうした労働を厭うという価値観と、歴史的古層に「私」の思想を持つ彼らに、資本主義、植民地主義、奴隷制等を生み出させることになったのである。なぜならそれらは労働からの解放に繋がったから。そうであればこそ、彼らは嫌な労働を一年の内、十一カ月もするが故に一カ月のバカンスを必要とするのである（この辺りのことは、拙著『ニーチェから見た資本主義論』を参照）。

ヨーロッパ思想の本質にあるのは、キリスト教思想と共に、ギリシャ哲学の理性的、数学的思考に支えられた戦争（侵略）思想としての、「私は考える」であり、それによって戦争に勝って「私は（より得するに）ある」のである。そうした思想は、島国日本では成り立たなかった。なぜなら島国では他国を侵略できなかったから。そしてそうした思考法が、ヨーロッパに理性の哲学（「私は考える」）、および意識（「私はある」＝存在）の思想を生み出させることになった。そのことは彼ら戦争社会の人々にとって、「私」の得のために「在る」ことが最大の問題であり、そのために理性的に「私は考える」のである。そしてその「私」が資本主義の富に支えられて、絶対主義を倒し、国民国家に基づく民衆を主権者とする民主制の方向に走ることになったのである。従ってそこから生まれた民主国家の本質にある平等思想は、権利としてのそれと同時に、義務としてのそれでもあることになる。

　つまり西洋は戦争社会であるから、民主国家として生き残るためには、強くならねばならなかったから、徴兵の義務が課されることになったのである。そこに民主国家における国民は、国を守るための愛国心として戦う義務が生じることになったのである。

　ところが彼らが誤解しているのは、民主国家における権利の平等とは、富の平等ではないことである。つまり権利の平等とは、スタート・ラインの平等を保証しているだけであって、速く走る者はそれによって富を得、さらにその富によって一層速く走ることによって富を得る競争社会だ、ということである。従って民主国家が富の格差を生み出すのは、半ばその政治思想の負っている宿命なのである。そして言うまでもないが、共産主義（社会主義）が、より最悪なのは、その権利の平等さえ保証されていないことである。

西洋人はそうした政治思想を持つことによって、それに自信を持ち、非西洋諸国を見下す傲慢さに至ると同時に、非西洋諸国は「考える」能力を持たぬが故に劣等感を抱くことになった。そしてそれが為に、植民地主義、奴隷貿易等を批判する論理的根拠を持たなかった。戦後の日本人などはその典型である。

ところでヨーロッパ人は、まったく些細なことを原因に、第一次世界大戦という予想もしなかった大惨事を引き起こすことによって、彼らの間にキリスト教等、近代ヨーロッパの価値観に対する疑念が生じはじめた。そこににわかに、それまで無名だったニーチェの、キリスト教を否定し「ヨーロッパのニヒリズム」を唱える思想が、一躍、脚光を浴びることになった。が、彼らには彼の根本にある「力への意志」に基づく、ニヒリズムの意味が分からなかった。そして第一次世界大戦の戦後処理の失敗から、ワイマール共和国が、ナチスという言わば「ならず者」集団に乗っ取られることによって、第二次世界大戦を引き起こすことになった。

そも彼らにニーチェの思想が分かっていないのは、単に第一次世界大戦の戦後処理の失敗だけが、ナチスを台頭させたわけではないことである。それはむしろ彼らの持つ理性の哲学、意識の思想そのものに問題があることなのだが、そも彼らは自らの哲学・思想を単眼でしか見ることができなかったから、自らのそれらを外から眺めることができなかった。つまりニーチェのニヒリズム（虚無）とは、言わば複眼的視点からヨーロッパ文明を批判したのだが、それを理解する頭を彼らは持たなかった。

それを先走って（最終章で言うことを）言っておけば、ニーチェのニヒリズムとは、フロイトの言うところの無意識の視点にまで、自らの価値を落とし、――フロイトにはそれができなかったのだが――そこから「肉体」の持つ「生＝虚無」を通して世界を複眼的に見たものだ、ということである。そしてニヒリズムというものが、俗に言われる「神秘体験」（神とは関係ない）という「進化の逆行」によって起こるものであり、それがある意味、禅の「無」に近いものだ、ということをここで述べておく。

そうであれば第一次・第二次世界大戦に本土が巻き込まれることなく、単に参戦しただけのアメリカにおいては、なおさらニーチェという存在は意味を持たなかった。

それをヨーロッパで起こった惨事を、アメリカにたとえて言うならば、第一次世界大戦によって焼土と化したアメリカに、ナチスのようなもの、たとえばK・K・K（クー・クラックス・クラン）のような非カトリック系人種差別を持った白人至上主義者が、権力を握ったようなものである。が、アメリカではそのようなことが起こらなかったから、ヨーロッパとアメリカとでは、キリスト教、民主主義に対する温度差が生じることになったのである。

そしてさらに言えば、歴史、伝統、文化を持たぬアメリカ人は、それらを持つヨーロッパ人の歴史的古層の意味を悟るに至らず、ただ単に古いヨーロッパとしか見ることができなかった。

いずれにせよ、西洋は戦争社会であるから、愛国心を持って戦わねば国が滅びるばかりでなく、我が身・家族が滅びるから、それは好き嫌いの問題ではなく、国民の生命の問題なのである。

第二章　自己偽善という思想（からくり）

ところで日本人の思考法（歴史的古層）を語る前に、自己偽善という思想（からくり）について述べておく方が適当と思われるので、ここに挿入しておく。
それはキリスト教（特に宗教において強い）に限らず、少なからずヒトは自己偽善を生きねばならぬ宿命にある。
たとえばアナトール・フランスは次のように言う。

人は自分で神を作り出し、それに隷属する。

誰も神を認知し、その存在を証明した者はいない。にも拘わらず神は存在する。なぜなら神は心の問題であり、心に存在するものを理論上、説明することはできない（いずれ徐々に私の論述から分かってくるだろうが）。なぜなら、神は心の中に住む虚構（嘘）の存在だからである。

では、なぜ神という虚構（嘘）の存在がヒトの心に住み得るのか。それはヒトの主体が言語（価値）より成る虚構（嘘）だからである。それをニーチェは「主体は虚構である」と言った。つまり世界そのものが、言語という価値から成る虚構（嘘＝からくり）の上に成り立っているから、神という虚構が存在し得るのである。しかし意識の思想を生きる西洋人は（ニーチェを除けば）、ヒトの存在が虚構という嘘＝からくりであることが見抜けなかった（これはニヒリズムの問題と関係してくる）。

ではヒトはなぜ、神という虚構の存在を作り出したのか、と言うより作り出さざるを得なかったのか？

生命はサルの状態にあるまでは、言語（価値）より成る意識を持たなかった。しかし進化によって世界を言語（価値）化したヒトは、同時に意識を持つことによって、意識のもつ価値の拡大（得をする）の性質である戦争（侵奪）等に走ることになった。そのことは同時に、その被害者にとっては、マイナスの価値を負わされることになる。つまり戦争等による惨劇は、人類が負わされた宿命であって、そこから逃れることはできない。そうであれば、言語（価値）から成る虚構（嘘）の世界を生きるヒトは、想像力という価値の拡大による虚構（嘘）の言語によって、神という超越的価値の拡大である虚構（嘘）の存在を作り出し、それに隷属することによって、生の惨劇のもたらす苦（特に死）から目を逸らすというメカニズムを作り出したのである。つまりヒトは、意識を持つことで得てしまった快苦の内の死への不安――戦争、飢餓、疫病等のマイナスの価値――を神という超越的価値（神的超越性）を生み出すことで癒したのである。それはあたかも、自分のはるか上位に神という存在が実在するかのような嘘を自ら作り出し、それによって自らを騙すという自己偽善によるものであって、それをフランスの言い方に倣えば、想像力によって神を作り出し、自らがその下に隷属するからくり人形になることによって、不安から逃れるということである。

それがキリスト教であれば、天に在(おわ)す神を信じる（信仰する）ことによって、自己の虚構から成る心の苦を、天国という虚構（嘘の）世界に転移することによって、現実の苦を忘れる（癒す）のである。つまりその意味するところは、自らが作りだした神という虚構（嘘）に、自らがからくられている、ということである。そしてそのことは、キリスト教徒は真に天国という虚構（『聖書』）を信じているのであり、その信仰がなければ成り立たぬ世界である。

ただしヨーロッパは戦争社会であり、そこから神によって存在を証明された自己（「私」）

の思想によって、後に生み出された資本主義により、そこに半ば必然的に起こった二つの世界大戦によって、キリスト教への疑念が生まれながらも、彼らの思考法「私は考える」は、神の裏付けによって成り立っているものだから、信仰を捨てることはできない。事実、その信仰を捨てた――キリスト教のからくりを見破ってしまった――ニーチェは発狂するに至った。

こうした、心という虚構（嘘）によるからくりのメカニズムを、私は自己偽善と呼ぶのである。

それはたとえば、美についても言える。実は、美などというものは存在しないのだが、ヒトは存在すると信じている。

たとえばゴッホの絵は、生前、二束三文のゴミ同然だった。ところが、死後、誰かが価値があると言い出し、人々もそれを信じ、現代ではそれに何億という値が付くことになった。

そのことはゴッホの絵自体に美があるわけではなく、ヒトの心の中に虚構（嘘）としての美の価値があり、それが変動した（それは経済における変動相場制と同じである）というに過ぎない。それは現代でも、イスラム教圏に持っていけば、ゴミ同然であることを考えれば分かることである。

これは日本における神的虚構の価値＝神的超越性の世界である八百万神（やおよろずのかみ）も、仏教の諸仏への信仰も、自己偽善によって成り立っていたのが、近代（特に戦後）になり西洋文明（資本主義）が流入することにより、神仏のもたらす恵み（価値）より、資本主義による富（得（とく））の方がより大きくなったから、日本人はそれまでの自己偽善による価値観を解き、無宗教者になったのである。

そうなったのは、日本人（農工商）が武士（西洋人の「私」にやや似た価値観を持つ者）の歴史的古層を生きてこなかったからである。それはたとえば、武士にとって天皇が神となった明治において、天皇の死に乃木希典が殉死したのに対し、日本人の多くが、たとえば志賀直哉に代表されるように、彼の行為を「馬鹿な奴だ」と評したことからも明らかだろう。

それは戦後においても、武士・三島由紀夫が「などてすめろぎ（天皇）は人間（ひと）となりたまいし」と憤ったことを、大衆は理解しなかった。

ところで、武士の「私」と西洋人（市民）の「私」とは、本質的にかなり違っている。

それは前者が「無」の土壌を生きていたのに対し、後者が「有」（意識）のそれを生きていたことにある。後者の意識の世界から、――たとえフロイトの無意識の視点をもってしても――この自己偽善というからくりは、ニーチェを除けばまったく見抜けなかったが、武士の無はニヒリズム（虚無）に近い視点を持っていたが故に、このからくりを論理的に説くことはなかったにせよ、ある程度、直観はできた（後述する『葉隠』）。

次章においては、そうした日本人の歴史的古層をできるだけ論理的に説いてみたい。

第三章　日本通史としての（歴史的）古層

日本人と古事記（ふることぶみ）

ヨーロッパ人の歴史的古層（思考法）は、日本人のそれよりも分かりやすい。それは古代より戦争（侵略）社会であり、古代ギリシャに哲学という理性的（民主主義もその一つ）、数学的思考が生まれ、その後そこに戦争（死）に強いキリスト教が生まれることで、それらが合一され「私は考える、故に私はある」という理性の哲学、および意識（有る）の思想が生まれることになった。さらにその思想は、自然を破壊することによって、産業革命を生み出すと共に、資本主義、植民地主義等へと発展して行った。そしてその富によって個人の権利意識が高まり、それによって民主国家を生み出すという、一本の筋の通った通史としての歴史的古層（歴史観）を持つに至った。

それに対して、日本人はそんな歴史的古層を持っていないから、民主主義など分かるはずもない。

それは明治期、日本に滞在したベルツによる『ベルツの日記』に記された文章の中で、彼が教養ある日本人に対して、

わたしが日本の歴史について質問したとき、きっぱりと「われわれには歴史はありません、われわれの歴史は今からやっと始まるのです」と断言しました。

との答が返ってきたことに、少なからず驚きを覚えたことにも、東西の思考（歴史的古層）の違いが見られる。そしてその事実は、はからずも大東亜戦争の敗戦によって、日本人がそれ以前の歴史をほぼ完全に否定することによって、証明されることになった。

そのことは、日本人にはあたかも歴史観（歴史的古層）がないかのようであり、その原因は、日本が戦争社会ではなかったから、武士以外は「考える」能力が発達しなかったことにある。つまり日本人（農工商）には、「考える」ということがどういうことか分からなかったのである。別言すれば、日本人は「マネする」ことを「考える」ことだ、と思っているのである。そのことは後にも述べるが、取り敢えず言っておけば、日本が島国であ

り、他国と戦争（侵略）することもほぼなく、従って大陸から伝わってくる優れた文明・文化をマネし、それを日本の風土に合わせて洗練、深化させるだけでよかったから、自らが「考える」という能力をまったく発達させず、あたかも「マネする」ことを「考える」ことだと勘違いし、今日まで来てしまったのである。

そこで日本人の歴史的古層（思考法）を、古代から現代に至るまでに通底するものを探り出そうというのが、本章の意図である。

すでに述べたように、日本は地政学的にガラパゴス的島国であり、四季に恵まれた気候温暖な、森と山々とからなる土地であった。その地政学的、気候風土的条件は、日本人をして天照大神（日の神）を土神とし、後に日本人の美の対象となる月読の神（月の神）はほとんど顧みられなかった。

私が日本人に考える能力がないと思うのは、そういうことが何か変だと思わぬことである。と同時に、戦後日本の知識人のほとんどが、古事記を読んでいないことである。そのことは、日本人には自己の「私」を作り出すアイデンティティー（自己の存在証明）がない、ということであり、その事実は、日本人に「考える」能力のないことの証と言ってもいい。

それは聖書を読んだことのない西洋人が想像できぬことを、考えれば分かることである。それはギルバート氏、ストークス氏が、古事記を読んだのは、氏らが日本を理解しようとすれば自然そうなる、ということである。それが日本人には分からない。

古代日本人は佐伯氏の著作が指摘しているように、神道という「清く明き心」（清明心）を持った民であった。この「清く」とは『古事記』における伊耶那岐命が、その配偶女神・伊耶那美命の死を追って黄泉国（黄泉）へ行き、その配偶女神の醜い姿に「黄泉つひら坂」を「石」をもって塞ぎ、「あは（私は）、いなしこめしこめき（いやな見るも醜い）穢き国に到りてありけり、かれ（だから）、あは御身の禊せむ」（『新潮日本古典集成』、以下同じ）と宣り、禊するところに日本人の清潔感覚（清明心）の源がある。

この伊耶那岐命が天照大神の父神であり、皇室の祖神と仰がれ伊勢神宮に祀られることになった。従って伊耶那岐命が禊を行ったのは、伊勢神宮内を流れる五十鈴川であった、と考えられる。一度でも伊勢神宮の森の荘厳さと、五十鈴川の清冽な流れとに目を染めた者であれば、伊耶那岐命がその清流で身を清めたと信じられるだろう。

また「明き」は「明かし」（『全訳古語辞典』）の「②偽りがない。私心がない。心が清い」に由来すると思われる。

この神道の清明心が、皇室および日本民族にどう係わっているかについて、古事記を通して見てみる。

ギルバート氏は同著「第4章『天皇陛下のおことば』はありがたい」の「ヨーロッパの王族貴族と天皇はまったく違う」の項で次のように記している。

　第一六代天皇である仁徳天皇の「民のかまど」という話を聞いたことがあります。

これは『古事記』の「下つ巻」の次のような記述である。

　ここに、天皇、高き山に登りて、四方の国を見て詔らししく、
「国中に烟発たず、国みな貧窮し、かれ、今より三年に至るまでに、ことごと人民の課役を除せ」

この箇所を以下、ギルバート氏の著書から引用する。

ある日、仁徳天皇が高いところから遠くを望むと、炊事（すいじ）の煙が立っていないことに気づきました。そこで仁徳天皇は「以後三年、税金や課役をやめて、民の苦しみを軽減するように」と命じます。宮殿は垣根も屋根も崩れて雨漏り（あまも）がする始末でしたが、それでも税を取ることはありませんでした。そして三年後、また遠くまで見渡してみると、今度は、かまどの煙がたくさん上がっています。

そこで仁徳天皇は皇后に「私は富んだ。もう憂い（うれ）はない」とおっしゃいました。皇后が、「どうして宮殿の垣根も屋根も壊れているのに、富んだとおっしゃるのですか」と聞くと、仁徳天皇はこう答えたそうです。

「国とは民をもって本（もと）とするのだ。民が貧しいのは私が貧しいことであり、民が富んでいるのは私が富んでいるのだ」

とても素晴らしい話です。仁徳天皇は大昔の天皇ですが、これは現代の民主主義社会でも、政治家や経営者などの権力者が見習うべき考え方です。

私はこれまで、ニヒリズムと無とについては、最終章まで触れずにおこうと思っていた。だが、ギルバート氏の「とても素晴らしい話です。仁徳天皇は大昔の天皇ですが、これは現代の民主主義社会でも、政治家や経営者などの権力者が見習うべき考え方です」のような文章に触れると、やはり歴史的古層を理解してもらうことは、そう簡単なことではなさそうだと考え、ここに一文を挿入する。

私はニヒリズム（虚無）と無とをフロイトの無意識の視点にまで、自らの価値を落とし（身心を脱落し）、そこから「肉体」の持つ「生＝虚無（無）」を通して、世界を複眼的に見ることだ、と説明した。これは後に述べるが、ニーチェの「肉体の思想＝虚無」と同様に、『葉隠』の武士道の「肉体のもつ無の思想」も、同じ視点を持つということである。そのことを肝に銘じて『ツァラトゥストラ』の次の文章を読んでいただきたい。

こうして、この「本来のおのれ」は常に聞き、かつ、たずねている。それは比較し、制圧し、占領し、破壊する。それは支配する、そして「我」の支配者でもある。

わたしの兄弟よ、君の思想と感受の背後に、一個の強力な支配者、知られない賢者がいるのだ、――その名が「本来のおのれ」である。君の肉体のなかに、かれが住んでいる。君の肉体がかれである。

この「我」（意識）の支配者である「肉体のなかに住む『本来のおのれ』」が、これまで述べてきた「古層」（ニヒリズム・無）であり、それが歴史化したものが「歴史的古層」である。それは西洋人の「我」（意識）も、歴史的古層に「からくられている」（支配されている）、ということである。そして武士道も、この「肉体なかに住む『無』」に「からくられた」思想だ、ということである。

それは西洋に起こった民主主義とは、その歴史的古層に戦争思想を持つが故に、それは半ば愛国心とセットになっている、ということである。そしてそうした歴史的古層を持つ彼らは、理性の哲学（「私は考える」）、および意識の思想（「私はある」）を生きており、さらにそれらを支えているのが、キリスト教という自己偽善の思想である。その意味では、フロイトの無意識も所詮、「からくられた」思想であるに過ぎない。

そのことは、すでに述べた『古事記』のような歴史的古層を持つ日本人に、民主主義など理解できるわけもなく、それは当然、愛国心など分かるわけもない。もしそれらを理解できる者がいたとしたら、それは戦争をしたかっての武士だけである。それ以外の「村」人は、歴史的古層において勤勉な労働と、高い技術力とを持って、半ば身分的な年功序列・終身雇用労働をしてきたから、江戸時代や戦後日本のある時期までは、それで成功したのであるが、それがある時期を過ぎると、佐伯氏の「『清き明き心』という宗教観」で言う、次のようなことになるのである。

この章の初めに、グローバル金融市場の暴走というような話をしました。構造改革の中で、日本型経営を支えてきた組織のあり方が否定されてしまったと述べました。それにより、われわれは、日本人にとっての労働の意味そのものを見失いつつあります。これまでのような、集団的で、組織的な日本型労働ではもはやうまくいかない。かと言って、アメリカ型の個人主義的な能力主義もどうも落ち着きません。いったい日本人の労働観の根本にあるものは何だったのでしょうか。

その答えは、日本が島国であり、決して豊かとは言えぬながらも、歴史的にほぼ自給自足で生きてきたことにある。つまり武士を除けば「私たち」「村」人は、仲間と協力し、勤勉に働き、自給率を上げるために知恵を絞り、――それは技術力を高めるといってもよく――そうした価値観（言語）が歴史的古層に蓄積されているから、そこからしか思考できぬことになる。すなわちいかなる国民も、自らの歴史的古層に支配されている（からくられている）ということである。そのことは、いくらアメリカ（民主主義等）をマネしても無駄だということである。これがギルバート氏の素朴な主張に対する私の答である。つまりヤクザ民主主義はどこまで行っても変わらぬということである。

話を戻す。

それは「因幡の素兎（しろうさぎ）」の話に係わってくる。『広辞苑』は次のように記す。

出雲神話の一つ。古事記に見える。淤岐島（おきのしま）から因幡国に渡るため、兎が海の上に並んだ鰐鮫（わに）の背を欺き渡るが、最後に鰐鮫に皮を剥ぎとられる。苦しんでいるところを、大国主神に救われる。

それを『古事記』では次のように記す。

菟（が）「海のわにを欺きて言いつらく、『あとなと（私とお前と）競（きほ）ひて、族（うがら）の多き少なきを計（かぞ）へむ。かれ（それで）、なはその族のありのままに（お前は自分の同族のありったけを）、ことごと率来て、この嶋より多気の前（岬）まで、みな列み伏し度れ。しかして、あれ（私が）その上を踏み、走りつつ読み度らむ。ここに、わが族と、いづれか多くを知らむ』と、かく言ひしかば、〔鮫が〕欺かえて列み伏せりし時に、あれその上を踏み、読み度り来、今地に下りむとせし時に、あが云ひつらく、『あはあに欺かえぬ』と言い竟ふるすなわち（いなや）、いや（一番）端に伏せるわに、あを捕らへ、ことごとあが衣服を剝ぎき。……」

以下はすでに記した通りである。

そしてその後の大国主神は、出雲への高天の原から葦原の中つ国への平定の三度の使者によって、国土を天照大神に奉献することになる。それが今日の出雲大社の由来である。

さらに出雲大社には、神在月（神無月）という八百万神が、この月（陰暦十月）に集まるという言い伝えがある。むろん農耕民に係わる清明心による談合の集いである。

ここから見えてくることは、日本農民（「村」人）には古来、談合の習いがあったことである。そのことは後にも述べるが、ここでは兎はその掟を破ったが故に「村」八分にされた、ということである。

このことは、日本人は今もその神話の歴史的古層を生きている、ということである。

これはすでに挙げたストークス氏の著作の第一章「世界を感動させる『万世一系』の国」の「『灰色の決着』を重んじる日本人」の項の次の記述を読んでいただきたい。

……「日本は和の国」である。日本人は、黒か白かの決着がつくまで戦うことを避け、「灰色の決着」でことを丸く収める傾向が強い。

一方、西欧社会では、この「灰色の決着」がなかなかできず、何ともいえない心地の悪さを感じてしまう。是か非か、善か悪かをはっきりさせる文化的背景が、歴史的に形成されてきたからである。……

氏のこの発言には、長短いずれもがある。

ヨーロッパは古代より戦争（侵略）社会であり、そこから生まれたのが民主主義であるから、どうしても決着は白か黒かである。それは短所としても、それをして彼らを「個の思考」に導き、自らの白、黒を論理的に説明できる（「考える」）能力を発達させることになった。さらにヒトが「考える」のは価値の拡大（得するため）であるから、そうした思考法は、自ら作り出した神も、また自然も否定し、資本主義という得する経済思想を生み出すに至るのである。

それに対して、日本が「和の国」というのは古代より戦争が少なく、また争うこともなく談合で決着しようとするのは、それぞれ互いに損をしてでも争うよりは増しだ、ということである。しかしそれは、互いに得する気持ちを捨て、損することだから話はそう簡単に纏まらない。つまりストークス氏が「灰色の決着」というのは、全会一致社会だということである。だから古代の神々は、それに一カ月も要したのであり、その歴史的古層は今日の日本人の会議好きに繋がっており、それによって「和」という利益を得たのである。

その和の精神は、自然と一体化して生きてきた日本人にとって、労働を苦痛と感じさせぬ、それにある種の喜びのようなものさえ感じさせるに至った。

しかしそのことは、「村」の掟である「私たち」という灰色の「空気」の、つまり「私」の意見を持たぬ社会を生きることになったから、「考える」能力はまったく発達しなかった。むろんそれで終わればハッピー・エンドだが、それは西洋からやって来た黒船によって終わることになった。それは資本主義という、自然を破壊し、労働を嫌い、得をする、つまり侵略という名の経済思想である。

資本主義は、数学力、技術力、マネ能力、勤勉に働く能力さえあれば誰でもマネできる。しかも和の（協力する）精神を持っていた日本人は、戦後、目覚ましい経済成長を見せた。

しかし悪いことに日本人には、自分たちが清明心に基づく、損をすることによって成り立っている民族だ、という自覚がなかった。だから無自覚にも、経済成長によって「得」することの味を覚えてしまった日本人は、清明心に基づく談合を、得するための悪い談合に変えてしまった。

しかも、その戦後日本の和の精神によって成り立っている社会は、個の視点を持つアメリカから見れば、社会主義のように見えてもおかしくない。そこで彼らは「民営化しろ」「構造改革しろ」と言い出すことになった。むろんそうさせることによって、そこから彼らが利益を得ようとしたのは当然だが。

と同時に、すでに日本経済はそれ以上の成長は望めなかったから、その外圧はある意味、渡りに船という面もあった。この外圧という言葉は後に述べるが、日本人は歴史的にも常に外圧によって動かされてきたと言ってもいい。つまり日本人は内圧という「私は考える」能力を持たぬ結果として、そうなったのである。いずれにせよ、民営化すれば経済効率がよくなるのは確かである。

それに対して、構造改革というのはよく分からぬが、それを私なりの視点で見れば、要はリストラ、働き方改革を行って経済の効率化を図れ、ということのように思える。

しかしこの和の国においては、歴史的古層において今日でも、リストラをする経営者は悪である。それはリストラもせず会社を建て直した経営者・従業員の話は、いまだこの国において美談であるのは、映画、テレビ・ドラマ等からも痛感される。

これは余談になるかもしれぬが、戦国武将である織田信長と武田信玄との比較である。これは前もって言っておかなければならぬが、武田家のあった甲斐は海もない片田舎であり、しかもそこで一大領国を築いたが故に、日本人に人気のあることである。

言うまでもないが、信長は能力のない者はリストラし、その最期は暗殺に終わった。

他方、信玄は下臣の一人に武士として使い者にならぬ人物がいたのを、その者をリストラもせず、彼に日頃、下臣団がなにを考えているかを探らせる役目に就かせたと言う。そこに武田節の「人は石垣、人は城」の謂れがある。

話を戻せば、日本は西洋と違ってリストラ社会ではないから、再雇用のシステムが整っておらず、従ってリストラされた人間は、あたかも欠陥品であるかのような目で見られる傾向があるかに思える。

そこで日本人が考え出したのが、西洋人の経営者をトップに据え、構造改革の名の下にリストラ、働き方改革等を行うことである。西洋人が上司になると、日本人は内心仲間じゃないから、シカタガナイと考えるのである。これと同断なのが、女性が社会進出できぬ理由である。むろん女性の方にも、その歴史的古層において原因はあるが、女性が上司になることを男性は、その歴史的古層において無意識にも抵抗を覚えるのである。

また、構造改革に名を借りた正社員、非正規社員の弁別である。同じ仕事をして賃金が異なるのは変だとは思いつつ、日本人の思考には個の思想がないから、それ以上のことを論理的に構築できない。

ところでギルバート氏が「民のかまど」を誤解しているのは、古事記に記された天皇の話は美談ではなく、今日でも貧しい未開部族の族長は、貧しい生活をしている事実が、日本古代にもあったということである（その歴史的古層は、今日の日本にもある程度残されている）。なぜなら、貧しい部族にあっては民から搾取することはできない。従って部族長に選ばれる者は、部族に富をもたらす知恵者が選ばれることになり、当然、部族長も貧しい生活を強いられる。これがいわゆる原始共産制である。
しかしヒトは「考える」知恵を得ると共に、富という欲（価値の拡大という得（とく））に走ることになった。西洋戦争（侵略）社会とは、その欲の典型であり、彼らは戦争に勝つために、理性というキリスト教に基づく知恵（「私は考える」）を発達させたが、ヒトはその強欲を生きる存在だ、という自省が彼らにはまったく発達しなかった、と言うより考えてみようともしなかった。つまり民主主義にしろ、共産主義にしろ、その「私」の根底に強欲がある限り、そこに格差が生じるのは当たり前だ、ということが分からない。

いずれにせよ、天皇家は様々な内紛を経ながらも、日本人の歴史的古層における清明心の象徴的存在となった。その表れは京都御所がまったく無防備であることからも明らかだろう。そして大東亜戦争敗戦後も、その戦争責任を問う者は、一部の西洋かぶれが批判した以外、国民の多くは清明心を共有していたが故に、非難する者はいなかった。

さらに古事記という日本神話の特殊性である。それは世界にほとんど類を見ないと思うのだが、国の中心にある皇祖神が母神だということである。それは日本がガラパゴス的思想進化をしたことの証であって、それは極めて古い神話が保存されていることを意味する。

多くの人が誤解しているのは、神話とは歴史的事実を比喩として語っているわけではなく、彼らなりの原始言語のもつ歴史観で語っている、ということである。つまり言語のない世界（サル）から、言語（ヒト）化するとは、われわれの持つ合理的思考とは無縁であり、従って彼らにはわれわれが考えるような歴史観はなかった、ということである。すなわち、彼らにとって天照大神も、大国主神も、虚構である神として存在し、信じられていたのである。それは今も西洋では、『聖書』が信じられているのと同じである。

それが中国からの漢字文化の流入と共に、合理的思考の流れ込みによって、それが『日本書紀』に書き改められたのである。そのことは古事記の一見、稚拙に思える記述は、ヒトの「考える」能力の限界がどのようなものであるのかを示しているのであって、戦後日本人の、ただ暗記することを「考える」ことだと思っている人間より、はるかに「考える」能力があった、ということである。

日本人と仏教

日本人は古代、神道という清明心を持ってはいたが、それだけでは、ヒトの生の持つ負（マイナス）の面を補うだけの思想には至らなかった。つまり人の生に係わる苦の面である。それゆえ苦（厭世）の宗教である仏教は、容易に日本に根を下ろすことができた。しかしその後、神仏習合によって両者の区分はかなり不明瞭となり、また日本人自身もそれでよい、という面を持っていた。しかも、今日ほぼ完全に仏教思想が失われてしまっているる日本において、仏教を語ることは極めて難しい。むろん教学としての仏教は残っているが、仏教思想の根本である無常観、無（悟り）といったものを、今日の日本人はもはや理解できない。

仏教は言うまでもなく、釈迦によって始まったものである。彼はインド王族に生まれ、結婚し、子を成しながら、二十九歳のとき、人生に無常を感じ出家し、苦行の末、悟りに達し、その最初の教えを鹿野苑（ろくやおん）で説いた人である。それについては詳しくは述べぬが、それは人が宿命的に負っている生老病死、貪り求める渇愛等の苦からの救いの教えである。

私は仏教について考え、自分がそれを歴史的古層において、いかに理解しておらぬかに心づいた。特に平安時代の密教、そしてその後の中世・乱世の浄土教である。むしろ私が理解できたのは、武士道に繋がる禅の無の思想であり、また夏目漱石が西洋文明の流入によって脅かされた心の苦を、禅の無によって解決しようとしたところのものである。従って私は、王朝女流文学、そしてその後の、西行、鴨長明、兼好、世阿弥、心敬、利休等、またさらに下って芭蕉といったところは、正直よく分からなかった。そして日本人にも分かっていないのではないか、という疑問も生じてきた。それは戦後の、西洋かぶれの空っぽ頭に、果たして理解できるのか、ということである。

そしてそれを理解するためには、結局のところキリスト教で用いた自己偽善の思想を援用するしかない、という結論に至った。つまりヒトにはそもそも苦などなく、それは虚構（嘘）によるものだ、ということである。

それはたとえば言語（価値）を知らぬ赤子は、その表現法としてただ泣くだけであって、自分が苦に苛まれているという自覚もなければ、また子供が貧乏を大人ほど苦にしないことである（これは幕末、まだ貧しかった日本を訪れた西洋人・ヒュースケンが「子供たちの愉しい笑い声」を聞いたと記している。渡辺京二著『逝きし世の面影』）。

しかし言語（価値）を生きることになったヒトは、その価値の拡大という快（得）と共に、マイナスの価値という苦をも負うことになった。つまり宗教とは、本質的にその苦を自己偽善によって、自ら神という超越的存在（神的超越性）を作り出し、その前に拝跪することによって自らを騙す、からくり思想だということである。

従って仏教に限らず、宗教とはある種の呪い（呪術）である。それはヒトが、価値の拡大を生きる存在となったが故に、まさにその対極にある死というマイナスの価値に対し、無意識にもせよ「不安」を抱く存在になった、ということである。それを現代人は、西洋医学によってある程度解決したが――それは新型コロナの流行によって、人々が不安に駆られたことによっても明らかだろうが――まだその価値が確立していなかった時代、人々はなんらかの呪いによってそれを静めるしかなかった。

平安時代の密教における加持祈禱にしろ、その後の浄土教の念仏にしろ、それである。自己をその不安から目を逸らしたいがために、そしてその不安が大きくなれば踊念仏のような、ある種の「集団ヒステリー」によって、我を忘れるまでに高めなければならなかったのである（本書では集団ヒステリーの概念については触れぬが、それはヒトの「生」が帯びる「力への意志」に基づくものである）。

この集団ヒステリーは、キリスト教においても同様に起こっている。たとえば魔女狩りと称して、多くの人々を焚刑に処した大衆行動である。
それらはすでに述べた、死という不安に対し自己偽善によって自己を騙し、そこに神を作り出すことによって平安を得たいという、サルがヒトに進化してしまったが故に、本然として抱かねばならなくなった苦に対し、自己自身を騙すという、騙しのからくりである。

そうした理解の上で、以下、日本に流入した仏教を、文学を通して眺めることにする。
まず『万葉集』後期の歌人・大伴旅人の歌である。

世の中は空しきものと知る時し
　いよいよますます悲しかりけり

この「空し・虚し」の語彙を『岩波古語辞典』を引くと次のようになる。
①中になにもない。からっぽである。②事実がない。③なにも結果がない。無駄である。
④はかない。無常である。⑤命がない。形骸化している。
そうした語意からこの歌を理解すると、人の世は生々流転、定まるところのない無常と

して捉えられ、それを自己偽善によって、「空し」という虚構（嘘）の美（価値）に移し替え、その無常美という信仰によって、生の苦しみを乗り越えようとした歌だ、ということである。その歌意の底流には、ヒトの死の苦しみを、仏教信仰による宗教生活によって解脱しようとする意思がある。

さらにこの「空し」の語感は、平安朝期の文学（特に女流）の底流に「はかない」「あわれ」として流れ込んで行くことになる。そしてその時代、女流文学というものが成り立ったのは、当時の貴族社会における権力構造が、彼女らをして教育者として存在することを可能にしたからであり、それと共に彼女らに時間的余裕、および自我の目覚めを呼び起こさせた結果として起こったことである。この「はかない」「あわれ」といった美感の虚構性は、平安朝期全体を覆うものである。

たとえば、古今集以後の勅撰和歌集の定番である「恋」と「四季」との部立である。

恋も四季も、その本質は虚構（嘘）である。

まず恋は、ヒトはサルの生殖本能を生殖本能的価値に進化させ、その生の上昇（力への意志である価値の拡大）を、生殖的集団ヒステリーの下に言語（価値）化したものが恋である。つまり恋とは生殖としての（生の上昇としての）価値の拡大であるから、その価値（恋の相手）を得てしまえば、その異性に対する価値の拡大としての魅力（欲）は失われていく。

それはたとえば、『源氏物語』の光源氏が、彼にとって最高の女とした紫の上を得たにも拘わらず、様々な浮気をするのはそのためである。そして女としての最高の価値である、子を成すことができなかったところに紫の上の苦悩の本質があることを、紫式部は女の本能として知っていた。

平安朝期に限らず、恋のメカニズムとはそうしたものである。

紫式部は秋に「あわれ」を感じる女であった。それは無意識にも、彼女が古層において、死への不安を抱いていたということであり、そこから自己偽善によって目を逸らすことが、彼女に『源氏物語』を書かせる原動力になったのである。

それは『源氏物語』の「須磨」における「またなくあはれなるものはかゝる所の秋なり」、また「手習」の「山里の秋の夜ふかきあはれ」等、様々なところに見られる。さらに紫の上が秋の女であったように、光源氏も栄耀栄華の末、秋の男となった。そして『宇治十帖』は秋から冬への衰亡の物語である。つまりそこにあるのは無常の美である。

他方、四季の方であるが、それは「雪月花」という美意識に基づくものと思われる。それは『和漢朗詠集』にある白楽天の「交友」と題された詩、

琴詩酒の友は皆我を抛う　雪月花の時最も君を憶ふ（抛つは散り散りになって去る）

に見られるように大陸（唐）から伝わってきた、四季とはまったく関係のないものを、日本人が四季にアレンジしたものである。当時の貴族の多くは暇を持ち、しかも死を含めた様々な苦に取り囲まれる日常であったから、少しでもそれから目を逸らすために、仏教の無常観の下に雪月花という虚構（嘘）の美の上に価値を置き、それに基づき歌を詠み合うことによって、日常の苦と暇とから目を逸らしていたのが、古今集以降の歌集の本質である。

紫式部が秋の女であったということは、その哀亡の美に価値を置き、その美による自己偽善によって、自己の苦を騙していたように、平安仏教も同様のメカニズムによって、自己を騙していた、ということである。

当時の貴族は、春にも価値を置いていたが、その春でさえ唐から伝わってきた梅ではなく、潔く散る桜に価値を置いたということは、当時の貴族はすでに衰亡の中に美を見ていたことの証である。そうであれば月に美を見たのも、そこに西方極楽浄土の価値を置いていたからである。

当時、まだ「考える」能力の発達していなかった日本人ではあるが、平安朝末期になると、ヒトの持つ闘争本能的価値の力に目覚め、考える能力も進み武士の台頭を呼び起こすことになった。しかしその武士である平清盛でさえ、まだその自覚に乏しく、貴族生活の延長線上に自己を置くことによって、平家滅亡に至ることになったのである。

しかしすでに衰亡（滅び）の美意識を生きていた日本人――それほど仏教の無常観は、日本人の心に深く根を下ろしていた――は、それを『平家物語』という軍記物として語ることになった。そしてこの滅びの美学は、戦にのぞむ武士を美しい甲冑に身を包ませることになった。

それに対し戦乱を避けた人々の美意識――西行、鴨長明、兼好（後者二人は神官）等――は、貴族的価値観を仏教の遁世による無常観のそれに置き替え、受け継ぐことになった。

現代人がこれらの人々の作品を読んでも理解できぬのは、無常観という死への不安を、あえて遁世による美意識によって目を逸らさねばならぬ不安と、まったく無縁の平和ボケの世界を生きているからである。つまり遁世とは、今の言葉で言えばホームレスになることであり、彼らが自ら進んでそうした世界に身を置くということは、彼らの無常観がいかに深かったかの証である。そして彼らの思想の底流は、外形こそ変われ、後の世阿弥、心敬、利休等、そして江戸期の芭蕉にまで及ぶことになる。

ところで、乱世における民衆は、遁世による美意識などという高級な思考は、持ち合わせていなかった。彼らはひたすら現実から逃げる宗教である浄土教の阿弥陀信仰に走り、念仏によって来世を願った。と同時に夢幻泡影（むげんほうよう）（金剛般若経）観の持つ、この世を夢（ゆめ）、幻（まぼろし）と見る自己偽善による騙しによって、この世の苦から目を逸らしたのである。

夢幻泡影観とは空観である。それは室町時代に歌われた歌謡集『閑吟集』では次のようになる。

ただ何ごともかごとも
夢まぼろしや水の泡

笹の葉に置く露の間に
味気なの世や

何せうぞ、くすんで
一期は夢よ、ただ狂へ

そしてこの無常美観は同時代の、世阿弥、心敬、利休等、さらに後の芭蕉へと受け継がれていく。むろん彼らに通底するものは同じではあっても、平和な江戸時代を生きた芭蕉はもはや秋冬の人ではなく、四季の人という違いはあるが。

彼らの思想は、紫式部の秋（滅び）の価値観が、さらに日本的に――遣唐使の廃止以来、半ば鎖国化状態になったことで――洗練、深化したのである。

世阿弥、心敬でいえば平安朝期の無常美が、さらに深まって幽玄の美となり、それは世阿弥の『花伝書』における「花の萎れたらんこそ面白けれ」「老木に花の咲かんが如し」と枯淡な冬を思わせるものとなり、それは『心敬僧都比登理言』では、「氷ばかり艶なるはなし」とまさしく冬そのものとなる。

そして利休のわび茶においては、権力者・秀吉の華麗な美に対し、わび屋という空観としての茶室に置いたのである。その心にあったのは、藤原定家の次のような歌であった。

見わたせば花も紅葉もなかりけり
　浦のとま屋の秋の夕ぐれ

これらに通底しているのは、色即是空観である。
そして秋冬から四季（自然）の人となった芭蕉の『奥の細道』の書き出しは、次のようなものになる。

月日は百代（はくたい）の過客（くわかく）にして、行かふ年も又旅人也。舟の上に生涯をうかべ、馬の口をとらえて老をむかふる物は、日々旅にして旅を栖（すみか）とす。古人も多く旅に死せるあり、予もいづれの年よりか、片雲の風にさそはれて、漂泊の思いやまず、……

これもまたホームレスの美学である。つまり自己の無常の生を、自己偽善を通して日本という風土の持つ美に価値を与えることによって、自己の漂泊生活に価値を持たせ、肯定したのである。

この夢幻泡影観は武士においても変わらなかった。

信長の愛したといわれる幸若舞の「敦盛」の一節は次のようなものである。

人間（じんかん）五十年　下天の内にくらぶれば　夢幻（ゆめまぼろし）の如くなり　ひとたび生をえて　滅せぬ者のあるべきか

また秀吉の辞世にしても同様である。

露とをち　露ときへにしわが身かな
なにはのことも夢のまた夢

彼らもまた、この世を夢、幻と見ていたのである。

武士道――戦国時代から大東亜戦争まで

これまで述べてきたことを元に、武士という存在を考えてみる。ヒトはサルから受け継いだ四つの本能的価値を生きている。食餌、生殖、闘争、群れのそれぞれの本能的価値であるが、ここで問題となるのは後者二つである。

日本はガラパゴス的島国であったから、ヨーロッパ大陸とはまったく異なる思想進化をしてきた。ヨーロッパ地域は、闘争本能的価値に基づく戦争（侵略）社会であったから、それに勝つためにキリスト教による自己偽善によって、「私は考える」思考法に至った。しかしそれは「私たち」という群れ本能的価値を壊すことであったから、労働は孤独な嫌な作業となった。労働が奴隷作業になったのである。そこに資本主義、植民地主義等を生み出す素因があった。すなわち彼らにとって「考える」とは、戦争に勝って得(とく)する（労働から解放される）ためのものであった。

むろん日本人も闘争本能的価値を持っていたから、武士というものが台頭してきたが、彼らがもともと持っていた歴史的古層は古事記的世界である。彼らがヨーロッパ人と決定的に異なるのは、武士は支配者ではあっても「村」人（農工商）に養ってもらっていた、という事実である。すなわち武士は「村」人を「生かさず、殺さず」（生かさずとは権力を持たせず、また殺さずとはそれなりの保護を与える）として扱ったのに対し、「村」人は武士に対し、たとえば領主が代わり、新領主の前に出るとなれば、旧領主の悪口を言ってゴマを擂って「逃げ」ていれば、生き延びられた、ということである。この歴史的古層（「本来のおのれ」の支配力）は今日に至っても、自虐史観として残っている。

そうであれば、「村」人の「考える」能力はゴマを擂ること以外発達せず、しかも「村」社会の掟である善悪の価値観が、歴史的古層化されているから、それを破る者は「村」八分にされるという強い「空気」の圧力に支配される社会となった。

その意味では、武士の「村」支配は容易であった。なぜなら、「村」人に「考える」能力がなかったから、「生かさず殺さず」の「空気」の圧力さえかけていれば、よかったからである。

いずれにせよ、自然豊かな島国に住む武士は戦争をするにしても、ヨーロッパ人の砂漠の思想に基づく「得（とく）」（利益）のための略奪ではなく、言わば闘争本能的価値に基づくほぼ派閥の権力闘争に勝つためのものでしかなく、そのために「考え」、戦（いくさ）をしたのである。

しかも武士はもともと、自然と同化した農民の出自であったから、キリスト教のような砂漠の宗教と係わることも、結び付く素地もなかった。そして農民が、古事記に見られる「損をする談合」のような歴史的古層を持っていたことは、武士にも受け継がれたという、複雑な歴史的古層を持つことになった。もし武士が、ヨーロッパ人のような「得」する（侵略する）思考に基づいて行動していたら、天皇家はもっと違ったものになっていたかもしれない。

武士がどのような考え方を持っていたかを、幕末の志士に大きな影響力を与えた会沢正志斎の『新論』から三つばかり挙げる。

……天祖、嘉穀（よい穀物）の種を得たまひ、思へらく以て蒼生（人民）を生活すべしと。乃ち之を御田に種ゑたまふ。又口に繭を含みたまひ、而して始めて養蚕の道有り。是を万民衣食の原と為す。……

異目狡夷（狡猾な西洋人）をして之に乗じ以て愚民を蠱惑せしめば、則ち将に相率ゐて復狗羯羶裘（犬羊の族）の俗たらんとす（風俗に染まる）。
其の一に曰く、内政を脩むることなり。其の目四つあり。士風を興すことなり、奢靡を禁ずることなり、万民を安ずることなり、賢才を挙ぐることなり。……

私は武士によるこうした統治の下に、明治国家が成り立っていたとしたら、申し分のないものになっていただろうと思う。
しかし残念ながら、武士は己の価値が分からず、武士道を廃することによって、日本は滅びの道を歩むことになったのである。

さらに武士道の何であるかを定義するのにもっとも相応しい書が『葉隠』（山本常朝述）である。『葉隠』ほど陳腐に誤読されてきた書物はない。そこから七つばかり挙げ、以下の論及に繋げる。

武士道といふは、死ぬ事と見付けたり。二つ二つの場にて、早く死ぬはうに片付くばかりなり。別に仔細なし。胸すわって進むなり。図に当たらぬは犬死などといふ事は、上方風の打ち上りたる武道なるべし。二つ二つの場にて、図に当たることのわかることは、及ばざる（むずかしい）ことなり。我人、生くる方がすきなり。多分すきの方に理が付くべし。若し図にはづれて生きたらば、腰抜けなり。この境危ふきなり。図にはづれて死にたらば、犬死気違なり。恥にはならず。これが武道に丈夫（本質）なり。毎朝毎夕、改めては死に改めては死に、常住死身になりて居る時は、武道に自由を得、一生越度なく、家職を仕果すべきなり。

幻はマボロシと訓むなり。天竺にては術師の事を幻出師と云ふ。世界は皆からくり人形なり。幻の字を用ひるなり。

盛衰を以て、人の善悪は沙汰されぬ事なり。盛衰は天然の事なり。善悪は人の道（判断）なり。されど、教訓の為には盛衰を以て（善悪の結果であるかのように）云ふなり。

勘定者はすくたるるもの（卑怯者）なり。仔細は（なぜなら）、勘定は損得の考するものなれば、常に損得の心絶えざるなり。死は損、生は得なれば、死ぬ事をすかぬ故、すくたるるものなり。又学問者は才智弁口にて、本体の臆病、欲心など仕かく（隠）すものなり。人の見誤る所なり。

「武士道は死狂ひなり。一人の殺害を数十人して仕かぬる（できかねる）もの。」と、直茂公仰せられ候。本気にては大業はならず。気違ひになりて死狂ひするまでなり。又武士道に於て分別出来れば、はや後るるなり。忠も孝も入らず、武士道に於ては死狂ひなり。この内に忠孝はおのづから籠るべし。

道すがら考ふれば、何とよくからくった人形ではなきや。糸をつけてもなきに、歩いたり、飛んだり、はねたり、言語迄も云ふは上手の細工なり。来年の盆には客にぞなるべき。さてもあだな（むなしい）世界かな。忘れてばかり居るぞと。

少し眼見え候者は、我が長けを知り、非を知りたると思ふゆゑ、猶々自慢になるものなり。実に我が長け、我が非を知る事成りがたきものの由。海音和尚御咄（かいおんおしょうおんはなし）なり。

常朝自身も「実に我が長け、我が非を知る事成りがたきものの由」と言ってるように、人は自分の長短というものが分からない。なぜなら、ヒトは単眼でしかものを見ることができぬから、自己分析ということができない。それは三島にしてもあれ程『葉隠』に傾倒しながら、その傾倒する自己を分析できず、従ってその分析内容を発言することができなかったから、その後の「三島事件」は、単なる「犬死気違」としか世間は見なかったのである。そうであれば、「逃げ走る」「客分」の歴史的古層に支配されている戦後日本人に、武士（『葉隠』）の価値など分かるはずもない。

まずは『葉隠』の代名詞とも言える「武士道といふは、死ぬ事と見付けたり」から述べる。

これはもともと島国日本という特殊な地政学的条件から、すでに古事記に見られるように、「損する」ことを当たり前とする歴史的古層を持っていたことに由来する。

余談だがこの歴史的古層は、今日の日本人にまで続いている。たとえば拾った財布を警察に届けたり、あるいはサッカーの試合後、サポーターが自席を掃除して（タダ働きをして）帰る、といったところにも見られる。西洋人は決してそうした「損」をすることはしない。

つまりそうした歴史的古層を持つ武士は、「死は損」という考えを持たなかった。それは戦前の日本「村」人の多くも、たとえ「死は損」と感じても、そも彼らは「考える」能力を持たず、しかも「村」社会の「空気」の圧力によって、その思考に行き着く者はほぼいなかった。

ただ、「死は損」という思考を持っていた、丸山眞男のような「学問者は才智弁口にて、本体の臆病、欲心など仕かくすもの」は、敗戦による連合国の「東京裁判」に象徴される「盛衰を以て、人の善悪」とする思考が入ってくると、それに乗じて日本の戦争を「間違った戦争」とし、それに多くの「学問者」が追随したのである。そしてその後、資本主義という「得（とく）」する思想が流入することで、丸山の価値観は日本人の意識上（古層は別）に定着したのである。

そうした日本人の意識上の変革によって、後に述べる司馬遼太郎に代表されるように、武士を理解できる者はいなくなった。たとえば吉田松陰、西郷隆盛、三島由紀夫等は、ただ不可解な人物としか映らなくなった。そうであれば況（ま）してや、追腹を切ることなど理解の埒外に置かれることになった。

常朝自身「武士道は死狂ひ」として、主君・鍋島光茂の死に殉じようとしたが、光茂の殉死禁止令によって命を長らえ『葉隠』を残すことになった。

それに対し、西洋には「死は損、生は得」という考え方があるから、アメリカ人が「自国のために戦う意思」が、ギルバート氏の数字では四四パーセントにしかならぬのである。そう考えれば、戦後「生は得」であることを覚えてしまった「逃げ走る」「客分」である日本人が、「自国のために戦う意思」が一一パーセント（佐伯氏の数字でも一五％）、「わからない」が四二パーセントになるのは自然だろう。

もともと日本人の歴史的古層は、士農工商であったものが、敗戦によってその士が完全にいなくなった結果として、低いパーセントになったのである。と同時に「考える」能力を持つ者がいないから「わからない」人間が多くなったのである。戦後日本には、武士という「考える」能力を持つ者（たとえば福沢のような人物）がいなくなったから、歴史、思想、文化等において「異目狡夷（こうい）」に「蠱惑（こわく）」され、「狗羯羶裘（くけんせんきゅう）の俗」に染まることになったのである。

まず武士として信長を挙げる。

彼を「桶狭間の戦い」等をもって、戦（いくさ）の天才であるかのように語られることは多い。では、戦の天才の資質とはなにか、というと分からぬ人が多い。それは計算された「博打」が打てるか否か、ということである。そしてその博打とは、敵将の首を取ることに自らの首を賭けられるか、ということである。従って桶狭間の戦いとは、まことに危うい博打であって、それは彼が天才であったという以上に、今川義元が博打うちとしてお粗末だった、ということである。事実、信長は二度とそんな危うい戦はしていない。

彼が天才だとしたら、浅井長政に裏切られ窮地に陥ったとき、「三十六計逃げるに如かず」として、ひたすら逃げに徹したことである。

後に述べるが、明治になって武士道が廃されることによって、そうした知略を持つ者がいなくなることによって、大日本帝国は滅んだのである。

さらに秀吉と家康との関係である。両者は「小牧・長久手の戦い」で争い、一応家康が勝っているが、決定的なものではなかった。結局、その後、家康の方が折れ、彼は江戸という僻地に移封された。なぜ折れたのかと言えば、推測として秀吉に「人たらし」の異名があるように、彼には談合家としての天才的能力があったのだろう。

だが家康も彼なりの博打を打っていた。彼は秀吉の能力をよく知っていたから、戦って勝てる（首が取れる）という確信がなかった。そこで彼は別の方法で首を取ることを考えた。それは秀吉より長生きすることである。彼は秀吉より若干若かったが、しかし人の寿命は天命である。それでも彼はそれに賭け、そのためにいわゆる健康オタクとなり、そして後の徳川幕府を計算したかのように、子を作ることに励んだのである。優れた武士とは、どんな形にしろ計算された博打が打てることである。後は天運であるが、計算された博打が打てなければ、天運を引き寄せることもできない。

さらに武士の思考法は、すでに信長、秀吉で述べたように、この世を夢幻泡影、色即是空（無）と見ていたことである。

『葉隠』の「幻はマボロシと訓むなり。天竺にては術師の事を幻出師と云う。世界は皆からくり人形なり。幻の字を用ひるなり」とは、そのことを言っている。

それはすでにニーチェが「我」（意識）は「肉体のなかに住む『本来のおのれ』」（ニヒ

リズム〔虚無〕という知られない賢者）に「支配」されている（からくられている）、と言っていることは、武士が「肉体のなかに住む『無』」に「支配」されている（からくられている）ことでは、本質的に同じである。むろんニヒリズムと無とは同じではないが、それについては最終章で述べる。

つまり武士にとって、この世を夢幻（ゆめまぼろし）と見る己とは、「肉体のなかに住む『無』」に支配された「からくり人形」に過ぎぬ、ということである。これは西洋の肉体のない、意識の思想（「私は考える」）とは、まったく異なる肉体の思想である。そこに武士道の、たとえば剣の修行を通して無に至るのと、座禅修行の無との共通点がある。

ところが明治になって、武士道の肉体の思想が廃され、ただその外形だけを耳学問として教えられた徴兵「村」人軍人は、その本質にある、「肉体のなかに住む『無』という賢者」を理解することはなかった。だから『新論』の「賢才を挙ぐること」ができなかったのである。

さらに常朝は、「道すがら考ふれば、何とよくからくった人形ではなきや。糸をつけてもなきに、歩いたり、飛んだり、はねたり、言語（もの）迄も云ふは上手の細工なり。来年の盆には客にぞなるべき。さてもあだな（むなしい）世界かな。忘れてばかり居るぞと」と述べているのは、大伴旅人の歌の「空し」に通じる日本人の歴史的古層にあるものである。

ちなみに常朝のこの言葉は、ほとんど哲学者の思考と言ってもいい。なぜなら、人はからくり人形でもないのに、歩いたり、飛んだり、はねたり、言語（もの）を言うのはなぜか、というその仕組みに疑いを抱いているからである。戦後、ヒトに対しそんな疑念を持った日本人はいない。それは武士以外の「村」人は空っぽ頭だからである。

そのことは、西洋思想の歴史的古層を成している意識（「有る」）の思想を、日本人がいくら努力しても理解できぬ、ということである。結局、猿マネするしかない、ということになる。

武士はそうした「あだな」さを生きていたから、簡単に命を捨てることができ、博打のような思考もできたのである。

しかし明治とともに、その武士道が捨てられることによって、日本は滅びの道を歩むことになった。そうであれば、戦後の日本人に（三島を除けば）武士道など分かるはずもない。その代表的人物がすでに挙げた司馬である。

たとえば彼は「暗殺だけは、きらいだ」と言っておきながら、「桜田門外の変」だけを例外とする。暗殺も所詮、戦争の一（ひと）つの形に過ぎない。そうであれば、彼の代表作の一つ

『竜馬がゆく』も「勝てば官軍」（勝ち馬に乗る）観でしかない。それは『葉隠』の「盛衰を以て、人の善悪は沙汰されぬ事なり」、つまり勝ったからと言ってそれは善とは関係のないことが、分かっていないことである（戦後の日本人はこの区別がつかない）。彼は十二歳の少年の視点でしか幕末史を見ることができなかったから、少年歴史マンガになってしまったのである。それは、彼には井伊大老という徳川幕府のトップが、選りに選って暗殺された（首を取られた）という事実は、それまで保たれてきた幕府の権威が、地に落ちたということであり、それこそ幕藩体制の衰退の始まりに外ならぬ、という自覚がない。

それが歴史的大局から見れば、大事件であるのに対し、竜馬暗殺は、言い方は悪いが雑魚の死である。司馬には歴史が本質的に分からない。歴史のからくりが、である。

それは日露戦争を『坂の上の雲』とし、善と捉えているのに対し、大東亜戦争を悪として批判しているのも同じである。これらがほぼ同質の愚かな戦争であり、強いて違いがあるとすれば、日露戦争がその先駆けであり、運よく引き分けに終わったというだけの差である。

なぜ日露戦争が愚かかと言えば、まともな武士ならこんな戦争はしない。つまり明治になって武士道が廃され、その思想が消滅したから、こんな愚かな戦争をしたのである。

なぜ愚かかと言えば、ロシアと戦って日本の負けはあっても、勝ちはなく、しかも英国の代理戦争だということである。勝ちがないとは、間違っても敵将の首を取ることのできぬ戦争であり、まともな武士なら回避するはずである。ただ一人（かどうかは知らぬが）、戦争回避に奔走したのが武士・伊藤博文である。事実、日露戦争は日本の勝利ではなく、T・ルーズヴェルトの斡旋による講和であり、それを「勝った、勝った」と言い触らす政府も政府であれば、そんな情報操作にうかうかと乗る国民も国民である。この国民の歴史的古層における幼児性は今も変わらない。

そのことは、日本の政治家、軍人にはすでに「敵を知り己を知れば百戦危うからず」の軍事思想が失われている、つまり「戦わずに勝つ」という外交戦争が最良の策――秀吉、家康はその才に長けていた――が完全に失われた、ということである。事実、日露戦争後も日本はさんざんソ連に苦しめられてきたのである。もし真に勝っていたなら、そんな事態は起こらなかったはずである。

これは余談だが、伊藤に限らず明治政府を作った武士には、憲法も、自由民権も、議会もまったく分かっていなかった。それは政治と軍事とを一手に引き受けていた武士には、シビリアン・コントロールそのものが理解できなかった、ということである。だから自由民権運動も議会も流産し、憲法も済し崩しに拡大解釈されていくことになった。彼らはあくまで武士であったから、それらの思想をマネはできても、彼らの歴史的古層にそれらの思想はまったくなかった、ということである。

だから彼の悪名高き「統帥権」を持って、彼らは形こそ変えこれまで通りの支配を続けようとしたのである。つまり天皇をトップに置き、実質支配を軍人に改め、その支配を続けようとしたのである。その事実は、徳川幕府と明治政府との違いは、それまでの幕藩体制を中央集権国家体制に改めたというだけのことで、しかもそれによって徳川家という武家である政治・軍事のトップを失ったことで、明治以降の日本は国家の要である統治能力を持つ武士を失い、代わって「村」人がその地位に就き、縦割り統治（行政）を行うことによって、日本は崩壊していくことになるのである。そしてそれは戦後もなに一つ変わっていない。つまりこの国の歴史的古層は士農工商であって、士が存在しなければ国家は成り立たぬ、ということである。

そうであれば、伊藤の頭に当時、疲弊しきっていた朝鮮半島を植民地化する意図など微塵もなかったはずである。しかも武士の支配民に対する歴史的古層は、「生かさず殺さず」であったから、そんな土地を植民地化などすれば「損」をするに決まっている、という直感も働いたはずである。

そして伊藤暗殺後、日本政府は無考えに朝鮮半島を植民地化していった。彼の死と国家の損失との損得勘定のできるだけの人材がいなかった、ということである。これは日露戦争を行った政治家・軍人の愚かさと同じである。

そういうことが司馬には分からなかった。武士という存在は「盛衰を以て、人の善悪は沙汰されぬ事なり」としないと言うことが。

その後、日露戦争において、あたかも「勝った」かのような誇大妄想に陥った「考える」能力ゼロの日本人は、丸山の言うように大東亜戦争に向かって「何となく何物かに押されつつ、ずるずると国を挙げて戦争の渦中に突入」（『超国家主義の論理と心理』）していくことになるのである。それは良くも悪くも武家である井伊直弼のような統治者を失った日本は、「村」社会政治家・軍人の派閥（縦割り政治）争いの中で、国家の利益を考えることもなく、「村」社会という派閥――たとえば陸軍と海軍――の利益のために戦争を拡大していくことになったのである。

戦前の日本軍はそんなものであって、ギルバート氏が「信じられない日本兵の強靱さ、気高さ」と書くようなものでも、またストークス氏が同様の意見を述べるようなものでもなかった。それは日本「村」社会の「空気」の圧力、および彼らの「考える」能力ゼロ、また生に対する夢幻泡影観が「死は損、生は得」という考えを抱かせなかったことが、結果的にそう見せただけのことなのである。だから戦後、「生は得」ということを覚え、しかも国家意識を歴史的古層に持たぬ「村」人は、手の平を返したように自虐史観に走り、愛国心――もともと持っていなかったのだから――を失っていったのである。

　戦前の日本人がどんなであったかは、丸山眞男著『日本の思想』の次のような記述が参考になるだろう。

> かって東大で教鞭をとっていたE・レーデラーは、その著『日本＝ヨーロッパ』のなかで在日中に見聞してショックを受けた二つの事件を語っている。……（一つ目は省略）……もう一つ、彼があげているのは（おそらく大震災の時のことであろう）、「御真影」を燃えさかる炎の中から取り出そうとして多くの学校長が命を失ったことである。「進歩的なサークルからはこのように危険な御真影は学校から遠ざけた方がよいという提議が起こった。校長を焼死させるよりはむしろ写真を焼いた方がよいというようなことは全く問題にならなかった」とレーデラーは誌している。

このことは日本「村」人が、いかに空っぽ頭で、夢幻（ゆめまぼろし）世界でゴマを擂り、「空気」の圧力に屈するかを明らかにしている（それは戦後も変わらない）。ギルバート氏らの言う日本兵の信じられぬ強さとは、適当な言葉ではないかもしれぬが、単に自棄糞（やけくそ）に戦ったというだけのことである。

その中でも真珠湾奇襲攻撃作戦を立案した山本五十六には「考える」能力もあり、博打の才（本人もそう言っている）もあったが、所詮、縦割り派閥政治の中での駒に過ぎなかった。

もし当時、武士の思考のできる者が政治のトップにいたなら、さっさと大陸から撤退するなり――そも武士の思考のできる者がいたら、大陸になど進出していなかっただろうが――あるいはF・ルーズヴェルトの死を辛抱強く待つか、さもなくば、計算として成り立つなら、真珠湾攻撃後、ただちにアメリカ本土に突っ込み、その石油を奪うという作戦を立案しただろう。しかし、もはやそうした軍人の存在が許されなくなっていた戦前の日本の政治体制が崩壊するのは、時間の問題だったのである。

そしてそうした人間しかいなくなった戦後の「灰色の決着」を重んじる日本人とは――

古事記の時代ならともかく——このグローバル化した世界にあっては、単に「考える」能力のない、「空気」を読んで「勝ち馬に乗」ってゴマを擂る人間しかいなくなった、ということである。

そんな日本人であれば「東京裁判」が、連合国が「盛衰を以て、人の善悪」に置き換えただけのものだ、ということも分からない。また丸山が「間違った戦争」と言ったのも同様で、所詮、武士とは無縁の彼は「勘定者はすくたるるものなり。仔細は、勘定は損得の考するものなれば、常に損得の心絶えざるなり。死は損、生は得なれば、死ぬる事をすかぬ故、すくたるるものなり。又学問者は才智弁口にて、本体の臆病、欲心などを仕かくすものなり」なのである。もし「間違った戦争」だと考えたのなら、そのとき言ってこそ意味のあるものであって、彼のやったことは、さながら後出しジャンケンの如き卑怯者の手口である。

戦後日本という墓場

私が戦後日本の墓場というのは、すでに述べたように明治維新から始まっていたのであり、武士という国家統治能力を持つ者が、失われることによって起こったことである。それは戦前が乱世であったのに対し、戦後が平事であるという違いを除けば、日本人の歴史的古層は変わっていない。彼ら「村」人の歴史的古層には、そもそも「考える」能力がなく、ただマネすることを「考える」ことだと思っているだけであって、それは単に「空気」の圧力に屈するゴマ擂り思考でしかない。それはたとえば大江健三郎氏の次のような発言に見られる。

作家・大江健三郎氏は、アメリカで自衛隊についてこう語ったと、古森義久氏が報じている。

「日本の保守派にはこの憲法が米国から押しつけられたものだから改正する必要があるという意見があるが、米国の民主主義を愛する人たちが作った憲法なのだからあくまで擁護すべきだ。軍隊（自衛隊）についても、前文にある『平和を愛する諸国民の公正に信頼して』とあるように、中国や朝鮮半島の人民たちと協力して、自衛隊の全廃を目指さねばならない。終戦から五十周年のいますぐにもそのことに着手すべきだ」（『産経新聞』平成七年四月三十日）

これは単に「逃げ走る」「村」人が、領主・アメリカにゴマを擂りに行っただけのことである。空っぽ頭の大江氏には、民主主義の主権者（「主人」）は国民であり、自国の憲法は自国民が作るのが民主国家だという「考える」能力がまったくない。だからアメリカという領主が日本を守るのだ、という「村」人の歴史的古層の発想しかできぬから、平気で「自衛隊の全廃」などと無責任なことが言えるのである。

さらに氏は次のようにも言う。

テレビの討論番組で、どうして人を殺してはいけないのかと若者が問いかけ、同席した知識人たちは直接問いに答えなかった。

私はむしろ、この質問に問題があると思う。まともな子供なら、そういう問いかけを口にすることを恥じるものだ。なぜなら、性格の良しあしとか頭の鋭さとかは無関係に、子供は幼いなりに固有の誇りを持っているから。……人を殺さないということ自体に意味がある。どうしてと問うのは、その直感にさからう無意味な行為で、誇りある人間のすることじゃないと子供は思っているだろう。（一九九七年十一月三十日

『朝日新聞』）

戦後の「村」人「学問者」は平気でこうした幼児的詭弁を使い、日本「村」人はあたかも振り込め詐欺に引っ掛かるかのように易々と騙される。ならば聞くが、日本に存在している死刑囚を殺しているのはいったい誰なのか？　日本が独裁国家であるならば氏の理屈も成り立つが、氏は日本を民主国家だと考えているのである。氏はまさに市民意識ゼロの人間である。

この「考える」能力ゼロのゴマ擂り思考は、当然、氏だけに限られるものではなく、日本人の多くが持つものである。

たとえば朝日新聞である。彼らの「考える」能力ゼロのゴマ擂り無責任体質は、旧日本軍による従軍慰安婦強制連行二〇万人という記事に示されている。そも旧日本軍兵士は、戦場において生死を賭けて戦っているのであり、慰安婦を強制連行などしている余裕はない。仮に慰安婦の必要があっても――それはかつてどこの軍隊でも必要悪として存在していたものだが――それはその種の業者に任せれば済むことである。朝日「村」新聞にそうしたことが分からぬのは、彼ら「村」人の歴史的古層が、「逃げ走る」「客分」のものだから、国家・情報・軍隊等の文字がない。従って彼らは自らの歴史的古層にある「村」社会道徳価値観に基づく善悪で判断するしかなく、そうであれば侵略は悪であり——それでいて司馬の戦国小説などは面白がって読むのであり——しかも彼らの頭には金儲けの思考はあっても、「考える」能力はゼロだから簡単に『吉田証言』という振り込め詐欺に引っ掛かる、と言うより自らがその詐欺の当事者だという自覚がないから、なんの躊躇（ためら）いもなく報道したのである。

彼らの目的はただ儲けることだけだから、そのためには得する情報を流せばよく——だから『吉田証言』を精査しなかったのであり——しかも『河野談話』を行った河野洋平氏らの政治家と半ばグルだったから、国家、国民に損をさせても、なんの疚しさも感ぜず、従って責任も取らない。

むろんそれは彼らばかりの責任ではなく、戦後日本愚国民はそんな新聞を一流だと思って読み、そうした愚かな政治家を選ばねばならぬ衆愚政治そのものにある、ということが分からない。

これは余談になるかもしれぬが、戦後日本「村」人が歴史的古層にもつ無責任体質を、象徴的に表しているのが映画『男はつらいよ』シリーズの主人公「フーテンの寅さん」である。彼はまさに社会責任放棄人間の典型であり、そういう人間を愛する日本人とは市民責任放棄国民に外ならない。そうであればこそ、朝日責任放棄新聞は成り立っているのであり、そのことは彼らはジャーナリズムとは無縁だ、ということである。そんな新聞を有り難がって読んでいる国民に、愛国心云々を問うても無駄だ、ということである。

そうであれば、ギルバート氏が言うように、戦後日本人が洗脳に染まったというより、もともと武士を除く日本人には、愛国心を形作る「私」がなく、従って責任意識も皆無であり、ただ「空気」の圧力（あるいは「空気を読む」）の思考下にあるのと同時に、彼らの意識レベルが「死は損、生は得」に変わってしまったことに根本的理由がある。しかも彼らの歴史的古層は、相変わらず「逃げ走る」「客分」であるから、日本国憲法にしがみつき「平和、平和」と唱えていれば、それが叶うかのような思考に陥っているのである。つまり戦後日本が墓場化したのはGHQの洗脳というより、「自由と民主主義と」の流入により、「考える」能力ゼロの「村」人が「自分たちには何でも文句の言える権利（自由）

があるのだ」と、十二歳の少年の頭で考えた結果である。

そのことは、自由と民主主義との本場であるヤクザ民主国家アメリカにおいて、それらが銃によって保証されていることが、彼らには理解ができぬということである。彼の国において、国家・個人の自由と民主主義とは、軍隊と銃とによって保証されるものだ、という個人の責任意識があるのである。

そこにおいて言論の自由は保証されているが（なにを言ってもいいが）、朝日新聞のように自国民に「損」をさせるような報道――アメリカであれば原爆投下を批判するような報道――をしたら、その記者の命の保証は自己責任だ、ということである。つまり自分の言動は自分の責任で行うのが当たり前の世界だから、そも彼らは、自己責任論などという子供染みたことは言わない。極端な言い方をすれば、アメリカ銃社会とは、殺そうと殺されようと、それは自己責任だということである。そしてそうした思考が歴史的古層化してしまっているから、銃が手放せぬのである。それは武士の世界に似ている。

そんな（自由と民主主義との）国家であれば、原爆投下批判報道をしてもなんの利益もないから、誰もそんなことはしない。そして彼らの社会は国家＝「私」（個）のそれであり、「村」社会ではないから、朝日対反朝日のような不毛な「村」社会論争（談合）は起こらない。極論を言えば、その白か黒かの決着は銃によってつけられる――それは民主主義の多数決に通底する――という歴史的古層を持っているから、彼らの言論の自由とは、日本人が考えるような、「なにを言ってもいい自由」ではないのである。彼らの発言は無意識にもせよ、ヤクザの責任を持って行われているのであり、それはかっての武士が「武士に二言なし」と言ったのと同じである。つまり二言を言ったら命の保証はない、ということである。

民主主義とは白か黒かの世界であり、その五一％が権力を握る政治制度であり、しかもその政治思想は戦争から生まれたものであるから、有事には一つに纏まるという歴史的古層を持っている。ルソーが『社会契約論』で次のように言うのはそのことである。

そして統治者が市民に向って「お前の死ぬことが国家に役立つのだ」というとき、市民は死なねばならぬ（これは武士にも言えることである）。

ところが戦後の日本人の歴史的古層は、「村」社会の談合による「灰色の決着」であるから、そも「自分の意見」はなく「空気の意見」しか持たない。そしてただ無責任に文句を言える自由を、あたかも民主主義だと思っているのである。だから野党、政治評論家といった人々は外野席から、仮に政府が断固とした姿勢で臨めば、強権だとヤジを飛ばし、有事に決然とした判断をしなければ「後手」だとヤジるのである。どっちにしても、ヤジる自由のあるのが民主主義だと思っているのである。つまり民主主義が理解できぬ日本人は——「逃げ走る」「客分」の歴史的古層を生きているから——ただなんとなく、「お前の死ぬことが国家に役立つ時が来なければいい」と考えるから、日本国憲法にしがみつき、平和を訴えていさえすれば、叶うかのような「空気」のなかを生きているのである。だから日本の自称民主主義者は、本能的に日本を真の（ヤクザ）民主国家にしようとする政治家を嫌うのである。

その象徴的政治家が、六〇年安保における岸信介首相である。

六〇年安保とは一言でいえば、それまでの米軍の日本駐留および日本防衛の無期限化を、相互防衛的条約（日米同盟）化しようとした岸首相に対し、国民の多くが反対して起こった運動である。国家意識を持つ者なら、米軍の無期限の駐留および彼らによる防衛とは、事実上、占領下にあるということであり、独立国家の体を成していない奴隷国家だということである。しかも戦後の日本には「村」人という奴隷しかおらぬから、そもその歴史的古層に国家意識そのものがない。その事実は、民主主義であるか否か以前の問題である。しかも、空っぽ頭の「空気」で動く人々であるから、安保改定案などロクに読んでもおらず、ただ安保改正反対運動を指導した知識階層（たとえば丸山）とも言えぬ連中の、「米国の戦争に巻き込まれる」という、半ばデマ情報に踊らされた奴隷の集団ヒステリーである。言ってみれば中世、死を恐れ踊念仏に走った民衆となんら変わらない。

このことは「考える」能力を持たぬ者に、自由や民主主義を与えてもロクなことにならぬことの証である。つまりこの国は、政府が白と言っても黒と言っても文句をつけ、だからと言って灰色であると、指導力がないと言ってケチをつける無責任（空っぽ頭）国民の国なのである。その典型が、国家意識を持たぬ「村」人「学問者」である大江氏、朝日新聞等である。彼らは言葉への重みを欠いた、完全な「無責任の体系」者である。これが「武士に二言なし」の江戸時代であったら、朝日新聞は取り潰しであり、無責任発言者は斬首だろう。所詮、空っぽ頭の「村」人奴隷は「生かさず、殺さず」が頃合であり、また「民は由らしむべし、知らしむべからず」（『論語』「人民を従わせることはできるが、なぜ従わねばならないのか、その理由をわからせることはむずかしい」の意。『ブリタニカ国際大百科事典』）なのである。

こう書くと、あたかも江戸時代が生きにくい社会であったかのように思われるかもしれない。たしかに武士にとっては、身分（家格）に縛られた社会であったが故に、福沢のような人間には生きにくかったかもしれない。しかし江戸庶民にとっては、先にちょっと触れた『逝きし世の面影』が示すように「素朴で絵のように美しい国」（ウェストン）だったのであり、それはチェンバレンにおいては、

古い日本は妖精の棲む小さくてかわいらしい不思議の国であった。

のだが、すでに挙げたヒュースケンは次のように言う。

いまや私がいとしさを覚えはじめている国よ。この進歩はほんとうにお前のための文明なのか。この国の人々の質撲な習俗とともに、その飾りけのなさを私は賛美する。この国土のゆたかさを見、いたるところに満ちている子供たちの愉しい笑い声を聞き、そしてどこにも悲惨なものを見いだすことができなかった私は、おお、神よ、この幸

福な情景がいまや終わりを迎えようとしており、西洋の人々が彼らの重大な悪徳をもちこもうとしているように思われてならない。

そしてその「重大な悪徳」がもたらした結果を、チェンバレンは次のように記す。

だからこそ彼（チェンバレン）は自著『日本事物誌』のことを、古き日本の「墓碑銘」と呼んだのである。「古い日本は死んだのである。亡骸を処理する作法はただ一つ、それを埋葬することである。……このささやかなる本は、いわば、その墓碑銘たらんとするもので、亡くなった人の多くの非凡な美徳のみならず、また彼の弱点をも記録するものである」

これらの発言は武士を含めた――『葉隠』や『新論』が示すように――かつての日本人の多くは馬鹿同然に、私益という損得勘定をしない、無垢にして純朴な人々だった、ということである。それは会沢、井伊、徳川慶喜、また彼らの敵対者であったかに見える松陰、西郷、大久保利通、福沢等にも共通する、私益を捨て公益（国家の利益）を優先することにおいては同じであって、ただその手法が違ったというだけのことである。

それは会沢が『新論』で、「士風を興すことなり、奢靡を禁ずることなり、万民を安ずることなり、賢才を挙ぐることなり」と言い、また井伊が「安政の大獄」を行い、さらに慶喜が鳥羽・伏見の戦いで負けるや、あたかも敗走、謹慎したかに見えるのも、また尊皇攘夷家・松陰が国禁を犯してまで黒船に密航しようとしたのも、さらに西郷が明治新政府から身を引いたのも――彼が西南戦争勃発に「しまった」と言ったのは、公益の失われることが分かったからであり、――そして大久保や福沢が異なる道を行ったように見えるのも、公益に走ることで富国強兵による「一国独立」を図ったことでは、みな同じなのである。

つまりヒュースケンが「西洋の人々が彼らの重大な悪徳をもちこもうとしている」と言ったのは、日本人の無垢にして純朴な心が、私益に走る愚かさに変わることを予感してのことなのである。事実、明治政府には私益に走る軍人・政治家がおり、それはその後、派閥軍人、さらに大東亜戦争へと繋がり大日本帝国は滅ぶのである。

そして戦後、自由と民主主義とが導入されたからと言って、日本人の妖精の愚昧さは、何一つ変わらなかった。ただひたすら西洋を猿マネし、奴隷のように勤勉に働き、その結果、経済復興はしたが、「村」人の空っぽ頭の歴史的古層にあった「損」する知恵――私益より公益を重んずる思想――は失われ、やがてバブルに浮かれ破綻していくことになるのである。そして彼らに残された愚昧さは、失われた二〇年と嘆くのである。馬鹿の救いようのなさは、自分が馬鹿だということが自覚できぬところにある。

ところで、ヒュースケンがどういう意味で「西洋の……重大な悪徳」と言ったかについての、私なりの解を与えておく。

これは一つの前置きのヒントとして述べるのだが、ある農家を営む母親と息子との話である。

それは息子がある株式で儲けた金を、親孝行のつもりで母親に持っていったところ、「そんな汚い金が受け取れるか」と拒絶された話である。そのことは、母親にとって働くとは、汗水たらしてなんぼの世界だ、という労働価値観があったからである。

私の言いたいことは、母親には資本主義が分かっていない、というようなことではなく、息子を含めた日本人には資本主義がまったく理解できぬことである。そのことは延いては、なぜヨーロッパに共産主義思想が生まれたかも分からぬ、ということである。もっともヨーロッパ人にも分かっていなかったから共産主義が生まれたのである。

日本「村」人は空っぽ頭だから、それらをスミスの『国富論』、ヴェーバーの『プロテスタンティズムの倫理と資本主義の精神』、マルクスの『資本論』等を読んで、猿マネし、一切自分の頭で「考える」ということをしない、と言うよりできない（それについては拙著『ニーチェから見た資本主義論』で述べたので、ここでは詳述しない）。

ここでは、なぜヨーロッパに資本主義、共産主義が生まれたのかの概要を述べるに止める。要点は八つである。

一、古代ヨーロッパに砂漠化に基づくキリスト教という宗教が生まれたこと
二、ヨーロッパは古代から戦争（侵略）社会であり、しかもそこにおける戦争は、砂漠化した土地のものであったから、戦争は略奪の（生存する）ためのものであり、そこに生まれた奴隷制もその一つであったこと。つまり彼らの歴史的古層において戦争（侵略）は善だったこと
三、ヒトはサルから進化したものであり、従ってヒトの持つ本能的価値の内の、群れ・闘争本能的価値では、戦争に勝つための「私は考える」ことができぬのを、彼らは

キリスト教を疑似群れ宗教集団価値とすることによって、そこに帰属する者は神の保証の下に「私」で「考える」ことを可能にしたこと

四、しかしその「私」は群れ本能的価値を失った孤独な「私」であるから、本来、共感性価値観に基づく労働が、苦痛なものになってしまったこと

五、ヨーロッパ社会はキリスト教という砂漠化した宗教の下に成り立っているから、自然を破壊することになんの抵抗もなかったこと

六、その結果として、「考える私」は神の保証の下に、自然を破壊する自然科学という学問を生み出し、それが自然人であるヒトを奴隷（モノ）と見る思想の下に、分業という労働概念を生み出し、それが産業革命へと繋がっていったこと

七、そしてそこに略奪・奴隷（得する）思想、さらに労働を厭う思想があれば、産業革命は資本主義という、資本家（主人）と労働者（奴隷）との思想に発展して行き、さらにそれは得（とく）するための戦争である植民地主義（イギリス）、奴隷貿易（アメリカ）を生み出すことになり、それに基づく富が民主主義を生み出すことになったこと。西洋において労働者が簡単に解雇できるのは奴隷だからである

八、そうであれば、労働者の間からプロレタリアート独裁の思想が生まれるのは、自然

なことであるが、その思想の致命的欠陥は、彼らはその歴史的古層において労働者が「私」の「得」のためにしか「考え」られなかったから、共産主義国家において労働者が主人に簡単に殺されることになったのは、彼らが奴隷（モノ）だったからであることと

それに対して、日本人はかっての武士においても、略奪という得する思想を持たなかった。それは戦前の軍事国家における植民地政策においてさえも、損をしていることからも明らかだろう。そうであれば、戦後の日本「村」人は、その歴史的古層において「損」する思考がいまだ残っていることになり、その「私」（個）のないところに成り立っている国家形態は、西洋人から見れば社会主義的に見えてもおかしくない。しかも国民に国家意識はなく、ただその目先の猿マネ頭で民主主義を解釈するだけだから、その底辺に資本主義という主人と奴隷との損得思想が横たわり、必然的に格差社会になることなど理解できない。従って彼らの民主主義理解は、奴隷頭の「生は得」以上を出ぬから日本国憲法を平和憲法と勝手に解釈し、しがみついているのである。そしてその空っぽ頭が、朝日新聞、さらに彼らと同じ歴史的古層を持つ日本「村」人の政治家、知識人等がそれを支持したか

ら日本は損することになったのである。その損とは北朝鮮による拉致被害者、および韓国の傍若無人な言掛り等である。しかも日本「村」人の空っぽ頭は、その構図が読めるような頭脳を持たない。つまりそれを彼らに分からせようとしても無駄だ、ということである。なぜなら、彼らの歴史的古層には、武士のもつ「無私」の「私」で「考える」能力がないのだから。

だから後に記す三島の死を理解できた日本人は皆無なのである。つまり国家意識のない「村」人の空っぽ頭に西洋思想は、ただ「死は損」としか勘定できなかったから、そこに愛国心の芽生えることはない。

ところで母親と息子との話に戻せば、そも彼女にとって労働に損得勘定は入っておらず、それはただ自然や仲間と一体になって「和」の下に、汗水垂らして働き生きる、その苦役のなかに喜びを感じるという、日本人独特の歴史的労働価値観があるからである。

それに対し息子の方は、その自覚のない空っぽ頭で株式に投資し、濡れ手に粟で金という「得」を手に入れたという意識のないことである。それは母親にして見れば博打で手に入れた金でしかない。

むろん株式会社における株主は博打うちではないが、株主とその会社で働く従業員（労働者）との関係は、あくまで資本主義の本質にある主人と奴隷との関係でしかない。仮に健全な株主がいたとし、ある株式会社に投資し、その会社を健全に大きく育てることに努力したとしても、結局、株主は労働することなく、配当という利益を得るだけの主人でしかない。ましてや、資本主義という経済思想が「得」するためのものであれば、株式を安値で買い高値で売り捌き、その差益を手に入れるということは、ある意味、不健全な経済システム（博打）だ、といっても過言ではない、そうであれば当然、安い株価の株式を買い漁り、それを意図的に吊り上げ、売り捌くという、言わば、いかさま博打を打つ不心得者が現れても不思議はない。それはまた逆に、それによって損をする者も現れる、ということでもある。

つまり資本主義における株式会社とは、資本家（主人）と労働者（売り買いのできる奴隷）との関係であって、所詮それが博打になるのは自然である。

（これは私事であるが、私にはまったく資本主義社会に対応する能力がなく、さらに皮肉にも、そして忸怩たる思いで言うのだが、私は親の残してくれた株券で生きてきた人間である）

日本人が西洋人に比べてあまり株式投資を行わぬのは、すでに述べた母親のような歴史的古層を持っているからである。そして日本の、特に中小企業において、会社が苦境に陥っても解雇者も出さず、社員一丸となって会社を建て直したような話は、今日でも美談である。そしてそれが日本人の終身雇用労働価値観に繋がっているのは言うまでもない。それは日本人が「和」を以て――それは「損」をしてでも――私益より、「私たち」仲間の公益である笑顔を見ることに、喜びを覚える民族だということである。

それが日本に「もてなし」という「和」の損する文化の発達した理由であるが、戦後「得」することを覚えてしまった日本人は、それを「おもてなし文化」に変え、金儲けに走ることになったのである。

そしてそうした、失われつつある日本文明の価値観を歴史的古層に持つ日本人は、その原風景を求めるかのように幸福度指数の高い「ブータン」に憧れるのである。なぜなら、彼らは資本主義の「得」する思想を、今なお、かなりの程度、拒絶しているからである。

彼らのその歴史的古層は、幕末、日本人が黒船（西洋文明）を拒絶したのと同じである。それが会沢が『新論』で、日本は「天祖（あまつみや）」を中心とし「異目狄夷をして之に乗じ以て愚民を蠱惑」させてはならず、そのためには「士風を興すこと」「奢靡を禁ずること」「万民を安ずること」「賢才を挙ぐること」と言ったことの意味である。つまり幕末の動乱とは日本文明・日本国の維持ということでは、彼ら武士には共通認識があったのである。

そのことを会社に譬えれば、日本国におけるかつての実力者・徳川家という社長では、もはや持たぬと判断した薩長という実力のある部下が、絶対的権威者である天皇という会長を担ぎ出すことによって起こったクーデターである。それを戦後、愚民化され、蠱惑化された司馬などが、子供向け勧善懲悪歴史マンガに変えてしまったのである。

ここから以下は、福沢以後から今日に至るまでの、文学者を含めた思想家が、いかに劣化していったかについて述べる。

まず漱石、西田幾多郎である。彼らを挙げた理由は戦後の日本人と違って、彼らが西洋文明（思想）を理解しようと、いかに踠（もが）き苦しんだかを、分かってもらうためである。

すでに述べてきたことからも分かるように、武士（たとえば福沢）は武士なりに西洋文明を理解できたが、戦後の日本人は武士ではないことである。

まず漱石であるが、彼の苦悩はある意味、英文学が余りに分かり過ぎてしまったことである。当時の多くの文学者は、西洋文学という外圧（外からの「空気」の圧力）を、単に

「私小説」（「村」社会小説）と翻案する知能しか持ち合わせていなかった。それに対し漱石の知性は、英文学（西洋文明）の核心にあるものが、そんな安直なものではないことが、分かれば分かるほどそれが分からなくなり、ついには神経を病むことになるのである。

その根本理由は、「私たち」「村」社会の歴史的古層をもつ彼には、西洋文明の根底にある個（「私」）の思想が、どうしても理解できなかったのである。それは理解できなくて当然なのだが、戦後の空っぽ頭の日本人は、理解しているのかどうかさえ分からぬほど、猿マネ頭化してしまったのである。

それを漱石は『現代日本の開化』で次のように言う。

西洋の開化は内発的であって、日本の現代の開化は外発的である。

この外発的が私の言う外圧である。戦後の日本人は空っぽマネ頭だから、そこを単に西洋思想という外圧（外発的）で埋めれば、それで済んでしまったのである。しかし漱石は、日本人も西洋人同様に内発的、すなわち「私は考える」でなければならぬ、と考えたのである。つまり外発的では「私は考える」ことはできず、すべて外部から入ってくる情報

（知識）によって、空っぽ頭が埋められるだけに過ぎぬからである。

彼の『私の個人主義』における「自己本位」とは、その「私」を持つことであるが、しかし日本人にはその「私」を支えるキリスト教のような土台がない。従って彼はそれに苦しんだ挙句、ついに禅の無である「則天去私」によって、「無私」の「私」に行き着くことになったのである。が、戦後の日本人にはそれがまったく分からない。

さらに西田も武士でなかったことでは同じである。だが彼は、日本人が「考える」ことができるとしたら、それは「無」の視点しかないことを直感し、その「無私」で西洋哲学に挑んだのである。それを失敗するに決まっていると言うことは容易（たやす）い。しかし「考える」とは、結果の問題ではなく、過程のそれである。結果を求めるのは「学問者の才智弁口」である。

戦後の哲学学者を見ているとつくづくそう思う。たとえば、今日流行（はや）っているハイデガーに対する意味不明な解説である。彼の思想の「頽落」が、不安から来るものであるとかないとか、どうでもいいことを長々と書き、それを読む間抜けな読者がいる、という現実である。そんなものを書く方も読む方も、頽落そのものに陥っているという事実に気づかない。

ある意味、西洋哲学、キリスト教は簡単である。もっとも今だから私もそう言えるのだが、私はそのために一生を棒に振ったのだから、そう簡単でないのも事実だが。西洋は戦争社会だったから、否応なく死を真正面で見据えるしかなかった。その不安解消にキリスト教、哲学が生まれたというだけのことである。哲学するなら哲学書を読むのではなく、一年三六五日、死を真正面から見据えて生きろ、ということである。それが日本における『葉隠』等の武士道の思想である。

以下、戦後日本人が、文学・思想等においていかに外発的に（外からの「空気」の圧力で）思考しているかについて述べる。

たとえば小林秀雄である。彼という存在は小林節という難解な包装紙に包まれた、巨大で空虚な空箱（からばこ）である。当然、彼には日本の思想も西洋のそれも分からなければ、その区別もつかない。彼の文章は難解というより、もともと理解を許さぬ空箱そのものなのである。

彼に「真贋」という文章がある。

それは彼が手に入れた良寛の詩軸がニセ物であると分かったとき、いまいましくなり彼はそれを手許にあった名刀「一文字助光」で、ばらばらに切り裂いてしまうのである。

それをある人物が（名は失念したが）「小林は、すごい、すごい」と讃嘆していたことである。

私には、安っぽい見せ物小屋芸人の芝居に感動している愚か者としか思えない。そんな事を書く方も書く方だが、それに感動する読者も読者である。

私が言いたいのは、小林が良寛の詩軸を無心ではなく、値札付き、あるいは金目で見ていることである。骨董屋がそうするのなら分かるが、それを評論家が、しかも金のために文章にし、それに感動する人間がいるという現実に、私は戦後の金（欲得）まみれの日本という墓場を見るのである。丸山が思想家扱いされるのもその欲得まみれの結果である。

さらに小説家・中村真一郎は、『失われた時を求めて』（プルースト）と『源氏物語』という、西洋と日本との区別もつかぬぐちゃぐちゃ頭であったから、あたかもそれらが類似したものに見えてしまったのである。彼の頭には無常観（はかない、あわれ）など微塵もない。だから戦後日本において、西洋かぶれが持て映やされることになったのである。

そしてさらに小説家・瀬戸内晴美氏である。私は氏の、家を捨て、不倫に走るなどの過去の私生活をそれとなく知っていたから、氏が出家し、名を寂聴と改めたことに別に驚きはしなかった。

が、近年たまたまテレビを見ていたら、氏が立派な家に住み、数人の若い女性にかしずかれ、上等な牛肉を貪り、しきりに「平和」を訴える姿を見て、思わず「これが出家かよ」と思ったものである。

私のような欲得ずくの人間でも、出家とは欲を捨てることだと思っている（だから私は出家しない）。しかも世界には戦乱が絶えず、ろくに水も飲めぬ人さえいるというのに、上等の牛肉を貪って平和とは理解し難い。

ところで、川端康成に「末期の目」というエッセイがあったと記憶する（残念ながら今、手許にないので内容は分からない）。

それを私が勝手に推測すれば、彼の小説の美しさは、「生の末に死があるのではなく、死のなかに生がある」と見る視点があったからだと思う。

彼は『美しい日本の私』と題する講演で、道元の次の歌を引用する。

春は花夏ほととぎす秋は月
　冬雪さえてすずしかりけり

　これは「私欲」のない「無心」で世界を見ると、そのように見えるということである。それはかっての日本人が、多かれ少なかれ持っていたものである。
　しかし戦後それは文学者に限らず、日本人全体が私欲を持ってしまったが故に、この価値観は失われてしまった。だから古典を読まぬし、読んでも分からない。

　その答えを明確に示したのが三島由紀夫である。三島と川端とはまったく生き方は違ったにも拘わらず師弟関係であり得たのは、その価値観の根底に共に「死のなかに生があった」ことである。そしてその末期の目は「日本の死」を見ていた。
　だから、そんな三島の死（三島事件）を理解できた日本人はいない。彼の価値観に共感する私は、彼の檄分の最後の部分をここに示す。

　われわれ戦後の日本が、経済的繁栄にうつつを抜かし、国の大本を忘れ、国民の精神を失ひ、本を正さずして末に走り、その場しのぎと偽善に陥り、自ら魂の空白状態へ落ち込んでゆくのを見た。日本を真姿に戻して、そこで死ぬのだ。生命尊重のみで、魂は死んでもよいのか。生命以上の価値なくして何の軍隊だ。今こそわれわれは生命尊重以上の価値の所在を諸君の目に見せてやる。それは自由でも民主主義でもない。日本だ。われわれの愛する歴史と伝統の国、日本だ。

この檄文を理解できる日本人（武士）は、もはや存在しない。それは幕末、多くの死んでいった志士の心を理解できる者がいなくなった、ということである。彼らの世界は「村」人少年歴史マンガにまで落ちた。

たとえば、それは檄文を託された徳岡孝夫氏の次のような言葉に表れている。

三島さんの唯一の欠点は静かに老いるということを知らなかったことですね。

この言葉に戦後日本の墓場化が如実に示されている。それは民主主義にしても、すでに挙げたルソーの次のような言葉が理解できぬ、ということである。

そして統治者が市民に向って「お前の死ぬことが国家に役立つのだ」というとき、市民は死なねばならぬ。

彼ら市民の頭の片隅には、常に国家のために死ぬ覚悟があった。しかし戦後日本人の「逃げ走る」「村」人にそんなものはない。また独立国家になろうという気もなく、「経済的繁栄」による美食とお笑いとに「うつつを抜かし」、日本国憲法にしがみつく奴隷と化した。

自由と民主主義との国・アメリカ銃社会において「静かに老いる」とは、ある意味、金持ちに与えられた偶々（たまたま）のことであるに過ぎない。それは武士が畳の上で死ぬのが偶々であるのと同じである。

そのことを大道寺友山著『武道初心集』では次のように言う。

武士たらんものは正月元日の朝雑煮の餅を祝ふとて箸を取初るより其年の大晦日の夕に至る迄日々夜々死を常に心にあつるを以本意の第一とは仕るにて候。

三島の行った行為（三島事件）とは、武士の嗜みである暗愚な主君（国民）に仕える家老が、お家（国家）存続のために諫死したのであって、決してアメリカ人の言うような「理解越すハラキリ」などではない。それはストークス氏も言うように「自らの命を捨てて訴えた、三島の思いは、軽々に批判することはできない」ものである。

しかしそれが理解できぬ戦後日本とは、まさに墓場である。それはチェンバレンの言った「古い日本は死んだのである。亡骸を処理する作法はただ一つ、それを埋葬することである。……このささやかな本は、いわば、その墓碑銘たらんとするもので、亡くなった人の多くの非凡な美徳のみならず、また彼の弱点をも記録するものである」。

これは蛇足になるかもしれぬが、あえて私の平和観を述べておく。なぜ蛇足かと言えば、戦後の日本人の脳味噌には愕然とするほど、なにも詰まっていないからである。

なぜなら、すでに述べたように「我」（意識）とは、「肉体のなかに住む『本来のおのれ』」に支配されており、その「本来のおのれ」が戦後の日本人は、「村」人猿マネ、空っぽ頭だからである。つまり「考える」ことのできぬ頭で、いくら「考え」ても無駄だということである。

かって戦後日本の平和国家観として、スイスの永世中立国がモデルになったことがある。が、これは言うまでもなく「逃げ走る」「村」人の空っぽ頭を歴史的古層に持つ日本人の、非武装中立に基づくものであったから、敢えなく頓挫した。

それはすでに述べた大江氏の「中国や朝鮮半島の人民たちと協力して、自衛隊の全廃を目指さねばならない」（一九九五年）が、ＥＵ（ヨーロッパ連合、一九九三年）の見当違いの猿マネであったのと同じである。そしてそうした頭が日本人をして、日本国憲法にしがみつかせるのである。

そこでスイスがなぜ永世中立国として成り立っているのかについて述べておく。

日本人のスイス観は、せいぜい観光、時計、銀行業くらいではないかと思う。スイスが義務兵役制による軍隊を持ち、ヨーロッパ屈指の銃大国であることは、余り知られていない。ただしスイス人の銃に対する価値観は、アメリカ人のそれとは異なる。

アメリカ人にとって銃を持つことは、権利であるが、スイス人にとってはあくまで国防である。あるスイス人女性が射撃訓練後、インタビューアーに「できたら使いたくない」

と答えていることからも明らかだろう。

いずれにせよ、スイスに兵役制があり、銃大国であるのは、ヨーロッパが戦争社会であったのと無関係ではない。それはギルバート著『いよいよ歴史戦のカラクリを発信する日本人』の「第四章　外国や国際機関からの内政干渉を排す」における「武力を使わない『情報戦』を制すべし」の項の次の記述と無関係ではない。

一部の日本人が一時期お手本にしようと考えたスイスでは、国民のあいだに、「軍事力によってこそ国の独立は守られる」との意識が染み込んでいます。そしてもう一つ重要なことは、彼らはまた、「戦争は情報戦から始まる」ということをも熟知しているのです。その証拠に、スイス政府は冷戦時代に『民間防衛』という本を作成し、一般家庭に配布しました。

これは今日、日本語訳も出ていますので、ぜひお読みいただきたいのですが、そこに書かれている「武力を使わない情報戦争」の手順を読むと、戦慄を覚えます。

第1段階　工作員を政府中枢に送り込む。
第2段階　宣伝工作。メディアを掌握（しょうあく）し、大衆の意識を操作する。
第3段階　教育現場に入り込み、国民の「国家意識」を破壊する。
第4段階　抵抗意志を徐々に破壊し、「平和」や「人類愛」をプロパガンダに利用する。
第5段階　テレビなどの宣伝メディアを利用し、「自分で考える力」を国民から奪っていく。
最終段階　ターゲット国の民衆が無抵抗で腑抜けになったとき、大量植民で国を乗っ取る。

これが、第三国を攻撃する前の段階で敵によって行われる活動です。
この段階を一つひとつ読んでいきますと、あたかも日本の状況を知ったうえで書いたものではないかと勘違いしそうになります。……

しかしこれだけで、ヨーロッパにおいて永世中立国を宣言し、それが成り立つとは思えぬことは、武士の知恵（「考える」能力）を持つ者なら分かるはずである。

たとえばナチスを嫌ったドイツ人が隣国・スイスに亡命している事実である。永世中立国の看板を掲げたからといって、そんなものはヨーロッパではなんの役にも立たない。仮にナチス・ドイツが侵略しようと思えば、その程度の防衛力では簡単に破れたはずである。にも拘わらず、スイスは第二次世界大戦において、無傷でいられたのである。なぜか？

その理由は、あくまで推測であるが、スイスの銀行業にあると思う。スイスの銀行は極めて守秘義務が強く、そのことによって外国からの資金が流入したことである。それは白い金も、黒い金も区別せず、強い守秘義務によって守られていた、ということである。すなわち、ナチス（ヒトラー）の金も流入していたからスイスは無傷でいられた、つまりスイスの銀行業とは安全保障でもあった、ということである。その意味では、言い方は下品になるかもしれぬが、ヒトラーは文字通り、金玉を握られていたのである。金玉を握るとは、政治は現生（げんなま）で動くということである。

日本人に分かっていないのは、戦後日本が平和だったのは、日本国憲法などなんの関係もなく、たまたま経済的大国になれたからであり、その経済力（金）をアメリカ軍によって（むろんアメリカの利益でもあったから）守られていたから平和でいられただけだ、という事実である。

そのことは第一次世界大戦の戦後処理の失敗とは、ドイツ国民から現生を奪ってしまったから、それを求める大衆の欲望の下に、ナチスという権力（軍事力）が生まれた、ということである。そしてその第一のターゲットがユダヤ人だったのである。それをファシズムがどうのこうのと言っている学者を見ていると、「あんた、頭がちょっと変なんじゃないの」と言いたくなる。

そのことは、政治の本質は民主制であるとか、共産制であるとかよりも現生の問題だ、ということである。それは今日の共産主義国中国が、あれほどの監視社会であっても、国民の多くが文句を言わぬのは、現生を与えているからである。それが尽きた時が中国共産党の終わりであることをよく知っている政府であればこそ、彼らにあのような政治手法を取らせるのである。そしてアメリカ等の西洋諸国が、中国共産党を嫌いながらも、文字通りどうにもならぬのは、まさに経済的に金玉を握られているからである。その証拠であるかのように、中国政府は自国発の新型コロナ・ウイルスを平気でアメリカ軍の所為に転嫁することができるのである。

ちなみに日本国民は、大東亜戦争敗戦によって、アメリカに去勢され、ただ残された勤勉に働く能力で「経済的繁栄にうつつを抜かし、国の大本を忘れ、国民の精神を失」ってしまっているから、どうしようもない。その意味では中国国民にしろ、日本国民にしろ、その大多数がギルバート氏の挙げた「戦力を使わない情報戦」によって、「自分で考える力」を奪われていることでは、似たようなものである。

以上が、スイスに永世中立国が成り立っている理由であるが、戦後の日本人は「逃げ走る」「村」人の歴史的古層しか持たぬから「平和」がどういうものかが本質的に分からない。その意味するところは、戦後「民主主義ごっこ」をやっている日本人の生命、財産を、政府は決して守らない、ということである。なぜなら、日本「村」人という社会責任放棄人間が選ぶ政治家も、国家責任放棄人間だからである。

そのことを承知で日本人が、「平和ごっこ」をやっているのなら、それはそれで構わない。だがその事実は、仮に戦争で自衛隊員が死のうが、日本「村」人にとっては、単に憲法違反者が勝手に戦争をし、勝手に死んだだけのこととしか理解しない、ということである。それは『葉隠』の「犬死」にも値しない。戦後の日本人とは、そうした人種だということを自衛隊員は肝に銘じておくべきである。そしてそのことは、自衛隊員は社会責任放棄国民に選ばれた無責任政治家によって、武士のマネ事をさせられている、ということである。それはまた、朝日新聞、丸山等に見られるように、戦前においては軍国支配者に媚び諂い、戦後はアメリカにゴマを擂る空っぽ頭知識人によって成っている、ということである。だから戦前、国家のために戦い、命を落とした無垢で、なんの罪もない旧日本軍兵士を、平気で悪者に捏ち上げ、恬として恥じぬのが日本の「すくたるるもの」知識人であり、それを支持するのが日本愚国民である。そのことは、仮に自衛隊が戦っても、大東亜戦争の二の舞として「間違った戦争」にされ、悪者にされるだけだ、ということである。

それはかっての士農工商時代における、幕末の志士の死は農工商にとって、なんの関係もなかったという歴史的古層を、彼らが今もなお生きているということである。

それを三島は誤って自衛隊員に武士を見、三島事件を起こしたのである。だから彼は檄文で、次のように言ったのである。

我々楯の会は、自衛隊を父とも兄とも思ってきたのに、なぜこのような忘恩的行動をあえてしたか。それは、我々が自衛隊を愛するがゆえだ。自衛隊には真の日本の魂が残されている。

我々は、自衛隊が戦後日本の指導者によって利用されるのを見てきた。自衛隊は、自らの存在を否定する平和憲法を守るという屈辱の軍隊になり下った。

そして戦後やたらと、「平和、平和」と唱える国家意識のない「村」人知識人は――彼らはその平和観ゆえ尊敬され、小金を貯めているから――もし戦争になったら、一身の平和のためにさっさと外国に「逃げ走り」、そこで立派な家に住み、上等な牛肉を貪り、その平和の中で、愚かな日本人を嘲笑うだろう。

福沢も言うように、彼らの平和観は「主人」のそれではなく、あくまで「逃げ走る」「客分」のそれであるから、その「客分」が「主人」のように戦うことはない。つまりこの国の知識階層は『葉隠』の言う「学問者は才智弁口にて、本体の臆病、欲心などを仕かくすものなり」なのである。

尤もこの国はもう死んでいる。死人の国は愛せない。チェンバレンの言葉を再度引用する。

古い日本は死んだのである。亡骸を処理する作法はただ一つ、それを埋葬することである。……このささやかなる本は、いわば、その墓碑銘たらんとするもので、亡くなった人の多くの非凡な美徳のみならず、また彼の弱点をも記録するものである。

＊

ここから以下の部分は脱稿後、新型コロナの蔓延下で私の中に生じた思考である。重要と思われるので挿入する。

まず私の頭に生じたのは、このコロナ禍における自粛要請レベルの「緊急事態宣言」の発出である。世界にこんな法的拘束力のない発出は、有り得ぬことである。そしてそれに一定の効果があったということは、日本が法治国家でないことの証である。

それは日本がいまだ歴史的古層において、江戸時代の徳治政治の支配の下にある、ということである。つまり「村」社会道徳価値観である「空気」の圧力の社会、および「損」する徳の思想の中を生きている、ということである。

日本人が古代より「私たち」の「損」をする徳の社会で、「和」の「空気」の中を生きてきたことは、すでに「民のかまど」で述べた。

それはその後の、武士による封建制社会においてもそれほど変わらなかった。その点を日本人は、ヨーロッパの封建制社会（そしてその後の絶対王政を含めた、それ）と日本のそれとの違いが本質的に分かっていない。それはヨーロッパが戦争（侵略）社会であり、苛斂誅求が可能であったのに対し、日本の封建制社会における武士は、あくまで「村」人に食わせてもらっていたことによって、成り立っていたことである。そのことが日本に「私」に基づく革命が起こらなかった理由である。

日本の封建制社会における格差は酷かった、という人もいるかもしれない。たとえば徳川家（幕府）にしても、あんな馬鹿でかく、壮麗な城に住む必要はなかった、というかもしれない。しかしもし仮にばろ城に住んでいたら、諸大名は見くびり戦乱になっていただろう。つまり権力とは、それを見せつけてこそ権力なのであって、そのためには金がかかるのである。

当時の「村」人は、大名を羨ましいとは思わなかっただろう。豪邸に住み、立派な庭を持っていたとしても、彼らは所詮、政務、学問、仕来り（切腹など）の毎日という、鬱陶しい籠（かご）の鳥生活であって、外出時も駕籠（かご）の中である。自由気ままに出歩けぬ大名にとって、こうした金のかかる生活がせめてもの気晴らしだったのである。

それに比べて「村」人（特に農民）は貧しかったが、自由、平等、人権はそれなりにあったし、人々の「和」もあった。ただ飢饉に陥ったときだけ、一揆を起こせばいいだけで、彼らの頭の中には革命の「か」の字もなかったはずである。

大名の暮らしがどんなものであったかは、落語『目黒の秋刀魚（さんま）』がヒントになるかもしれない。

それはある殿様が鷹狩りの途中、目黒の農家で食べた秋刀魚の味が忘れられず、後日、家臣にそれを作らせたところ、蒸して脂の抜け落ちた食べられる代物ではなかった、という話である。このことからも、「村」人が大名に羨望など抱いていなかったことが分かろう。

このことは江戸時代、形式的には身分社会だったが、その格差に「村」人は不自由、不平等、非人権など感じていなかった、ということである。むしろそれらを感じていたのは武士の方であって、福沢などはそれを「門閥制度は親の敵（かたき）」（『福翁自伝』）とまで言っている。だから明治維新は革命にならなかったのである。むしろ関ヶ原の仇討の観とさえ見える。

福沢は当時の黒船による国難にあって、文明開化論者ではあったが、それはあくまで「一国独立」のための手段であって、彼の真意は尊皇攘夷であった。それ故であると思われるが、彼には自分の母親の価値に目を向けるだけの余裕がなかった。

『福翁自伝』に次のような記述がある。

それは彼の母親が、彼にも手伝わせて、馬鹿のようで、汚く臭い虱だらけの乞食女の虱を取ってやることを楽しみにし、あげくに取らせてくれた褒美に飯まで食わせてやる、という話である。それが福沢にとっては「私は汚くて〳〵堪らぬ。今思い出しても胸が悪いようです」だったのである。

少なくとも彼の母親は武家であり、乞食女は最下層の身分にも入らぬ者である。こんなことは西洋においては、せいぜい聖人が虱を取ってやるくらいで、それを楽しみにし、褒美に飯を食わせてやるなど、馬鹿を通り越して狂気の沙汰である。

そうした人間が、日本には「民のかまど」以来、延々と続いてきたのである。そうであれば、キリスト教の表看板である隣人愛に引かれる日本人はまずおるまい。むしろその裏看板である死に立ち向かわばならぬ武士が、それの持つ戦争宗教としての面に引かれて入信したくらいである。

さらに言えば、今日、福沢のような人間は存在しなくなってしまった。なぜなら学問のある人間の多くに、私欲はあっても、士風としての公欲を失ってしまったからである。

そして福沢の母親のような人間も、極めて稀になってしまった。それはある意味、福沢になるのと同じくらい難しいことだからである。なぜなら今日、日本の資本主義＝民主主義社会において、「私」を貴ぶ人はいても、そこに一切の「私欲」を交えぬというのは、極めて困難なことだからである。

そうであれば、西洋思想の下らなさは、その歴史的古層が資本主義を生み出したように、私欲から成り立っていることである。従っていくら、社会主義、共産主義を唱えようとも、そこに損得勘定が入ればそんなものは成り立つはずがない。つまりそれらは福沢の母親のような人間がいて、初めて成り立つものだ、ということが彼らには分からない。

そのことは西洋思想の「私は考える」とは、「得（とく）」するための思想法だということである。福沢の母親の徳が示すような、損得勘定の入らぬ無智というものを、彼らは知らぬのである。

それは西洋人の損得勘定の入った頭は、寄付行為のようなものでさえ、慈善と偽善とが混じることになる。たとえば寄付金に対する税額控除である。つまり寄付にも利子が付くということである。

斯（か）くして今日の日本から士風は失われ、徳も学問の世界から追放されるに至った。

しかし日本人がそうした歴史的古層を持っていたことが、このコロナ禍において、医療体制が万全でなかったにも拘らず、死者数が少なかったことの一因ではなかったか、と思う。

いずれにしても、日本においては「民のかまど」以来、自由、平等、人権といった概念（歴史的古層）は、当たり前すぎてまったく発達しなかった。ただ大東亜戦争において、それまで平和ボケの中で暮らしてきた「村」人にとって、戦後、若干それらの概念が萌芽したに過ぎない。

ところで福沢は『学問のすゝめ』で次のように言う。

天は人の上に人を造らず人の下に人を造らずと言えり。されば天より人を生ずるには、万人は万人皆同じ位にして、生れながら貴賤（きせん）上下の差別なく、……人学ばざれば智なし、智なき者は愚人なりとあり。されば賢人と愚人との別は、学ぶと学ばざるとに由（よ）って出来（いでく）るものなり。

福沢の学問のすゝめは、あくまで「一国独立」のためのものであって、「私欲」のためのものではない。しかし資本主義という、主人と奴隷との経済思想は、基本的に「私欲」のものであり、たとえ学問を国家のためにしても、――そんな人間は今日ほとんど存在しなくなっているが――そこにはそれ以上の私欲が入ってくる。従って当然、そこには経済的格差が生じる。

だが福沢には、まだ資本主義の本質が分かっていなかった。なぜなら彼は一度も借金をしたことがなかったし、また彼の母親は「智なき愚人」に外ならぬことになるからである。資本主義において、借金は当たり前であり、また彼の母親は乞食女から虱を取ってやる代わりに金銭を受け取るべきであり、また飯を食わせたことに対しても同様にすべきだったのである。

日本は「民のかまど」以来、聖人だらけの国だったのである。

戦後日本人の西洋猿マネ空っぽ頭は、ボランティア活動を――そんなものが日本にあったことも認識できず――人助けをする善いことだと思い違えてしまった。福沢の母親には、そうした自覚もなく、ただそれを楽しみとし、それに褒美を与えるような無智は、日本人から失われてしまった。

戦後の日本人は、自らの歴史的古層にある道徳価値観をまったく自覚できず、むしろそれが外国に誤解を与えることにさえなる。さらにまた福沢の持っていた武士道に由来する「智」を持てなくなったことである。彼にその自覚はなかったが、彼は武士であり歴史的古層にその「智」を持っていたから『脱亜論』のような著作が書けたのである。「村」人がいくら「学問」をしたからといって『脱亜論』は書けない。

そして福沢の母親の持っていたものは、日本人が古来もっていた損得勘定のない（ある意味無智な）無常観に繋がるものである。無常観というより無常感と言った方がいいかもしれない。

これはたとえば禅僧・良寛なども持っていたものである。彼の逸話に次のようなものがある。

彼は銭（金）を拾うことは嬉しいことだという話を聞き、袂にあった銭を取り出し、道端に抛り投げ、拾ったのである。何度やってもそれに彼は嬉しさを覚えなかった。

彼には銭に価値のあることが分からなかったのである。それは福沢の母親と同じであって、虱を取ってやることが銭になる、という価値観を持っていなかったのである。

しかし彼らは福沢の言うような愚人ではなかった。ただ彼のような国家観を持っていなかっただけのことである。しかし大東亜戦争敗戦後、彼らの良質の徳は、国際社会の中にあって「村」人政治家、知識人等の「智なき愚人」と化して行くのである。

幕末・明治初期の日本人はこんな有様であったから、既述の『逝きし世の面影』で、チェンバレンは「古い日本は妖精の棲む小さくてかわいらしい不思議の国であった」と言い、またヒュースケンは「そしてどこにも悲惨なものを見いだすことができなかった私は、おお、神よ、この幸福な情景がいまや終わりを迎えようとしており、西洋の人々が彼らの重大な悪徳をもちこもうとしているように思われてならない」と言った。この「重大な悪徳」とは、資本主義的私欲のことに外ならない。そして彼らの多くが予言したように、そこから日本の死という悲劇が始まるのである。

まず西洋をマネせねばならなかった武士は、自らの武士道の価値を自覚できず、軍制において士族を廃し、徴兵制に走ったのである。「村」人が武士道教育もなく、軍人（武士）になれるわけがない、ということが分からなかった。その徴兵制に対し「村」人から少なからず反発も出たが、彼らの歴史的古層にある無常観から来る「あきらめ」と、「考える」能力を持たなかったが故に、ほとんど問題にならなかった。

そして繰り返しになるが当時「村」人の意識は、一つには、「村」社会道徳的「空気」

の圧力下にあったこと、二つには、「和」の社会であったから「損」をすることを当然とする無智に彼らがあったこと、三つには、この世を夢幻（ゆめまぼろし）と見る無常観があったこと、である。

さらに無常観について言えば、島国に住み戦うことをしなかった「村」人は、その生活の中での日常的死を「あきらめ」として受け入れていたことである。それはヨーロッパ戦争社会における侵略、略奪の中での愛国的死とはまったく異質なものであった。

ギルバート氏が、大東亜戦争における日本兵が「強靱さ、気高さ」を持って戦ったことに愛国心を見たのは、以上のような理由による誤解である。それが証拠に連合国の捕虜になった日本兵が、自国の軍陣を平気でぺらぺら喋ることに、当時のアメリカ兵通訳が理解に苦しんだ、という記事を読んだ記憶がある。

たしかに私も、神風特別攻撃隊員が出撃するときのパイロットの無表情な気高さとでも言うべきものに、長い間、なにか理解できぬものを感じていた。彼らが武士であるならともかく、「村」人からの徴兵志願兵である。なぜ彼らは、一〇〇パーセントの死を前に、斯（か）くも凛（りん）としていられるのかと。そしてそれがすでに述べてきた理由によると、ようやく理解するに至った。

ところがそれが、戦後になると彼らに対する差別視が起こったのである。これは靖国神社にも言えることである。少なくとも、彼らは国家のために命を賭けて戦った英雄的存在である。こんな馬鹿なことは、少なくとも武士の世界では有り得ない。

これは朧げな記憶で書くのだが、どこかの寺に血塗り天井というものがある。これは家康の下臣の一人が、死を覚悟し、言わば特攻精神で家康のために城を守り討死した、その血塗（ちまみ）れの床を、その下臣の栄誉を称え忘れまいとして、天井に張り付けたものである。戦後の日本人には、完全に誇り、名誉といったものがない。それは丸山、朝日新聞、大江氏（氏には戦争体験はないが）に代表される戦後日本人の豹変振りに示されている。なぜそうなったのか？

その答えはただ一つ。それは連合国から教えられた、それまでの日本人の無常観を否定した「死は損、生は得」であり、それは「逃げ走る」「村」人の本質であるから、「戦争に係わる死はすべて悪だ」という思考に行き着くことになった。しかも「考える」能力ゼロだから簡単に洗脳され、特攻隊、靖国は否定され、原爆投下さえ「過ちは繰返しませぬから」と、広島市民の死をも悪にしてしまったのである。

私はこの「過ち」を犯した者の主語が――アメリカでも（彼らが書いた碑文ではないから）、日本でもない以上――どこにあるのか、長い間分からなかったが、それが死者にあったとは、日本人とはつくづく「智なき愚人なり」と思わざるを得ない。それが良い方に働けば、福沢の母親のようになるが、それを判断する「智」そのものがもはや日本人にはない。

もうそうなれば、戦後の日本が国家の体を成さぬ支離滅裂なものになってしまうのは当然である。

大東亜戦争は「間違った戦争」になり、二〇万人の朝鮮人従軍慰安婦強制連行はロクに情報も取らずに報道され（なぜなら悪に決まっているのだからその必要もなく）、また『沖縄ノート』における旧日本軍（同様に悪だから）の集団自決命令は、大江氏の無智な捏造の創作物となり、さらにまた、岸首相の国家意識に基づく新日米安保条約批准に国民が、その内容もロクに知らず、六〇年安保闘争として反対したのは、まさに死から「逃げ走る」「村」人の集団ヒステリーに外ならない。彼らの中には多少学んだ者もいただろうが、しかしそれは「村」人の暗記鸚鵡的知識であって、国家に対する「智」（福沢のような士風）がなかったが故に、愚人のそれとなったのである。

山本七平がどこかで書いていたが、戦前、日本軍内にいじめがあったそうだが、それをやったのはほとんどがインテリだったと。それがインテリ「村」人の本質である。そしてそれがいわゆる、無智な弱者への弱い者いじめである自虐史観である。つまり「村」人の「逃げ走る」歴史的古層は、「考える」能力ゼロであり、また国家意識もなく、ただ「戦争に係わる死はすべて悪だ」という思考も論理もない、死からの逃避集団ヒステリーによって起こったものである。

たとえば従軍慰安婦の記事を書いた記者が、人間の宿命である死を真正面から見るだけの勇気があれば、自分の記事の内容がどんなものであったか、分かったはずである。

つまり戦場にいる兵士の頭にあるのは、明日をも知れぬ死への恐怖であり、そんな心境にある人間に慰安婦狩りなどやる心の余裕があるか、ということである。

彼はただ机上で「戦争ごっこ」という悪に、「慰安婦狩りごっこ」を付け加えて、金儲けに走る「村」人の知能しか持っていなかったのである。そしてそんな朝日に対し、二十年間も立ち向かった反朝日も似たようなものである。もし西郷が生きていたら匕首（あいくち）一振りで片をつけただろ。所詮「暗殺だけは、きらいだ」のインテリ頭は駄目だ、ということである。それは朝日新聞に限らず、「逃げ走る」ことによって生き延びてきた「村」人の歴史的古層には、「考える」能力はまったく育たなかった、ということである。

「考える」能力は、死を真正面から見つめるところに生まれる。プラトンは「哲学は死に対する準備だ」と言った。それは古代ギリシャが戦争社会であり、市民は死を真正面から見据えなければならぬ運命にあった。そしてそれに向き合うため、彼らはイデアという永遠不変の価値から成る思想を生み出した。つまりそれは、死は真正面からは見れぬものだ、ということである。

日本でそうした哲学を行ったのは西田だったが、彼はついに西洋の「有」の思想を理解することなく、「無」のそれに行き着き、「哲学の動機は『驚き』ではなくして深い人生の悲哀でなければならない」と考えるに至った。彼の哲学は、死に対する――彼は多くの肉親の死に立ち会っている――深い無常観に根差すものだと私は考える。

さらに古代ギリシャにおいては、戦争に勝つために政治学なる学問を生み出すに至った。そしてそこから民主主義が生まれたのだが、それは実際、行われることによって、衆愚政治として極めて低い評価しか与えられなかった。そしてそれは近代民主主義においても、ワイマール共和国からヒトラーが生み出されることによって、その衆愚性は証明された。しかし当然かもしれぬが、日本人には民主主義の持つ衆愚性が分かるような者はほとんどいなかった。

民主主義とは、戦う市民が統治者を選挙によって選び、その「統治者が市民に向って『お前の死ぬことが国家に役立つのだ』というとき、市民は死なねばならぬ」ような思想だ、ということである。そしてその戦いにおける死に向き合うために、古代ギリシャにイデアが生まれたように、近代民主国家においてもキリスト教が必要不可欠なものになった。そして日本においてこれに当たるのが武士道である。

そうであれば、戦うことを拒否する「村」人よりなる日本は民主国家でもなんでもない。そもそも国家ですらない。

いずれにせよ、イデア、キリスト教がそうであるように、死を真正面で捉えぬ限り「考える」という能力は生まれない。日本でそれができたのは武士だけである。

それは進化の原理と同じである。生命は生存競争の中にあって、生き延びる（死から逃れる）ために身体を変異させることによって生き延びてきたことは、思想進化においても同様だということである。つまり「逃げ走る」「村」人の思考は、思想退化（ペット化）に外ならない。

以上のように、「考える」（思想進化）とは、死を見つめることによって生まれる性質のものであって、朝日新聞に限らず、戦後の空っぽ頭の日本人はただ死から「逃げ走る」だけだから、一切「考える」ことができず、ただ西洋を猿マネし暗記鸚鵡化することが「考える」ことだと思ってしまった。むろんそれにも一理はある。金になるからである。しかしそれは思想進化（歴史、伝統、文化）とは、まったく無縁のものである。だから戦後日本から日本がなくなるという、まったく異常な世界が現出したのである。

その上、「村」人は「逃げ走る」ことをモットーとしているから、国家というものが分からない。

かつて英国の香港（ほんこん）返還に際して、パッテン総督が日本記者団と会見した折、記者団からアヘン戦争以来、一五〇年以上にわたる中国領土に対する植民地支配に対し、謝罪はしないのかという馬鹿な質問をした記者がいた。

もっとも戦後日本とは、この馬鹿さ加減――世界がヤクザ社会であること――が自覚できぬ国民の上に成り立っている。分かっていたのは、かつての武士だけである。馬鹿の救いようのなさは、自分が馬鹿だという自覚ができぬところにある。

当然、総督はこの質問を歯牙にもかけなかった。なぜなら世界の誰もが、国家とは暴力組織の美称だということを知っているからである。戦後の「村」人から構成されている日本人だけが、それが分からない。つまりこの記者は、覚醒剤の売人に対して謝罪はしないのか、と聞いていることの自覚がない、ということである。

それはたとえば、キリスト教徒である曽野綾子氏が『ある神話の背景』で「そして今もなお戦争ではなく、軍隊の存在そのものが悪であるという考え方ができるのは、世界で日本だけかもしれない」と言う根拠もそこにある。

「村」人には世界の常識がないのである。世界に日本国憲法が平和憲法だ、などと言って喜んでいるのは、日本人くらいだということが分からない。つまり世界から見れば、日本人の頭は完全に変（妖精の頭）なのである。それは日本人がいまだに、世界には正義と悪とが存在し、最後に悪は正義によって滅ぼされるという、少年マンガ的世界を生きている、ということである。今は江戸時代ではない、ということが歴史的古層において「村」人日本人には分からない。

それは人間が価値の拡大の世界を生きる存在であり、その拡大のためならなんでもする生き物だ、ということが理解できぬということである。つまりアメリカの原爆投下は善であり、ナチスのホロコーストは悪である、あるいはアメリカが原爆を持つのは善であり、北朝鮮がそれを持つのは悪である、というのは単なる情報操作の結果であり、ヒトはそうした情報操作という嘘（虚構）の世界を生きているのである。それはすなわち、ヒトは生まれたときからすでに、両親、学校、社会慣習、書物等によって情報操作（洗脳）されて生きる虚構（嘘）の存在だ、ということである。

そういうことを日本人は理解できぬから、すでに挙げたギルバート氏がスイス政府の『民間防衛』に関して「あたかも日本の状況を知ったうえで書いたものではないかと勘違いしそうになります」ということになるのである。

むろん氏の言ってることは結果的にはそうであるが、私の言ってきた内容とはかなり違う。敢えて繰り返せば、それまで日本人が持っていた死生観（無常観）が、敗戦によって「生は得」という思想が入ってくることによって一挙に崩れ、「戦争に係わる死はすべて悪」になってしまったのである。だから三島事件などまったく理解できない。しかも歴史的古層に、「考える」能力も、国家意識もない「村」人だから、「戦争に係わる死をすべて悪」とする思考が、自虐史観を生み出すことになったのも自然である。それが戦後日本の現実であれば、愛国心など生まれるわけがない。

日本人の歴史的古層が、それほど西洋人のそれと異なれば、戦前における植民地政策においても、日本人は西洋人のそれをマネはしても、本質的にはまったく理解できなかった。すなわち西洋の植民地政策は、奴隷制が示すように単なる苛斂誅求であって、被植民者はモノであるに過ぎなかったのに対し、日本人にはそうした歴史的古層はなかったから、そこに差別はあったにしてもあくまで人間として扱った。だから戦前、台湾も朝鮮も親日であり、それは大東亜戦争敗戦後、彼らからB・C級戦犯が出ていることからも明らかだろう。そして台湾が戦後も親日であるのは、彼らの歴史的古層が単純であったのに対し、韓国が反日に変わったのは、彼らがその地政学的理由によって、極めて複雑な歴史的古層を持つに至ったことと深く関係している。一言でいえば弱者の劣等感に基づくものである。

それは今日においても、中国、アメリカ、北朝鮮、日本とによる股裂き状態にあることを考えれば分かるだろう。それに今日の韓国の繁栄がアメリカ（朝鮮戦争）、日本（日韓基本条約による経済援助）によるものであるにも拘わらず、思想・心情的には中国、北朝鮮に傾いていることからも明らかだろう。

アメリカが朝鮮戦争に参戦したのは、あくまで反共からであるが、日本の日韓基本条約の対日賠償請求として無償3億ドル、有償2億ドルの協定は、まったく日本人の無智によるものである。なぜなら日本は韓国と戦争をした訳ではないのだから。

しかも今日も問題になっている竹島の発端を作ったのは、日本の敗戦のどさくさに紛れて、韓国が一方的に設けた李承晩ラインである。そんな国にどうして経済援助などしてやる必要があったのか？

多分、韓国人は日本の政治家および国民を馬鹿だと――それが中華思想の本質的物の見方だが――見積ったたろう。それに対し、戦後の日本「村」人政治家は、「損」をすれば「和」が図れると思って、そんな愚かな条約を結んだのだと思う。

それに朝鮮を植民地化したからと言って、日本は経済的に少しも得をしていない。むしろ持ち出しである。それは台湾を植民地化したにも拘わらず、いまだに親日であることからも明らかだろう。

たとえば戦前、日本に朝鮮人がやって来たのは、なにも奴隷船で拉致してきたわけではなく、金になったから彼らの方からやって来たのである。たしかにそこに差別は生じたが、それは見た目は同じだが、訳の分からぬ言語を喋る集団が現れれば、もともとほぼ単一民族で暮らしてきた体験しか持たぬ日本人にとって恐怖を引き起こしたのは当然だろう。そして同様に、朝鮮人慰安婦にしても金になったから、斡旋業者を介して旧日本軍に近づいてきただけの話である。

それは日本においても戦後、金のためにアメリカ兵相手のパン・パン、オンリーになった女性は少なからずいる。それに対しアメリカを批判せず、旧日本軍という無害な弱者を非難する弱い者いじめ新聞など読むに値するだろうか？　これが「村」人の本質である。

それに朝鮮歴代の王に、日本の天皇のような「民のかまど」のようなことをした者がいたか、あるいは下級であっても両班（やんばん）の妻が、福沢の母親がしたようなことをした者がいたか？

私は人間の価値を、その人物がいかに御立派なことを言うかではなく、なにをしたかで評価する。

さらに福沢にしても朝鮮人に期待していた位である。しかしそれが見事に裏切られたから、彼は『脱亜論』を書かねばならなかったのである。

彼が武士であったのに対し、戦後は政治家に限らず、日本人は「村」人から成る空っぽ間抜け頭だから、日韓関係はこじれたのである。

その発端が朝日新聞であり、それに乗せられた政治家の代表が、「お詫びと反省」とから成る『河野談話』である。一国の政治家がこんな馬鹿げた謝罪談話を述べるなど、ヤクザ世界では有り得ぬことである。これで韓国は完全に日本を馬鹿にし、見くびり始めたのである。つまり日本にいちゃもんをつければ金になると。

ところが日本のインテリは馬鹿だから、話せば分かりあえると思っている。馬鹿の欠点は、自分が馬鹿だと自覚できぬことである。たとえば朝日対反朝日のように。つまり戦後、武士のいなくなった「村」人だけの日本人は、国家が単なる暴力組織（ヤクザ）だということが分からない。もはや日本には匕首一振りで片を付けるという思想がないのである。それが三島事件が理解できぬ理由である。

その意味することとは、日韓関係をよくするためには、韓国のもっとも嫌がることをすればいいのである。国家間の関係とはそうしたものなのだが――武士はそれをよく理解していたが――戦後の「村」人政治家にはそれが分からない。彼らのもっとも嫌がることをすれば、彼らも交渉のテーブルに着かざるを得ぬだろう、ということが。

その一例が、韓国をホワイト国から除外したことである。正直、韓国は驚いただろう。あの馬鹿な日本人が、まさかこんな手を打ってくるとは。彼らはそう思っただろうが、残念ながら、日本の当事者にそれだけの知恵があったようには見えない。

この日本「村」人体質は、北朝鮮による拉致被害者家族に対する同情も同じである。彼らは、同情はタダだから幾らでもするが、責任も感じなければ、取ろうともしない。

それは戦後の日本人には国家意識がないから、スパイ防止法のような法律に基づく日本版ＣＩＡのようなものを作ろうともしなかったし、今も作ろうとしない。

さらに北朝鮮が拉致などするわけがない、と言っていた政治家等が、それが明らかになっても平然とし、国民もそれに対しほとんど糾弾しなかったことである。江戸時代なら切腹である。

戦後の士を欠いた「村」人（農工商）による民主主義はまったくの破綻である。学問もただの私利のための暗記鸚鵡化してしまっている。少なくとも私にとって学問とは、福沢の母親のような徳ある人間を作ること、また福沢のような「一身独立して一国独立する事」のためにすることだと思っている。そのためには、この国での民主主義は最悪であり、『新論』の言うところの「士風を興すこととなり、奢靡を禁ずることとなり、万民を安んずることとなり、賢才を挙ぐることとなり」でなければならぬと思うが、戦後の日本にはそのどれ一つもない。むしろ三島の言う「経済的繁栄にうつつを抜かし、国の大本を忘れ、国民の精神を失」った社会である。

たとえばギルバート氏が『いよいよ歴史戦のカラクリを発信する日本人』で書いている「丹羽宇一郎元中国大使の仰天発言」での、小説家・深田氏との対談における次のような発言である。

丹羽氏「将来は大中華圏の時代が到来します」
深田氏「すると日本の立場はどうなりますか」
丹羽氏「日本は中国の属国として生きていけばいいのです」
深田氏「日本は中国の属国にならなくちゃならないんですか」
丹羽氏「それが日本が幸福かつ安全に生きる道です」

私はこれを読んでも少しも「仰天」しなかった。なぜならこれが日本人の本音だからである。つまり国家なんていらないと。

日本人は口先では民主主義と言うが、それを理解する能力はまったくないから、アメリカ製憲法を改め自ら日本国憲法を作る気など少しもない。それに九条には「戦争の放棄」があり、その憲法下にある限り「生は得」の「逃げ走る」「客分」でいられる、と思っているから。

話はちょっと逸れるが、新型コロナに関して言えば、それが日本において法的拘束力のない「緊急事態宣言」にも拘わらず、日本人の死者数が少なかったのは（ファクターXといわれるものは）九条同様に、日本人の死への異常な恐怖心からではないか、と思う。それは「自粛警察」なるものが現れたことにも示されている。つまり戦後の日本人には、死に耐えるだけの宗教的価値観（武士道、キリスト教のようなもの）がないのである。そうであれば、愛国心がないのも当然である。

日本人の歴史的古層は士農工商であり、戦後その士が失われ、農工商（「村」人）より成る国民に国家意識（自国は自国民が守るべきものだという常識）はなく、当然、愛国心など微塵もない。しかも「考える」能力ゼロだから米軍が外国の軍隊だ、という認識もできず――武士が駐留しているくらいの感覚しかないのだろう――その事実は、日本が米農工商であることも理解できぬということである。つまりアメリカ支配の下で「村」人は、アメリカに年貢（むろん外形は違うが）を支払い、「民主主義ごっこ」をやり――そうであれば、日本人にとって民主主義は最低なのだが――ただ「経済的繁栄にうつつを抜か」すことさえできれば、それでいいのである。

つまり丹羽氏の言っていることは、経済的繁栄が得られれば中農工商でもいい（国家なんてなくてもいい）ということである。

氏に限らず、戦後日本人の愚かさは、軍事力なくして国家の繁栄はない、ということが理解できぬことである。それは古代ローマ帝国に始まり、大英帝国、現代のアメリカ帝国にしても然りである。いや、国家とは暴力組織（ヤクザ）の美称だから、軍事力なくして国家は成り立たぬ、ということさえ分からない。それは現代の北朝鮮を見ていても、そこからなにも読み取れぬ頭だ、ということである。

そして仮に中農工商になれば、かつての香港のように金持ちは外国に「逃げ走り」、インテリは例のごとく豹変してゴマを擂り、その後弱い者いじめに走ることになるだろう。

それによって日本民族が、チベット自治区、新疆ウイグル自治区、香港問題を引き起こそうが、そんなことはどうでもいいのである。「幸福かつ安全に生き」られるのは、丹羽氏のような、一部のゴマ擂り金持ち奴隷だけだ、と言うことである。

戦後日本とは、そんな国とも言えぬ国に成り下がってしまったのである。私はそんな亡国の国家を見たくないし、多分、見なくて済むだろう。

私は国籍上は日本人であるが、もはや日本人であることを止め、無国籍者として死ぬことにした。つまり福沢、三島の見た夢を捨てたのである。

日本は昭和二十年八月十五日に消滅したのである。そしてその後の歴史には、訳の分からぬ保護領とも、属国とも知れぬ国のようなものが存在しているに過ぎない。

第四章　愛国心と欲望の資本主義

私はギルバート氏の言う愛国心（アメリカ人のもつ歴史的古層）に全面的に賛同する者ではない。むしろ強い警戒心を抱いている。なぜ警戒心を抱くのかと言えば、アメリカ政府（というより背後の見えざる権力）の、対ジャーナリズムを含む国民への情報操作の巧みさと言うか、ある種の薄気味の悪さである。

薄気味の悪さとは、たとえば独裁国家中国であれば、自国に都合の悪いことは、黒塗りするからすぐに分かる。ところがアメリカ人は、表看板である自由と民主主義という価値観を、自己偽善によって自ら騙し、信じて疑わぬから——彼らは主体が虚構（嘘）だということが分からぬから——彼ら自身が騙されているなど露ほど思わない。つまり「世界は皆からくり人形なり」（『葉隠』）という思想が分からない。すなわちヒトとは何者かに「からくられている」存在であり、ニーチェはその「からくっている」存在を「肉体のなかに住む『本来のおのれ』」と言ったのである。それはギルバート氏の愛国心に対する疑念のない思いにも見て取れる。

そのことは、私から見れば、たとえばヒトラーとF・ルーズヴェルト（トルーマン）とのやったことは、外見こそ違って見えても、その歴史的古層にあるのは、同じ西洋キリスト教文明価値観だということである。両者は共に民主国家が生み出した政治家であり、前者はその自己偽善のもつ演説力によって、愛国心という闘争・群れ本能的価値に基づく、軍事的集団ヒステリーを呼び起こし、後者は経済的失政を軍需景気で取り戻そうと（それを金(かね)にしようと）、日本を罠にかけ追い詰め、真珠湾を攻撃させ、それを「騙し討ち」として愛国心に火を付けたのである。そして前者はユダヤ人という奴隷（モノ）をガス室で殺し、その遺体を焼却したのに対し、後者は日本人という奴隷（モノ）――それはアメリカの奴隷制の歴史からも明らかだろう――を原子爆弾で焼却したに過ぎない。

両者が違って見えるのは、「勝てば官軍」観に基づく情報操作の能力によるものである。私がそうした見方をするのは、武士の思考（『葉隠』）が「盛衰を以て、人の善悪は沙汰されぬ事なり。盛衰は天然の事なり。善悪は人の道なり」の視点に基づくからである。

これは民主国家におけるシビリアン・コントロールがいかに危険か、ということであり、――それは民主主義が、所詮、衆愚政治に外ならず――それを持たなかった武士がいかに賢明だったか、ということである。

それはたとえば、アメリカの大東亜戦争前後における対国民党への支援の有り方が、私には所詮「金になるか否か」の問題でしかなかったからこそ、日本が負け自国が経済復興してしまえば、もはや国民党の利用価値はなくなり、見限ったものと見る。それはそれ以後の、アメリカのある意味不可解な、武士なら決してせぬような戦争（ベトナム、イラク等）、また経済政策（中国共産党に接近したり、喧嘩したり）の全てが物語っているように思われる。

ところで、イギリス、アメリカが帝国化したのに対し、フランス、ドイツが、ナポレオン、ヒトラーといった天才的独裁者を生み出しながら、なぜ帝国化できなかったのか、という問題が私にはある（そこには海洋国家と大陸国家との国民性の思考の違い、という問題もあるが、ここでは触れない）。つまり後者が民衆を軍事的集団ヒステリーに陥らせて、ロシア、ソ連に侵攻しても、それは単なる線としてのそれであって、そこから利益を生み出せることはなく、むしろ崩壊に繋がるという知恵がなぜ彼らにはなかったのか、という疑問である。その答えとして、私は自己偽善による軍事的集団ヒステリーに陥った独裁者、および民衆は、あたかも自らがキリストに憑かれた神であるかのような錯覚（これが西洋人の愛国心の本質である）に陥り、帝国化による利益ということが、まったく頭に去来しなかったのではないかと思う。

それに対し、前者にはもともとそうした頭を持つ者（独裁者）を生み出すこともなく、彼らの頭にあったのは「人をいかにうまく騙して殺し、そこから利益を上げるか」という推理小説的頭脳での、面としての侵略であったからだと思う。その典型の一つが、日英同盟に基づく日露戦争である。だから私は馬鹿だと言ったのである。

こうした知恵の違いは、過去においてはローマ帝国とモンゴル帝国とに見られる。

ちなみに余談になるが、西洋人の思考法である「私は考える、故に私はある」を保証しているのは、神（キリスト教）だと言うことは、「私は考える」ことは（虐殺も）「正しく」、「私はある」（「私」の命）は、神の保険によって成り立っているということ、つまり彼らにとって「死は損」であるのを、神による自己偽善という騙しによる保険によって、愛国心に姿を変えているということである。そうした歴史的古層を生きてきた西洋人だからこそ、生命にさえ保険をかけるという発想が生まれたのである。だから金持ちは戦争に行かない。

そのことは、彼らの社会は「私たち」の助け合いのそれではないから、たとえばアメリカ人には「国民皆保険」という発想が生まれぬのである（銃社会の本質もそれである）。

ところで、F・ルーズヴェルトの「騙し討ち」の謀略とは、それによってアメリカ国民は愛国心に火を付けられ、しなくてもよい戦争をしたということである。つまり権力者（ルーズヴェルト）は、シビリアン・コントロールの下に、アメリカ国民を兵士として間引いてでも、自己の権力を保ちたかったということでは、現代中国の権力者となんら変わらない。そのことは、アメリカ人の強欲な支配者層――民主帝国の見えざる闇の権力と言ってもいい――は、「戦争は金になる」（むろん経済は言うまでもない）という思想を生み出させ、戦後のアメリカ国民は、メディアをも巻き込み愛国心に火を付けられ、意味のない戦争を数多くしてきた、ということである。

そのことに警鐘を鳴らしたのが、アイゼンハワー大統領の「軍産複合体」に対する「民主主義への脅威」に外ならない。彼になぜそのような発想ができたのかと言えば、彼が軍人出身だからである。それは日本の武士が政治と軍事との両面で領国を統治せねばならなかったのと本質的に同じ思想に基づくものである。

私がアメリカに薄気味の悪さを覚えるのは、そうしたところである。

私はアメリカの、自由と民主主義の表看板をほとんど信じていない。それは自由も民主主義もない中国と、経済的に接近したことからも明らかだろう。むしろ「欲望の資本主義」という言い方がされるが、その「欲望」（金になりさえすればいい）が、事実上「アメリカ民主帝国の見えざる闇の権力」として君臨しているように見えるのである。

私にとってその象徴的出来事の一つが、Ｊ・Ｆ・ケネディ大統領暗殺事件である。

多くは述べぬが、動く標的（ケネディ）を遠距離から確実に仕留めることができるのは、超一流のスナイパーの仕業であって、一介の旧軍人・オズワルドが白昼、単独で出来るようなことではない。そしてその後に起こったことを考えれば、そこに「見えざる闇の権力組織」が働いていたと見るのは、そう不自然ではないだろう。さらにそこには、ジャーナリズムも介入出来ぬ力があった、ということである。

アメリカはアイゼンハワーの警鐘にも拘わらず、政治と軍需産業とが癒着し、そこから無意味な戦争を多発化させ、権力と富（金）とは堅く結び付き――それは権力への欲望が富から生み出されるということであり――嫌でも軍事帝国化していくことになった。それにシビリアン・コントロールと愛国心とが利用されたのであり、その世界侵略への欲望を、彼らは自称「世界の警察官」で誤魔化そうとしたが、——悪いことに国民の多くもそれを信じきっており——しかしそれは外国から見れば、単なる侵略でしかないから、９・11同時多発テロのようなことが起こるのである。

そうした欲望に群がる狡猾な権力者の頭脳と、推理小説を生み出したそれとは決して別物ではない。しかし彼らにはそうした自己の侵略的頭脳への自省がまったくない。それはある意味、アメリカ人の（ヨーロッパ人も）多くが極めて短絡的頭脳しか持っておらぬ、ということでもある。

その一例として、かってオバマ大統領が「核兵器のない世界」と言ってノーベル平和賞を授与され、その授賞式の記念演説で「正しい戦争はこれからもする」と述べたことである。

彼らが「正しい戦争」という発想をするのは、キリスト教が砂漠から生まれた宗教であり、彼らには二者択一の道しかなかった。餓死するか、戦争（侵略）をし、略奪によって生き延びるかの。当然、彼らは後者を取った。つまり西洋キリスト教文明にとって、戦争は彼らの歴史的古層において善なのである。従ってそこからキリスト教に支えられた愛国心が芽生えることになった。

だがはっきり言ってそのどちらも（賞も演説も）馬鹿げている。「核兵器のない世界」などやって来るわけがないし、また戦争に「正しい」も「間違い」もない（後者については『葉隠』の言っていることの方が正しい）。

なぜ、核兵器のない世界がやって来ぬのかと言えば、西洋キリスト教文明は砂漠から生まれ、そこで生き延びるために侵略することは、つまり「他者を殺すこと」は神に保証された「正しいこと」であり、その「他者を巧みに殺す」ために「私は考える」のが、彼らの文明の本質だということである。さらにその思考法が推理小説と無縁でないのは言うまでもない。そしてその思考法は、彼らキリスト教による自己偽善によって覆い隠され、従って彼ら自身にもその自覚はできず、それは「肉体のなかに住む『本来のおのれ』」（ニヒリズム）へと下降し歴史的古層化され、それが彼らの宗教的国民・民族性となったのである。そしてそこから核兵器が生み出されたのであれば、その思考法が歴史的古層にもつ価値を転換し、新しい価値から思想しない限り、核兵器のない世界など、やって来るはずがない。その価値の転換を言い、キリスト教を否定したのがニーチェである。

しかし西洋人の思考法は「私は考える」であり、その「私はある」ことを保証しているのがキリスト教であれば――それがキリスト教のもつ自己偽善性であり、それによって「私」が成り立っているのであれば――そのキリスト教を否定してしまったら、「私」の「在る」ことができなくなるが故に、彼らには絶対に価値の転換はできない。もし為たらニーチェのように狂うしかない（ここからも日本人に「私」がないのは明らかだろう）。

アメリカの「欲望の資本主義」は、すでにベンジャミン・フランクリンの「時は金なり」や「利子」の自己偽善による肯定から始まっている。

私は第二章で、ヒトの主体（意識）は、言語よりなる虚構（嘘）だと述べたが、その意識の作る「時」が虚構であれば、それを金という数値、さらに利子という付加価値を加えたものから成る資本主義は、虚構（嘘）から成る数値に基づく欲望による経済だ、ということである。それはヒトが金という虚構の数値と共に、意識という虚構上の価値の拡大である欲望の方向に生きる存在である以上、経済学なるものが狂うのは当然である。

言い換えれば、実体経済という数値で計れぬ、人間に必要な経済の上に、欲望から成る虚構（嘘）の数値による金なる価値を加えたものを、経済学と称したから訳の分からぬものになってしまったのである。

つまり資本主義とは、金、利子という虚構の数値に基づいて成長し、また他方、自然科学というヒトにとって利益であり、欲望をそそる非自然物（商品）を生産することによって、両者は相関的に結び付き、ヒトの欲望（価値の拡大）は一層駆り立てられることになったのである。そしてそれにより、ヒトの中に根差す「力（権力）への意志」が孕む「欲望（価値の拡大）への集団ヒステリー」に火を付けたのが、いわゆる「欲望の資本主義」である。しかもそれは数値から成る虚構であるから、たとえ経済学が科学と名乗ろうとも、学問としては成り立たない。

それは「大恐慌」から「リーマン・ショック」に至るまで、何度も同じ過ちを繰り返していることからも明らかだろう。欲望の資本主義が、なぜそのようなことを度々起こすのかと言えば、ヒトは価値の拡大（欲望）という虚構（嘘）の主体を生きているから、その虚構の数値が儲かると思えば、ヒトのもつ「欲望への集団ヒステリー」は、なんの根拠（実体経済）もなくその数値を上昇させ、肉体のない理性はもはやその数値から成る欲望の資本主義という集団ヒステリーに、歯止めをかけることができない。

が、ある時、「誰か」がその高い数値に対し、「王様は裸だ」（虚構だ）と言うと、その数値は一挙に暴落する。私がそれに薄気味の悪さを覚えるのは、その「誰か」は数値上、確実に儲けているだろう、ということである。

ここに民主主義＝資本主義の、それが欲望に基づくものであるが故に、格差を生み出す根本原因があると思う。

そしてこのことは同時に、確実に人類を破滅に追いやることになるだろう。なぜなら、ヒトは自然の一部であるに過ぎず、それを欲望に基づいて、虚構である科学による非自然物を生み出させ、地球を覆うということは、いずれ自然の存在である人類の存在そのものを脅かし、許さぬことになるだろう。それは人間の欲望が生み出した原子力、地球温暖化、また非自然物の氾濫による自然破壊等によって、地球はもはや人類の住める惑星ではなくなるだろう、ということである。

第五章　ニヒリズム（虚無）と無

無とは一言でいえば洗脳（虚構）を解かれることであり、それは四次元身体に陥ることである。すなわちそのことは、ヒトは通常、意識という虚構（三次元身体）の世界を生きている、ということである。以下そのことを心に留めて読み進んでもらいたい。

ニヒリズム（虚無）・無の感覚を言葉で伝えることはまったく不可能である。また理屈として理解してもらうことも困難である。その上、戦後の日本人は「考える」能力ゼロ、マネ能力一〇〇のゴマ擂り頭であるから、武士道、禅の無で「考える」ことのできる者は皆無といっていい。だが、そこから理解してもらうしかない。

それに対して、西洋人がニヒリズムを理解することは、日本人以上に困難である。なぜなら、彼らの「私」（個）の思想は、キリスト教という疑似群れ宗教集団価値というニヒリズムの上に成り立っており、そのニヒリズムの思想はニーチェのようにキリスト教の価値観を否定した上でしか成り立たぬし、また否定してしまえば「私」が成り立たぬことになるから、彼はその狭間で狂気に陥ることになったのである。

ちなみに私がニヒリズム（虚無）から、辛うじて脱出できたのは、日本には「無」の思想があったからである。

ニヒリズムは分かりにくい思想である。従って本書はこれまでやってきたニヒリズムの定義――それらは拙著『ニーチェから見た資本主義論』『ニーチェを超えて』『天才と狂気との関係について』等――を前から入る方法を止めて、敢えて後ろから書くことにしたのである。なぜなら、ニヒリズムへの理解は極めて困難であり、――ニーチェが狂ったことからも明らかだろう――読者は私のその定義に対し、読み出してもすぐに放り出してしまうことが、十分予想されたからである。

以下、分かりにくい部分もあるだろうが、そうした理由でニヒリズム（虚無）・無を最後に持ってきたのである。

ニヒリズム・無とは、一言でいえば、神秘体験（神とは関係ない）という「進化の逆行」によって、サルないしは原ヒト（両者の違いは単なる言語による仮の区分である）にまで戻ってしまうことで起こり、これはあくまで比喩として言うのだが、それはフロイトの無意識のように、それを意識から見下ろすのではなく、逆に無意識というニヒリズム・無の地点にまで進化を逆行させ落ちて、そこから意識の世界を見上げるのである。

ここでまず、ニヒリズムにおける進化の逆行について言えば、サルからヒトの意識（言語化）にまで進化する過程において、ニーチェは身心脱落による「肉体のなかに住む『本来のおのれ』」というニヒリズムの体験を、彼独特の表現で行ったことである。つまり彼があのような表現をしたのは、彼が西洋人であり、キリスト教を否定しても、彼の歴史的古層は無ではなくあくまでキリスト教の「私は考える」――群れ本能的価値を失っている――で考えるしかなかったから、あのような表現法になったのである。

それに対して日本人は武士道、禅による身心の脱落によって進化を逆行させると、それはニーチェの表現法を借りれば、「肉体のなかに住む『無』」になるのである。では、なぜ無になるのかと言えば、日本は戦争社会ではなかったから、群れ本能的価値（原ヒト）を維持したままであり、従ってその「私たち」群れは、「考える」ことができない。だから無の思想は、言語としての思想化、言い換えれば、「私は考える」として意識化ができなかったが故に、奇妙な表現になるが、「無私」の「私」で「考える」しかなかったのである。武士や禅者の思考法がそのようなものであれば、「村」人は一切「考える」ことはできず、「村」道徳価値観の「空気」のなかで猿マネするしかなかった。それが戦後日本の墓場化の本質である。

いずれにせよ、肉体の思想とは、サルからヒトへの意識に至るまでの進化の過程においての意識以前の状態――「私」を持つに至らなかった日本人は、西洋人のような意識の思考はできない――を、ニーチェはニヒリズムといい、日本の武士・禅者は無といったのである。

では、その肉体の思想（思考）とはなにか？

そもそも宇宙は四次元であり、地球上生命も四次元生命として生の上昇、あるいは力への意志としての、食うか食われるかの進化の世界を生きてきた。そしてその生命は、サルないし原ヒトにまで進化し、世界を言語によって価値化し、そこに生まれた三次元（時間と空間との）世界という虚構（嘘）の世界を生み出すことによって、それまでの生命が、単に力への意志に基づく、進化という食うか食われるかの世界での、生の上昇を生きていればよかったものを、それを言語に基づく意識――日本人は西洋人のような性質の意識を持たない――による価値（言語という虚構（嘘））の拡大（欲といってもよい）に置き換えることになったのである。つまりヒトは生命が本来生きている、肉体の思想である四次元身体、またそこでの生の上昇（力への意志）であったものから、進化に基づく三次元身体という虚構（嘘）の身体から生み出された、意識に基づく価値（言語）の拡大という欲の世界を生きることになったのである。すなわちヒトは四次元身体という「本来のおのれ」から、進化によって欲（価値の拡大）に基づく虚構の三次元身体（意識）という二重の身体を生きることになったのである。

その事実をニーチェは、すでに述べたように次のように言う。

こうして、この「本来のおのれ」（四次元身体）は常に聞き、かつ、たずねている。それは比較し、制圧し、占領し、破壊する。それは支配する、そして「我」（三次元身体という意識）の支配者でもある。

わたしの兄弟よ、君の思想と感受（三次元身体という意識）の背後に、一個の強力な支配者、知られない賢者がいるのだ、――その名が「本来のおのれ」である。君の肉体のなかに、かれが住んでいる。君の肉体がかれである。

ニヒリズムとは、この「本来のおのれ」という四次元身体であり、そこから見た世界がニヒリズム（虚無）の思想である。従ってそこはニヒリズムという価値のない世界であり、「肉体の虚無ないし無」がある以外、そこには一切の価値はなく、それゆえそこから価値（言語）からなる虚構（嘘）の世界である神話（思想）を作り出すことによって、意識から成る価値の世界を生み出さざるを得なかったのである。『ツァラトゥストラ』とはそうした書物である。

しかし現代人はすでに既成の価値に洗脳された世界を生きており、その価値の視点からしか世界を見ることができぬから、まったく価値のないニヒリズム・無というものは理解できない。それを理解するにはただ一つ、価値を脱落し（進化を逆行させ）、サル（ニヒリズム）ないしは原ヒト（無）にまで落ちるしかないのである。つまりニヒリズム・無は「肉体による思考」によってしか理解できぬのである（それがほとんど不可能なことだとは、十分承知して言っているのだが）。そしてそこ（ニヒリズム・無）から見る世界は、「肉体」の持つ「力（権力）への意志」（生の上昇）だけであり、そこで苦闘しつつ言語による思想（神話）化を図るしかないのである。

ここで話を進めるために、これまで述べてきたことを整理する。

ヒトは「本来のおのれ」というニヒリズムである四次元身体から、力への意志に基づく進化によって価値（言語）の拡大（欲）である虚構（嘘）の身体である三次元身体（意識）を生み出すに至るのである。このことは、ヒトは「本来のおのれ」という四次元身体と、言語（価値）から成る虚構（嘘）の身体である三次元身体（意識）との、二重の身体を生きているということである。

そも生命進化とは、外部環境から入ってくる情報を本能（あるいはそれに類するもの）に下降・蓄積し、その情報を基に生存競争を生き残るために、自らの生を上昇させ、環境に適応できるように身体を変異させてきた。そしてそれによる言語化によって、ヒトにまで進化したのも、このメカニズムによるものである。そうであれば、ヒトは環境から送られてくる情報（言語）を、三次元身体（意識）を通して四次元身体（本来のおのれ）に下降・蓄積していることになる。

別言すれば、その間（四次元身体と三次元身体との間）に、言語による記憶の層である記憶層というものが生まれることになり、ヒトはその層の言語より成る意識の世界を生きることになるが、その言語は必ずしも意識を通して四次元身体にまで下降・蓄積するとは限らない。つまり暗記のような知識だけの言語（記憶層の表面だけの言語）も記憶できる、ということである。さらに言えば、四次元身体と係わった言語は、四次元身体内に下降・蓄積されることによって深さを持つ言語（価値）になるが、単に暗記のような三次元身体の言語は、意識の表面だけの言語であって、四次元身体に下降・蓄積される深さを持つものではない。

その事実は、その言語が四次元身体にまで下降・蓄積したか否かによって、その意識の質がまったく異なる、ということである。

たとえば、戦争体験者は、その体験が四次元身体（肉体）と係わっているから、その言語は四次元身体内に下降・蓄積されるが、そうでない、ただその体験談を聞いただけの人の記憶は、単に三次元身体内の暗記的知識に止まる。つまり戦争体験者の話は、非体験者にはその本質においてまったく伝わらぬ、ということである。戦後日本の西洋かぶれの知識人はこれに当たる。それは西洋人の四次元身体（歴史的古層、国民性）は日本人には伝わらぬことを意味する。つまり日本人には西洋思想がその本質において分からぬ、ということである。

これは一生懸命、戦争体験の語部（かたりべ）的なことをやっておられる方にはお気の毒だが、まったく無駄だということである。それより義務兵役制のようなことを行って、戦争とはいかなるものであるかを、四次元身体内に下降・蓄積させ、記憶させる方がはるかに効果的である。そうであれば、朝日新聞のような間の抜けた戦争報道をする者もいなくなるだろう。

つまり記憶層には、その表面（意識の上っ面）である三次元身体から、その深部である「古層」（四次元身体、「本来のおのれ」）に至るまでの深さがあるということであり、その古層の言語、思想等が、歴史的に蓄積されたものが、これまで再三述べてきた歴史的古層である。これがいわゆる、国民性、民族性と呼ばれるものである。

この視点で西洋人を見るとき、彼らは意識（三次元身体）の思想を生きているから、ハイデガーのように「無を問うのに、あるという仕方で提出するのは矛盾ではないか」ということになるのである。しかし無とは、彼が考えるようなそんな幼稚なものではない。

西洋の意識（「有る」）の思想は、デカルトの「私は考える、故に私はある」に示されるように、（四次元）身体のないところから生み出されたものであり、従ってその視点からしか見ることができぬから、意識に深さがある、ということが分からない。せいぜいフロイト止まりである。つまり有と無とは対照関係にあるのではなく、無とは「肉体のなかに住む『無』」（四次元身体）なのであって、それは肉体の修行によってのみ達せられる思想なのである。すなわち無とは、武士道における武道、あるいは禅における座禅のような肉体の修行によって達せられるものなのである。しかも西洋人はその意識（「有る」）の思想をもって、肉体のない理性の哲学でしか世界を計れぬから、「無」など分かるはずもない。

その事実は、西洋思想とは、そこが戦争社会であったから、戦争に強い思想に至っただけに過ぎず、人類のためになるような思想は、実にお粗末なものなのである。それはすでに述べたヒュースケンが、自らの思想を「重大な悪徳」と言っていることからも明らかだろう。


繰り返しになるが、四次元身体が「本来のおのれ」であり、それが「我」（意識）という三次元身体の「支配者」であるということは、（歴史的）古層（四次元身体）が、記憶層の表面である意識（三次元身体）の支配者だということである。そしてこの古層（四次元身体）が歴史化したものが歴史的古層である。

日本人は士農工商の歴史的古層を生きて来、その中で唯一「考える」ことができたのは、武士だけである。そしてその武士が完全に失われたのが戦後である。だから三島事件を理解できる日本人はいなかった。それは「戦後七〇年、日本は平和憲法によって守られてきた」というような人の頭は、幼稚園児のそれにも値しない。なぜなら、戦後日本がこれまで平和だったのは、単にアメリカ軍が駐留していたから、諸外国が手を出せなかっただけの話である。日本人の知能程度は、敵が攻めてきたとき、日本国憲法という紙切れをかざし「この平和憲法が目に入らぬか」と言えば、敵が平伏すると思っている愚国民である。それに自衛隊が自らを否定する国民のために戦うことは、まずないと考えるべきである。

話を戻せば、この「本来のおのれ」である「古層」（四次元身体）は、サルが本能として持っていたものをヒトの本能的価値（食餌、生殖、闘争、群れの諸価値）化した視点から、私が複眼的に見ているだけのことであって本来は同じである。つまりヒトは、サルの本能を価値化しただけの存在であり、その一つの闘争本能的価値だけでは、西洋戦争社会を生き延びることはできなかったから、彼らに戦うための「私は考える」思考法が生まれることになったのである。そこで彼らはキリスト教をダシに、群れ本能的価値を脱し、「私は考える」に至ったのである。それがデカルトの「私は考える、故に私はある」である。そしてその後、彼らは理性の哲学、意識（「有る」）の思想を持つに至ったが、彼らはそもその単眼でしか世界を見ることができなかったから、自らの思想を外から眺めることができず、その後はただ意味のない「哲学ごっこ」に明け暮れることになったのである。

それがカント、ヘーゲル、マルクス、ハイデガー等である。

それに対し、キリスト教とは無縁であった武士は、禅の無のような「無私」の「私」で「考える」ことになった。それは「私」のない「無」の思考法であるから、そもそこに西洋のような思想という不毛な構築物を作る必要がなかった（それは『葉隠』、会沢、松陰、西郷等の思想に示されている）。

繰り返すが、無とニヒリズム（虚無）との違いを述べれば、それらは共に進化の逆行ではあっても、日本は西洋の個の社会とは異なり、基本的に「村」（「私たち」）社会であるから、そこには群れ本能的価値を維持してきたという歴史的経緯がある。つまり日本人は、西洋人のようにキリスト教による自己偽善を通して、群れ本能的価値を破壊することもなく、肉体の無（原ヒト）のもつ本能的価値を維持してきたから、たとえ進化の逆行が起こっても、「私たち」群れ本能的価値以下へのニヒリズムという（サルへの）進化の逆行に至ることはなかった。だがその代わり、日本人は「有」の思想としての「私は考える」ことはできなかった。

それに対して、西洋人は群れ本能的価値を破壊し、その穴埋めにキリスト教を利用したから、ニーチェの場合のように進化の逆行が起こると、当然のようにキリスト教を否定することになる。つまり西洋人は、原ヒトの持つべき群れ本能的価値が破壊されているから、ニーチェにおける進化の逆行は、原ヒトを超えてサルにまで達してしまい、ニヒリズム（無価値の世界）に陥ることになったのである。そしてそも西洋人において、ニヒリズムに陥るとは、そこから群れ本能的価値の回復を行わなければならぬことになるから、それは当然キリスト教という疑似群れ宗教集団価値の否定に繋がる。なぜなら、西洋文明とは、キリスト教による自己偽善のからくりの上に成り立つ、死から目を逸らすための虚構（嘘）の装置の下に成り立っている世界であるから、それは力への意志（「本来のおのれ」）に価値を置くニーチェにしてみれば、キリスト教（プラトニズム）がまったくの欺瞞だとしか映らなかったのである。それは裏を返せば、西洋ではそれだけ死が身近にあった、ということである。

しかし彼は西洋文明における意識を持つヒトにまで肉体進化したにも拘わらず、それをサルにまで進化を逆行させてしまったことによって、彼は狂気に陥るしかなかったのである（彼の狂気を梅毒のせいにする頭を、つまらぬ頭というのである）。

料金受取人払郵便

新宿局承認

7553

差出有効期間
2024年1月
31日まで

(切手不要)

郵便はがき

1 6 0-8 7 9 1

141

東京都新宿区新宿1－10－1

(株)文芸社

愛読者カード係 行

ふりがな お名前		明治 大正 昭和 平成 年生 歳
ふりがな ご住所	□□□-□□□□	性別 男・女
お電話 番 号	(書籍ご注文の際に必要です)	ご職業
E-mail		

ご購読雑誌(複数可)	ご購読新聞 新聞

最近読んでおもしろかった本や今後、とりあげてほしいテーマをお教えください。

ご自分の研究成果や経験、お考え等を出版してみたいというお気持ちはありますか。

ある　　ない　　内容・テーマ(　　　　　　　　　　　　　　　　　　　　)

現在完成した作品をお持ちですか。

ある　　ない　　ジャンル・原稿量(　　　　　　　　　　　　　　　　　　　　)

名			
買上 店	都道 府県　　　　市区 郡	書店名	書店
		ご購入日	年　　月　　日

書をどこでお知りになりましたか?

.書店店頭　2.知人にすすめられて　3.インターネット(サイト名　　　　)

4.DMハガキ　5.広告、記事を見て(新聞、雑誌名　　　　)

の質問に関連して、ご購入の決め手となったのは?

1.タイトル　2.著者　3.内容　4.カバーデザイン　5.帯

その他ご自由にお書きください。

(　　　　)

本書についてのご意見、ご感想をお聞かせください。

)内容について

②カバー、タイトル、帯について

弊社Webサイトからもご意見、ご感想をお寄せいただけます。

ご協力ありがとうございました。

※お寄せいただいたご意見、ご感想は新聞広告等で匿名にて使わせていただくことがあります。

※お客様の個人情報は、小社からの連絡のみに使用します。社外に提供することは一切ありません。

私は不幸にしてニヒリズムという狂気に陥ってしまったが故に、西洋思想のからくりが分かってしまったが、私がニーチェのように狂気に陥らずに済んだのは、日本には無の思想があったからである。

これがニヒリズム・無と歴史的古層との関係である。

あとがき

正直、私は三島の死を羨んだ。私にとって彼同様「経済的繁栄にうつつを抜かし」すだけの生は苦痛だったのである。そのとき私の頭に浮かんだのが、松陰が高杉晋作に宛てた手紙の一節である。

死して不朽の見込あらばいつでも死ぬべし、
生きて大業の見込あらばいつでも生くべし

私に大業の見込みあるかどうかは分からない。だが私は生き、書き続けることを天命として受け止めることにした。だから私の一生は不幸ではなかったと、今では思っている。

人類の没落——西洋のニヒリズム——

まえがき

本書の本来の表題は「『0（ゼロ）』の哲学としての武士道・無、および日本人の『考える』能力ゼロの頭」と「『有の数字の哲学と宗教（キリスト教）』から成る欲望と戦争と」であるが余りに長すぎるので、あれこれ考えた末、本作品の結論である『人類の没落』としたものである。

ちなみに『人類の没落』は、シュペングラーの『西洋の没落』をもじったものである。

序　章　私が祖国と愛国心を捨てた理由

私は特に自覚もなしに、人一倍、祖国を思い、愛国心を持っていたようである。だから三島由紀夫の死を羨ましくも、また彼のように死にたい気持ちもあった。が、日本人の無智、というより空っぽ頭に、そんなことをしてもなんの意味もないことも悟った。そのとき思い出したのが吉田松陰が高杉晋作に宛てた手紙の一節である。

死して不朽の見込あらばいつでも死ぬべし、
生きて大業の見込あらばいつでも生くべし

死ぬのは容易い。しかし無価値な死は意味がない。生きることの方が辛いが、それで大業とまでは行かぬにしても、いささかの業を成せればその方がいいと考え、私は著作に専念することにした。

それは辛かった（ニヒリズムに陥ってしまったこともあるが）、そしてその結論も辛かった。それは、日本は昭和二十年八月十五日に死んだ、というものだったからである。そこでそこに至るまでの論理的道筋を述べておく。

それはまず進化の問題に係わっている。進化とはそこにどういう理由があるにせよ、食うか食われるかの生存競争の世界である。

進化のメカニズムは次のように考えられる。

生命は自然環境のなかで生き延びるため、そこから情報を取り入れ、それを本能（あるいはそれに類するもの）に下降・蓄積し、その蓄積された情報を基(もと)に生を上昇させ、環境に適応できるように身体を変異させてきた。これはヒトも（生命だから）同じである。ただ、ヒトは言語を覚えてしまったから、それが言語情報に変わっただけである。そのことはヒトも食うか食われるかの戦争をする、ということである。ただヒトが他の生命と異なるのは、生命が「無」を生きているのに対し、ヒトが「時間と空間と」から成る「有る」の世界を生きることになったから、「死」の「無い(な)」が「苦」になったことである（この辺りのことは拙著『私の愛国心』で触れたので省く）。しかも西洋は古代から戦争社会であったから、人々はキリスト教の「永遠の命」という教えを利用して、国家の下に「考える我」に基づいて愛国心という嘘（虚構）を作り出し、それを植え付けられていった。そうしなければ、国家＝「我」が滅んでしまうからである。しかも西洋は大陸であり、国家と国家との戦争であるから、負ければ皆殺しにもされ、奴隷にもされるという運命が待ち受けていてもおかしくない。それはアメリカの黒人奴隷、ナチスのホロコースト等を考えれば分かることである。そこで彼ら国民（市民）は愛国心を持って、ほぼ全員で戦うことになった。そしてそれが歴史的古層化されること——この造語思想（後述）をここでは、取り敢えず愛国心という言語を無意識の層に、歴史意識として植え付けられること——になった。

それに対し日本はガラパゴス的島国だったから、外国との戦争はほぼなかった。しかも士農工商という身分的社会を生きてきた士は、その農工商（「村」人）に食わしてもらっていた関係上、武士と「村」人との関係は、福沢諭吉が『学問のすゝめ』の「一身独立して一国独立する事」の項で述べているように、武士の「主人」に対し、「村」人は「逃げ走る」「客分」という関係にあった。そのことは「村」人は「逃げ走る」だけであるから、「考える」能力はゼロ（考える視点がない）であり、国家意識もない空っぽ頭であり、武士との関係は半ばペットが主人に逆らえぬような位置にあった。

ところが明治新政府は、「主人」である武士の持っていた「考える」能力の原点である武士道を廃し、徴兵制による「村」人軍人化してしまったのである。それまで「逃げ走る」歴史しか持たぬ「村」人は、戦の歴史的古層を持たぬのにである。そこに大東亜戦争における日本兵が、勇猛かつ愚かに戦い、惨敗した理由がある。

そのように日本人全体は、ほぼ「村」社会的に思想進化した状態であったが故に、八月十五日、一晩眠ったからといって、日本人の本質（歴史的古層）はなに一つ変わらなかった。なぜなら歴史的古層とは進化に外ならぬからである。ただ彼らがはっきり自覚したのは、その空っぽ頭で「生は得」と「金儲け」とであった。だから戦後日本は、経済復興はしたものの、そんな有様だから国家の体を成していない。日本で国家統治能力を持っていたのは、かつて戦争をした武士だけだったが、それがまったく存在しなくなった（退化した）のだから、そうなるのが当然である。従って「逃げ走る」「村」人は、その空っぽ頭を西洋文明・思想をマネ（真似）して埋めるしかなかった。その結果、戦後の日本とは、日本語を喋る人間がいる以外、日本を見つけることが困難なほど、西洋の猿マネ社会になってしまった。

それはたとえば、意味も分からずただ民主主義を口走り、大学では訳も分からず西洋暗記鸚鵡教授が講義をし、学生もただいい就職口のために優秀な鸚鵡になろうと努力するだけになった。それは「逃げ走る」「客分」が、ただ金になりさえすればいいだけの知能しか発達させず「主人」の自覚を失っていった。

その結果として、日本人の無智は有りもしない権力を（日本はもう死んでいるのだから）作り出し、そのもう恐くはないものに文句を言って、金を巻き上げようとする振り込め詐欺的知能が生まれることになった。その典型が朝日新聞、大江健三郎氏等である。彼らがみなサヨク的であるのは、金儲けのためのものであるから、権力が保守であれば、サヨクとして文句を付けるしかないのである。しかも彼らは、西洋思想がニヒリズムを孕んでいることなど知るよしもない。つまり自前の「考える」能力を持たぬ彼らは、金儲けのために外国製のサヨク思想の、その本質を考える能力もなく、ただそれを借りてくるより外に方法がなかった。そんな借りものの中味のない「考える」視点のないものだから、彼らの発言は幼稚園児のように、ただ「反対」なのである。つまり資本主義に胡座（あぐら）をかいてのサヨクであり、その意味を理解する能力もなく、ただ金儲けのためにやっているだけなのである。また国民も空っぽ頭だから、そんな彼らの魂胆など見抜けるはずもない。

ただし彼らは別に悪気があってやっているわけではない。ただ空っぽ頭だからそも「考える」能力がないだけの話である。彼らが「考える」能力ゼロだというのは、自前のそれがなく、外国からの質の悪い借りものの頭で「考えている」と思っている、すなわち中味のない猿マネをしているだけだ、ということである。
自前の頭で考えるとは、三島が三島事件の檄文で「自由でも民主主義でもない。日本だ。われわれの愛する歴史と伝統の国、日本だ」というところで「考える」ということである。

私が祖国と愛国心とを捨てたのは、歴史的古層において「逃げ走る」「客分」という、自前の頭で「考える」能力のない空っぽ頭にまで思想退化（ペット化）してしまった彼らに、何を言っても無駄だと悟ったからである。「話せば分かる」ではなく「馬鹿に付ける薬はない」である。

そんな彼らの頭には、戦後日本の平和が、単に駐留米軍によって冷凍保存されているだけで、彼らが去ったらハゲタカの餌食になるだけだ、ということが分からない。私は日本人がそこまで思想退化していることが分からず苦しんだが、ようやく得心が行き匙（さじ）を投げ、祖国と愛国心とを捨てた。戦争に負けて滅びる国はあっても、せっかく蘇った国を、今度は自ら滅ぼそうとするような民族は、正直、賞味期限切れである。

私にこれを書かせるのは、故郷（ふるさと）への哀悼からである。

第一章　人類の没落

1

序の続きとして、日本人の「考える」能力がなぜゼロなのか、というところから始めたい。

まず新渡戸稲造著『武士道』であるが、これは西洋キリスト教徒——彼は武士だったが、維新後、キリスト教に転向した——には理解できても、武士にはまったく理解できぬ書物である。

しかしある時この著書に、ある重要な指摘のあることに気づいた。それはその著書の「第一版序」である。そこに次のような記述がある。

約十年前、私はベルギーの法学大家故ド・ラヴレー氏の歓待を受けその許(もと)で数日を過ごしたが、或る日の散歩の際、私どもの話題が宗教の問題に向いた。「あなたのお国の学校には宗教教育はない、とおっしゃるのですか」と、この尊敬すべき教授が質問した。「ありません」と私が答えるや否や、彼は打ち驚いて突然歩を停め、「宗教なし！　どうして道徳教育を授けるのですか」と、繰り返し言ったその声を私は容易に忘れえない。当時この質問は私をまごつかせた。私はこれに即答できなかった。というのは、私が少年時代に学んだ道徳の教えは学校で教えられたものではなかったから。私は、私の正邪善悪の観念を形成している各種の要素の分析を始めてから、これらの観念を私の鼻腔（びこう）に吹きこんだものは武士道であることをようやく見いだしたのである。

この小著の直接の端緒は、私の妻が、かくかくの思想もしくは風習が日本にあまねく行われているのはいかなる理由であるかと、しばしば質問したことによるのである。

新渡戸にはラヴレー氏の「宗教なし！　どうして道徳教育を授けるのですか」の意味が理解できなかったか、あるいは誤解したかである。なぜなら後述するが、当時の日本庶民の間に道徳など山ほどあったのだから。

彼は武士の家に育ったから、その「道徳教育」を「武士道」として解するしかなかったのだろう。そして彼が理解していなかったのは、「どうして道徳教育を授けるのですか」の意味が、「どのような価値基準で考えるのですか」ということだ、ということである。

そのことは明治になって、それまでの武士道という唯一の「考える」ことのできる思想を失うことで、日本人はマネする能力はあっても、「考える」能力ゼロの民になってしまったのである。それゆえ戦後「考える」能力ゼロの空っぽ頭になってしまった日本人は、そこを西洋文明・思想で埋めるしかなかった。

いずれにせよ新渡戸のこの「第一版序」は重大な意味を持つ。それは武士道とは宗教だ、ということである。

では、なぜ武士道（禅もほぼ同様）を日本人は、後世に伝えることができなかったのか？　それは武士道が、後述する「『0（ゼロ）』（無）の哲学」だったから言葉に表せなかったのに対し、西洋文明・思想が「有の数字の哲学と宗教と」から成る欲望と戦争との思想だったから、言語表現が可能だったのである。

そしてこの「『0（ゼロ）』の哲学」に近い哲学を西洋で唯一理解できたのがニーチェであり、そのニヒリズム（虚無）である。むろん無と虚無とはまったく別とも言えるが、それらはそのメカニズムにおいては極めて近く、彼が仏教に関心を寄せた理由もそこにある。

そして私がここでやろうとしていることは、ニーチェの言うニヒリズム（虚無）と同時に、無（「『0（ゼロ）』の哲学」）のなんであるかを解くことである。

2

私が神話に関心を寄せたのは、ニーチェの『ツァラトゥストラ』という意味不明な書物によってであった。正直、何度読んでも私には何を言いたいのか、またどうして神話という形を取ったのか分からなかった。

私にそれが分かりはじめたのは、私が無を知り、ニヒリズムに陥ってからである。それも今だからこうして言えるが、当時の私にはそうした認識はまったくなかった。ただ狂気に陥り精神科医に通う現実があっただけである。そしてその苦しみを通して、今日ようやく無とニヒリズムとの何であるかを知るに至った。

すでに述べたように、生命は自然環境から情報を本能（あるいはそれに類するもの）に下降・蓄積させ、その蓄積された情報を基に生を上昇させ、環境に適応できるよう身体を変異させるのが進化だと述べた。そしてヒトはその情報の下降および蓄積、さらにそこからの生の上昇を言語化させた存在だとも。

この言語化とは価値化ということである。つまりサルは本能で食べられる餌等を判別していたものを、ヒトはそれを食べられるもの（むろん食物に限らず、ヒトに恵みを与えるもの）に言語よりなる価値を与えたのである。

するとその言語情報の下降・上昇の交差するところに「意識（言語）の流れ」としての、それまで混沌流動としていた無に、意識よりなる虚構（嘘）としての「有る」の世界が浮かび上がることになった。つまりヒトは自己の価値の拡大のために、混沌流動としていた無の世界を言語（価値）によって切り分け、その「有る」の世界における価値の拡大が「考える」ことの始まりとなったのである。そしてその「有る」の驚き、恐れ等を神々（神）として現したのが神話である。

だから、私の関心は神話にあるのではなく、それが現れる最初期の「有る」の部分なので、従ってそれにしか触れない。

まず古事記である。

それ（そもそも）、混元すでに凝りて（混沌たる宇宙万物の元気、これが凝結したとは、やがて天地が開けようとする萌芽を含むさま）、気象（萌しと形は）いまだ効れず、（その元始の）名もなく、為もなし、誰かその形を知らむ（誰もその形を知りません）。

しかれども、

乾坤初めて分かれて、参神造化（創造）の首となり、

陰陽ここに開けて、一霊（二命）群品（万物）の祖となりき。

これが『旧約聖書』の「創世記」になると次のようになる。

一　天地創造

神が天地を創造した初めに――地は荒涼混沌として闇が淵をおおい、暴風（神の霊）が水面を吹き荒れていた――「光あれ」と神が言った。すると光があった。神は光を見てよしとし、光と闇とを分けた。神は光を昼と呼び、闇を夜と呼んだ。

神話についてこれ以上、言及する積もりはない。私の関心は、ヒトが言語情報の下降・上昇の交差するところに「意識の流れ」としての、それまで混沌流動としていた無に、意識による虚構（嘘）として現れた神話の最初期の「有る」の部分だからである。つまり「有る」とは「何か？」であって、その「有る」形状は様々あるが――それは造物者（神の意ではない）の作った無（四次元）から生まれたものだから、外形上はともかく、それはどこかに無を孕んでいるもので――私がここで問題とするのは主に二つである。一つはインド哲学から生まれた仏教の「『0（ゼロ）』（無）の有る」と、今一つは、気候の乾燥化（砂漠化）から生まれたギリシャ哲学とキリスト教との「有の数字」の「有る」である。前者は武士道・禅の色即是空の「有る」であり、後者は西洋哲学・キリスト教のニヒリズム（虚無）を孕んだ意識（三次元身体）上の「有る」である。ちなみに後者の神は、意志的に人によって作られたものである。

これ以外にも、日本「村」人の「逃げ走る」「客分」の「有る」もあるが、彼らのそれは思想退化している（空っぽ頭の「私らしきもの」があるだけだ）から問題としない。

日本の無は、インド哲学の解脱の思想から生まれた仏教が渡来したものである。「0（ゼロ）」

の「有る」とは色即是空の色であり、それは現象界における物質的存在は、実体のない「空」としての「有る」である。そしてそれは禅の無に等しい。無とは四次元身体のことである。

そも無とは、たとえば夜、座禅に着き、その後、禅定の無に入り、気づいたときには夜が明けていた、というようなものである（西洋人にはこれが理解できない。「眠っていたんだろう」程度である。しからば眠るとどうして無になるのか、と聞いても答えられない。彼らには無の本質が理解できない）。

これは身心脱落によって進化を逆行し、原ヒトとしての肉体の無に達してしまった、ということである。

この境地は色即是空と同じである。つまり言語のもつ価値を脱落し、物質的存在の世界、すなわち色の世界は価値を失い、色が空になることによって無を悟る、ということである。

それに対し、キリスト教の「有の数字の哲学」について先走って言えば、デカルトの「我考える、故に我あり」の「有る」は単なる意識（三次元身体）である。しかもこれはニヒリズムを孕んだ「我」である。日本人はこの「我」を持たぬし、――「我」と思っているのはただの意識の流れである――理解もできない。理解できぬものをマネするから、戦後の日本人の頭は滅茶苦茶なってしまったのである。

3

『ツァラトゥストラ』について言及する前に、いくつか下準備として私の造語思想等について触れておく。

まず宇宙は四次元であるから、そこに存在する生命も四次元である。つまり生命は四次元の本能という無の世界を生きているのである。しかるにヒトは、進化による言語（価値）化によって「時間と空間と」からなる三次元世界を生きることになった。そうであれば当然、身体もそれに伴って進化することになる。つまりサルの本能の身体だけではなく、それを四次元身体に進化させると共に、三次元身体という意識（時間）上に快苦を感じる虚構の身体をも合わせもつ身体に変異することになった。すなわちそれによって、三次元身体という意識中を言語情報が下降し、それを四次元身体に蓄積し、その蓄積された情報を基（もと）に、ヒトはそこから生を上昇させ言動するようになったのである。そしてそのサルの本能から変異した四次元身体に蓄積された言語（価値）の部分を古層と呼び、それが歴史化されたものを歴史的古層と呼ぶ。

それはたとえば、日本「村」人（農工商）は長年「逃げ走る」「客分」という「考えず」ともよい生活をしてきたから、一切その歴史的古層に「考える」能力は発達せず、空っぽ頭化（退化）してしまった。従って戦後の、武士を失った完全に「考える」能力を欠いた日本人は、そこを借りものの、ニヒリズムを孕んだ西洋文明・思想で埋めることになった。しかし埋めるにしてもそこはすでに退化した頭であるから、暗記鸚鵡化するしかない。それは今日、日本にどれだけ日本と呼べるものが残っているかを考えれば分かることである。

さらにサルの持っていた本能は四つの本能的価値（食餌、生殖、闘争、群れの諸価値）に進化した。

ただし、すでに挙げたデカルトの「我」はそれとは異なる。そこには群れ本能的価値がない。

それはヨーロッパが古代より戦争社会であり、それに勝たねばならなかったが故に――それがため死に強いキリスト教が利用されたのであり――従ってその本能的価値のなかには、群れ（私たち）本能的価値という「我考える」を許さぬ価値が障害となったのである。つまり生命という群れ本能をもつヒトは、本質的に「私は考える」ことができぬ存在だ、ということである。そこでヨーロッパ人は戦争に勝つため、群れ本能的価値を破壊し、それに代えてキリスト教疑似群れ集団価値を作り出し、それに帰属する者は「我考える」を可能にしたのである。つまりデカルトの「我」は、ニヒリズム（群れ本能的価値が破壊されている）を孕んでいるのである。

この事実は、デカルトの哲学に肉体がないのは、彼の「我」はただ虚構からなる意識（三次元身体）だけであって、四次元身体のない、自然生命としては片端（ニヒリズム）だ、ということである。つまり思想進化において、生命進化の本道を外れ、欲望と戦争のために群れ本能的価値を失ったキリスト教はニヒリズムに陥った、ということである。その意識から成るキリスト教文明に疑念を抱いたのがフロイトである。

ニヒリズム（虚無）は実に厄介な概念である。これは無が厄介なのも同じだが（説明できぬのだから）、無は一応、肉体の思想として成り立っている。両者は、まったく同じメカニズムによって進化を逆行させ、価値を脱落させることでは同じなのだが、日本は戦争社会ではなかったから、群れ本能的価値を維持してきた、つまり健全な進化としての本能的価値を持っていた。

それに対し西洋戦争社会にあっては、群れ本能的価値は破壊され、そこをキリスト教疑似群れ集団価値で埋めるという関係にあったから——西洋人がみなユダヤ・キリスト教徒なのはこのためであり——その状態で、進化の逆行によって一切の価値が脱落すると、キリスト教という価値も脱落し、その結果、群れ本能的価値を欠いた進化としての不完全な本能的価値になってしまうことによって、その不完全になった間隙を縫って、進化の逆行がサルの群れ本能にまで達してしまうことになる。これはヒトとして成り立たぬことを意味する（極めて苦痛である）が、同時に生命が肉体に持つ「力への意志」を「神秘体験」（神とは関係ない）を通して感じ取ることができることにもなる。

そのことは、ニヒリズムそのものは善悪といったものではなく、それが問題となるのは、それがキリスト教に覆い隠されている状態にある限りにおいて、極めて悪質なものになる可能性がある、ということである。ヒトラーなどはその典型である。

まず前者の無について述べれば、武士は武士道を、禅者は座禅をもって修行を行い、身心脱落という進化の逆行によって、本能的価値を維持する原ヒトにまで価値を脱落し、解脱（「『0（ゼロ）』＝無の哲学」）の境地に達することによって無に至る。

それに対し虚無である砂漠に生まれたキリスト教は、本能的に生き延びるために「有の数字」としての欲望と、そのための戦争（従って彼らにとって戦争は善）との歴史的古層を持つに至った。それゆえ群れ本能的価値を破壊したのである。つまり彼らの「我」は、本来『聖書』に基づく純キリスト者であるべきなのだが、彼らは戦争社会を生きてきたから、半ば必然的にキリスト教は戦争宗教化してしまったのである。そしてそこに進化の逆行が起こり、キリスト教という価値が脱落すると、ニヒリズムが露呈することになった。これがニーチェの場合である。

ニヒリズムそのものは、すでに述べたように苦痛であるだけで善悪の問題ではなく、むしろ思想的には、原ヒト以前（サル。ただし両者の関係は明確ではない。言語以前の世界だから）から歴史を見上げることができるから、その視線はパースペクティブ（複眼的＝サルから意識までの視点）になることが可能である。だからニーチェは賢者の視点を持つことができたが、それがキリスト教という欲望と戦争とを肯定する宗教に覆い隠されると――群れ本能的価値が破壊されているが故に――極めて非人間的宗教になる。それがアメリカの黒人奴隷制、原爆投下、ナチスのホロコースト等を生み出すことになったのである。西洋キリスト教文明は、それがニヒリズムを孕むが故に、ヤクザ組織（侵略、略奪、戦争）文明として優れていただけのことである。

ニーチェがキリスト教を批判し、また彼自身キリスト教徒でありながらそれを否定してしまった――それは彼の意志ではなく、神秘体験のような偶発的なことによるものであっても――その結果、彼の内部にあったニヒリズムが露呈したのである。それが彼のキリスト教とニヒリズムとの関係である。

4

そうであれば、ニヒリズムに陥ったニーチェの神話『ツァラトゥストラ』には、サルから原ヒトへの進化の過程が描かれているはずである。それが以下の文章である。

> 君はおのれを「我」と呼んで、このことばを誇りとする。しかし、より偉大なものは、君が信じようとしないもの――すなわち君の肉体と、その肉体のもつ大いなる理

性なのだ。それは「我」を唱えはしない。「我」を行うのである。

感覚と認識、それは、けっしてそれ自体が目的とならない。だが、感覚と精神は、自分たちがいっさいのことの目的だと、君を説得しようとする。それほどにこの両者、感覚と精神は虚栄心と思い上がったうぬぼれに充ちている。

だが、感覚と精神は、道具であり、玩具なのだ。それらの背後になお「本来のおのれ」がある。この「本来のおのれ」は、感覚の目をもってもたずねる。精神の耳をもっても聞くのである。

こうして、この「本来のおのれ」は常に聞き、かつ、たずねている。それは比較し、制圧し、占領し、破壊する。それは支配する、そして「我」の支配者でもある。

わたしの兄弟よ、君の思想と感受の背後に、一個の強力な支配者、知られない賢者がいるのだ、――その名が「本来のおのれ」である。君の肉体のなかに、かれが住んでいる。君の肉体がかれである。

君の肉体のなかには、君の最善の知恵のなかにあるよりも、より多くの理性がある。しかし、いったい何のために、君の肉体は、君の最善の知恵を必要とするのだろうか。「本来のおのれ」は君の「我」と、その得意げな跳躍をあざわらう。「思想のこういう跳躍と飛翔（ひしょう）、それはわたしにとって何なのだ」と、「本来のおのれ」はみずからに言う。「それはわたしの目的地に至るべき回り道だ。わたしは『我』の手引き紐（ひも）であり、『我』のもっている諸概念の吹込み人である」と。

「本来のおのれ」が「我」にむかって、「さあ、苦痛を感ぜよ」という。すると「我」は悩み、そしてその悩みを解消するには、どうすればいいかを考えめぐらす。——まさにそのために「我」は考えねばならなくなるのである。

「本来のおのれ」が「我」にむかって、「さあ、快楽を感ぜよ」という。すると「我」は楽しんで、もっとしばしば楽しむためにはどうすればいいかを考えめぐらす。——まさにそのために「我」は考えねばならなくなるのである。

まず「君はおのれを『我』と呼んで」の「我」（これはデカルトの「我」）は、言語情報の下降・上昇とが交差するところに現出した「有る」ではあるが、西洋人にとってこの「有る」は、肉体のないニヒリズムを孕んだ「我」である。それは肉体のない主観（意識）から客観を眺めた「我」なのだが、ニーチェはそんなものはなんら「偉大なもの」ではなく、それは「君が信じようとしないもの——すなわち君の肉体と、その肉体のもつ大いなる理性（ニヒリズム）なのだ」（この「大いなる理性」は、すぐ後の「肉体のなかに住んでいる『本来のおのれ（ニヒリズム）』」と同じである）。

この「肉体のもつ大いなる理性」は「『我』を唱えはしない。『我』を行うのである」とは、西洋の哲学者のように「我考える」主観（意識）によって「『我』を唱え」ぺらぺらと喋りはしない、肉体のもつ「我」を行うのである。

また「感覚と認識、それは、けっしてそれ自体が目的とならない。だが、感覚と精神は、自分たちがいっさいのことの目的だと、君を説得しようとする。それほどにこの両者、感覚と精神は虚栄心と思い上がったうぬぼれに充ちている」とは、「感覚と認識」とだけでは目的とならず、「感覚と精神」とによって主観と客観とが成り立つ「ことの目的だと、君を説得しようとする。それほどにこの両者、感覚と精神は虚栄心と思い上がったうぬぼれに充ちている」のである。

「だが、感覚と精神」という、主観と客観とによる思想は「道具であり、玩具なのだ。それらの背後になお『本来のおのれ』（「肉体のもつ大いなる理性」）があるのである」（ニーチェは明言していないが、デカルト以後の主観と客観との問題など実に下らぬ、と暗に示しているのである）。

なお、この「本来のおのれ」は、サルの本能が進化によってヒトの四つの本能的価値（食餌、生殖、闘争、群れの諸価値）に変異したものであるのと同時に、それはすでに述べた歴史的古層の歴史的が外れた古層でもある。つまり古層とは本能が進化によって言語化したものである。

そしてそれはヒトの意識に直に現れてはこぬが、ヒトはその本能的価値・古層に支配されていることを、ニーチェは次のように説明する。

「こうして、この『本来のおのれ』は常に聞き、かつ、たずねている。それは比較し、制圧し、占領し、破壊する。それは支配する、そして『我』の支配者でもある」は、サルの本能から進化した四つの本能的価値・古層が「常に聞き、かつ、たずねている（それは「我」（意識）がそうしているわけではない）」ということで、「それは比較し、制圧し、占領し、破壊する。それは支配する」とは、この「本来のおのれ」はサルの本能に由来する本能的価値・古層であるから、それらのことができるのであり、同時に「『我』（意識）の支配者でもある」のである。

そしてそれが「わたしの兄弟よ、君の思想と感受（感覚）の背後に、一個の強力な支配者、知られない賢者（「力への意志」）がいるのだ、――その名が『本来のおのれ』（本能的価値、古層）である。君の肉体のなかに、かれが住んでいる。君の肉体がかれである」のである。

また「君の肉体のなかには、君の最善の知恵（思想）のなかにあるよりも、より多くの理性がある」とは「我」（意識）よりも「肉体のなかには、より多くの理性（ニヒリズム。分かりにくいだろうが取り敢えず無と考えればよい）がある」のに「いったい何のために、君の肉体は、君の最善の知恵（思想）を必要とするのだろうか」ということである。

さらに彼はこの「『本来のおのれ』は君の『我』と、その得意げな跳躍をあざわらう。『思想のこういう跳躍と飛翔、それはわたしにとって何なのだ』と、『本来のおのれ』はみずからに言う。『それはわたしの目的地に至るべき回り道だ。わたしは「我」の手引き紐(ひも)であり、「我」のもっている諸概念の吹込み人であると』と」言う。このことは「我」とは「本来のおのれ」（本能的価値、古層）による「わたし」の「手引き紐」、「諸概念の吹込み人」によって支配されている（からくられている）、ということである。

このことを彼は別の著作で、「主体は虚構である」と言っていることに等しい。すなわち「我」という主体（意識）は、本能的価値・古層・四次元身体に「からくられている」（支配されている）ということである（ちなみにこの「からくる」は、三島著『葉隠入門』

で武士道のニヒリズムとして引用されているものである。後述）。

そしてさらに、この「わたし」である「『本来のおのれ』（四次元身体、古層、本能的価値）が『我』（三次元身体という「有る」の意識）にむかって、『さあ、苦痛を感ぜよ』という、すると『我』（意識）は悩み、そしてその悩みを解消するには、どうすればいいかを考えめぐらす。――まさにそのために『我』（意識）は考えねばならなくなる（つまり「本来のおのれ」（四次元身体）は意識（三次元身体）に苦痛を伝えようと悩む）のである」。

これは次の「さあ、快楽を感ぜよ」もまったく同じメカニズムの上に成り立っている。

つまりヒトは「肉体のなかに住む『本来のおのれ』という「わたし」」（四次元身体、古層、本能的価値）の「手引き紐」「諸概念の吹込み人」によって、からくられている「我」という意識（三次元身体）という虚構（嘘）の「有る」の身体を生きる存在だ、ということである。

ここにニーチェがサルの本能から、ヒトの四次元身体に変異すると共に、意識（「我」）を生み出し三次元身体を作り出していることが分かろう。

ここで一言注記しておけば、西洋人の「我」と日本「村」人の「私らしきもの」（武士は除く）とはまったく別物だ、ということである。西洋は戦争社会だったから、デカルトの神の保証の下に「我考える」に至ったのに対し、日本人の「考える」はまったく神話初期の「有る」のままであって、そこに「私」はない。

日本人は、そうした東西の思考の根本的違いが分からぬから、暗記鸚鵡化してしまうのである。そのことは日本人にとって、主観・客観など問題外だということである。それは日本が民主国家を自称しながら、軍隊も持たず、自ら憲法を作ろうともせぬことによって証明されている。つまり戦後民主主義とはまったくの虚仮（こけ）である。

そこでヒトにとって大きな問題となるのが、この「有る」ことによって生じる死という「無（な）い」ことへの恐怖と共に、「有る」（意識）上に感じざるを得なくなった快苦の問題である。ここに宗教のもつ自己偽善および集団ヒステリーの問題が生ずることになる。

5

宗教における自己偽善は特に強いものであり、また集団ヒステリーと共通する面もあるが、別のものと見た方がよい。ただし宗教が肉体的苦痛にほとんど無力なのは、医療の発達によって病苦の軽減を宗教に求める者が、ほとんどいなくなったことからも明らかだろう。ただ神への信仰の癒やしが、心の苦痛を和らげるだけである。

自己偽善とは、ヒトは虚構（嘘）の世界を生きているから、無自覚にも自己を嘘で騙し、その騙しの能力によって、より上位の価値をもつ神という虚構（嘘）の存在を作り出し、それに祈ることによって、生の上昇による価値の拡大の快により、苦を癒やそうとするものである。

それをアナトール・フランスは次のように言う。

人は自分で神を作り出し、それに隷属する

つまり人は神の国（天国等）という永遠の命の世界という嘘（虚構）を作り出し、その価値を信仰することによって、死への恐怖から癒やされるのである。

ここで神について一言付言しておく。それはその外形は日本と西洋とでは大きく異なるが、その本質は、生命が進化において戦い生き残るために、「考える」ためのフランスの言う自己偽善に基づくものだ、ということである。しかし神の性質およびそのメカニズムは東西において異なり、日本においては武士道（禅）であり、西洋においてはキリスト教である。さらに前者の神が人（天皇、主君）であるのに対し、後者は『聖書』である。

そのことをよく承知していたマッカーサーは、天皇に人間宣言をさせた訳だが、それに憤ったのがわずかに三島くらいであったことに、彼は思わず日本人を十二歳の少年だ、と言ったのである。つまり「考える」能力ゼロに退化した民族だと。

しかし心（精神）の問題は神だけでは解決できない。永遠の命の問題ではなく、現今のそれだからである。

そこに生命がその本質にもつ生の下降・上昇の内にある肉体が本来もつ「力への意志」としての「肉体の無」の問題が生じる。

「力への意志」のもつ集団ヒステリーは、生命がただ生き延びるために、他の生命を殺し食い、またその敵から逃れるための本能として帯びているものである。

それは誰に教えられたものでもない生命の本能である。

草食動物は草を食い、それらに肉食動物が襲い掛かってくれば、それらはそれらの持つ草食動物的集団ヒステリーによって逃れ、また肉食動物もただ生き延びるために、草食動物を食うという集団ヒステリーを本能に組み込まれている。しかも生命（動物）は無を生きているから、そこに快苦はない。しかし生命のもつ集団ヒステリーの性質は、当然ヒトに進化しても失われることはない。つまりサルから進化したヒトは、その双方の集団ヒステリーを、本能的価値、古層、四次元身体に組み込まれているのである。ただヒトは、進化によって言語（価値）化されることによって、快苦を感じることになったことが異なるだけである。

宗教のもっとも大きな要因は、ヒトが持ってしまったこの苦から逃れられぬところにある。

苦に対する宗教にできることは、ただ必死に祈ることによって、我を忘れるまでに生のもつ「力への意志」下の言語（価値）を失った無の生の下降・上昇に至ることによって、苦から解放されることである。

ヒトはそれを本能的に身につけた。それは禅における禅定の無に入ることと同じであるが、そこに至るのが極めて困難なように、祈りによって無に入ることも難しい。
さらにヒトは群れ本能的価値を持っているから、そうした祈りを教会、寺院等のようなところで行うことで、共感性価値が得られることを半ば本能的に知り、多くはそのような場所で行われる。

またこの対極に、群れ本能的価値のもつ集団ヒステリーによる生の上昇としての快を得ようとするのが、宗教としての祭りである。そしてこの快はまた、宗教としての苦への癒やしとしての快ともなる。

さらにそれが敵と遭遇した場合に起こるのが、軍事的集団ヒステリーであり、ヒトはそれを愛国心と呼ぶ。そしてこの場合も、生の上昇としての集団ヒステリーの快を呼び起こすことによって、死への恐怖が和らげられる。
ただしヒトの場合、草食動物・肉食動物、双方の集団ヒステリーを古層に帯びているから、戦後の日本人のように、完全に「逃げ走る」「村」人の草食動物的集団ヒステリーが歴史的古層化しているような場合、肉食動物的集団ヒステリーを取り戻すことは極めて難しい。

ところで宗教といっても、それぞれ著しく異なる。日本における浄土教、禅宗等、また西洋のキリスト教とではかなり異なる。

浄土教は主に「逃げ走る」「村」人の空っぽ頭のものだから、現代医学の発達によってほぼ消滅してしまった。また禅宗（武士道）という「『0』（無）の宗教」は、戦後、西洋からの「有の数字の哲学と宗教と」の流入によってこれまた壊滅状態にある。

6

西洋キリスト教文明・思想は、これまで述べてきた自己偽善の巧妙さの上に成り立っている。巧妙さといっても、彼らはそうしたくてしたわけではなく、そこが戦争社会だったから、そうなっただけのことである。

たとえば今日のキリスト教国・アメリカである。

彼らは大統領就任の宣誓式を、大統領は『聖書』に手を置いて行う。しかしその『聖書』の「マタイ福音書」には次のような記述がある。

イエスは弟子たちにいわれた、「本当にいう、金持が天国に入るのはむずかしい。繰り返すが、らくだが針の穴を通るほうが金持が神の国に入るよりやさしい」と。

あなた方が聞いたようにこういわれている、『目には目、歯には歯』と。しかしわたしはあなた方にいう、悪者にさからうな。あなたの右の頬(ほお)を打つものには、ほかの頬をも向けよ。あなたを訴えて下着を取ろうとするものには上着をも取らせよ。

あなた方が聞いたようにこういわれている、『隣(となり)びとを愛し、敵を憎め』と。しかしわたしはあなた方にいう、『敵を愛し、迫害者のために祈れ』と。

それに対してアメリカの現状は、「創世記」の「ソドムの滅亡」状態にあると言ってもよい。なぜ彼らは『聖書』に記してあることを、一行たりとも守ろうとせぬ偽善社会を作り上げたのか？

それは彼ら自身生き延びるために、自らに自己偽善による嘘をつき、自らもそれに騙されると同時に、他人をも騙すことによって生き延びてきたからである。つまり西洋キリスト教文明・思想は、その長い歴史の間に、自らが生き延びるために「有の数字の哲学と宗教と」から成る欲望と戦争とによる自己偽善によって、『聖書』に記された「ソドムとゴモラ」へと自らを回帰させていったのである。

その現れとなるのが、神を利用価値にまで引き下げたデカルトの次の文章である。

だがかように、我々が何らかの仕方で疑い得る一切のことを斥け、かつ虚偽であると考えることによって、我々はなるほど神も天も諸物体も存在せず、また我々自らが手も足も、そしてついには全く肉体をも有たないと、想定することは容易であろう。しかしその故に、かようなことを考える我々が、無であると想定することはできない。というのも考えるものが、考えるその時に存在しないことは不合理だからである。それ故に、「我考える、故に我あり」というこの認識は、一切の認識のうち、誰でも順序正しく哲学する人が出会う最初の最も確実なものなのである。（『方法叙説』）

ところで、彼にそうした哲学を抱かせた一因には、その頃までに、イスラム圏に保存されていたギリシャ哲学、およびそれの持つ数学（幾何学）の影響が少なからずあったことを指摘しておく。

さらに彼は自らの哲学の原理を証明するために、神を次のように利用する。それを竹田青嗣著『哲学入門』から一部改めて取らせていただく。

「我」は疑う。そうである以上「我」は完全な存在ではない。完全なものは疑ったりしないからだ。ところで「我」の中の神の観念は「完全な」概念だが、この観念は「我」から生じたとは考えられない。なぜなら、そうだとすると、完全なものが不完全なものから生じたことになってしまうからである。するとこの神という完全な観念は、「我」以外のどこかに存在する何か完全なものから生じたと考えるほかはない。「我」のうち「完全」かつ「無限」な観念の原因として考えられるのは「神」以外にはありえない。われわれはそういう完全で無限な属性を持った存在を神と呼ぶのだから。

デカルトの「神の存在証明」は、高等ペテン師の論理である（フランスの言葉を思い出せば分かることである）。しかし問題は、当時のヨーロッパにおいてその論理が通ってしまったことである。そのことはすでにヨーロッパ人の間に、キリスト教がニヒリズム化していたことを意味する。

なぜならその後、ヨーロッパ哲学史において、主観と客観との一致が問題となるからである。それはニーチェのところでも述べたように、肉体を外した意識だけで考えるから、そんな問題が生じるのである。

すでに述べたように、ヒトは言語情報の下降・上昇の交差するところに意識＝「有る」を生み出したにすぎぬにも拘わらず、ヨーロッパは戦争社会であったが故に、「我」で「考え」ねばならなくなった結果、群れ本能的価値を破壊し、そこをキリスト教群れ集団価値で穴埋めし、「我考える」を可能にしたのである。それ故彼らは「我」からしか世界を見れず、それを主観とし、「我」の外に広がる世界を客観としたに過ぎない。すなわち、神は群れ本能的価値の穴埋めとして存在すればいいだけであるにも拘わらず、彼らは「我」を得た見返りにそれに隷属しなければ生きて行かれなくなった。

その状態をパスカルは次のように批判する。

私はデカルトを許すことができない。彼はその全哲学のなかで、できれば神なしにすませたいと思った。だが彼は世界に運動を与えるために、神に最初のひと弾き（はじ）をさせないわけにはいかなかった。それがすめば、もはや彼は神を必要としない。

しかしデカルトにとって、パスカルの批判も、自らの哲学がニヒリズムを孕んでいることも、主観と客観との一致の問題も、また自分の哲学に肉体のないことも、彼にはどうでもよかったのである。彼にとって問題だったのは、「我考える」の視点を持つことだけであって、その他のことは自己偽善によって完全に葬り去られたのである。

私はニヒリズムを厄介だと言ったが、それはデカルトの哲学に見られるように、そこに肉体があるのに無（な）いことにしたところにある。そのことはニヒリズムは無と違って、肉体の思想として成り立たぬ、ということである。

むろんデカルトにそのことは意識できていなかったから、彼の哲学は次のような問題を惹起するのである。

第一に、生命は肉体という無の生の下降・上昇を生きているのを、ヒトはそれを言語情報の下降・上昇に進化させ、そこに「有る」を現出させた。ところがそれをデカルトは、その肉体のもつ無（「0」）の生の下降・上昇を捨て去り、ただの言語情報の下降・上昇（意識）だけにしてしまったのである。デカルトの哲学に肉体がないとは、そういうことである。と同時に進化も葬り去った。

第二に、デカルトの肉体のない「我」とは、虚構（意識だけ）であって、それに対して造物者が作った地球という自然は、四次元生命の（四次元身体も含めた）ものであり、それを西洋人のように三次元身体という虚構（意識）だけの存在であるニヒリズムを帯びた、進歩の名の欲望と戦争とに走る「我」だけにすることによって、自然を勝手に破壊して行くことは、いずれ地球をヒトの住めぬ環境にしてしまうだろうことである。

第三に、自然科学とは、そもそも生命そのものが生存のために殺し合うところに生まれた殺しの学問であって、そのためにヒトが自然の配列を数学によって並べ換えることは、西洋文明の本質が欲望と戦争とから成っていることの証であり、その欲望は人命を犯し、また自然をも破壊することになる。それは確かにヒトに利益を齎しはしたが、それは同時に西洋人がヒトの幸福はニヒリズムを孕んだ「我」の「有の数字」（欲望）を増すことだとしか考えられぬ、という欠陥に繋がることになった。彼らは肉体の思想を切り捨てることによって、ニーチェのいう「肉体のもつ大いなる理性」による歯止めが利かなくなる、ということが分からなかった。

つまり科学の欲望は、一方においては核戦争に走らせ、また他方、原子力発電という恵みを齎すにしても、それは福島第一原子力発電所事故が示すように、所詮、自然の脅威には立ち向かえぬ、ということである。

しかも西洋人の頭の悪さは、デカルトの「我」でしか考えられず、その頭で核兵器を作り出したのであれば、その同じ悪い頭がどうして「核兵器のない世界」を実現できると考えられるのか、ということである。

そうした西洋キリスト教文明に対し、ニーチェは価値の転換を言った。そうしない限り、核兵器以外にも、人類に様々な災厄を齎すものを取り除くことは出来まい。彼が仏教に関心を寄せた理由もそこにあった。仏教はニヒリズムを孕んでいないから。

第四に、西洋文明は砂漠に生まれたから、「我」の欲望と戦争と（進歩としての価値の拡大）を歴史的古層に植え付けられており、しかもそれが「我」化しているから、「私たち」の幸福という価値観がない。つまり何兆円もの金を持つ者も、それを増やそうという発想はあっても、それを貧しい者と分かち合おうというそれがない。彼らは世界をすべて「有の数字」の拡大からしか見れぬのである。だから彼らにとって、たとえばゴッホの絵は数億円の値が付けられているから美しいのであって、美しいから数億の値が付いているわけではないのである。もし美しさを求めるのなら、多量の複製画を生産すれば済むことだ、という発想ができない。

それに対して「『0』の哲学」を生きてきた、かつての日本人は無心だったから、0円の価値しか持たぬ月に美を感じることができたのである。

それに比べ、西洋人は0円の月に対して美を感ずることはない。ただそこから、欲望から成る「有の数字」を引き出そうと月へ行くだけである。それによって「我」の欲望は満たされるかもしれぬが、「我々」（私たち）のためにはなんの恩恵も齎さない。つまり西洋人は金目でしか世界を見れぬのである。

彼らの頭の悪さは、たとえば共産主義思想にも見て取れる。彼らは歴史的古層において群れ本能的価値を破壊されているから、群れ（私たち）の共感性価値（過去の日本人が持っていたもの）を持たず、デカルトの「我」でしか「考えられぬ」から、ただ理屈だけの最悪な思想になってしまったのである。

そしてこれはまた、資本主義の富の上に成り立っている民主主義についても言える。資本主義は、群れ本能的価値を破壊されたデカルトの「我」に基づく、「有の数字の哲学と宗教と」から成る欲望と戦争とから生まれたものであり、その下(もと)での民主主義であれば「欲望の資本主義＝民主主義」になるのは当然である。従って近代民主主義もニヒリズムの範疇のものである。ただし日本人は「我」を持たぬから、それを「村」社会談合派閥主義としか理解できない。

さらに彼らの頭の可笑(おか)しさの例を今一つ挙げる。

ハイデガーは、「無とは何であるか」という問いそのものがおかしい、という。無を問うのに、あるという仕方で提出するのは矛盾ではないか、というのである。（玉城康四郎著『仏教の根底にあるもの』）

ハイデガーの間違いは、「無」と「ある」とは対照関係にあるものではなく、ニーチェも言うように「有る」とは「我」（意識、三次元身体）であるのに対し、「無」とは「肉体のなかに住む『本来のおのれ』」（古層、四次元身体）であって、そも「無とは何であるか」とは問えぬ性質のものであることが分かっていない。西洋人の「肉体」を切り捨てた「我」には、永遠に「無」は理解できない。「無」は「肉体の無」であって「肉体のもつ大いなる理性」のものなのだから。それを理解できるとしたら、それはキリスト教を否定したニーチェと同じニヒリズム（虚無）に陥るしかない。

7

話をちょっと脱線させてもらい、私事を述べさせてもらう。

私は少年時代を田舎で過ごし、そこで自然と一体となることによって、そこで「有る」

ことの驚きと同時に、無を知ることになった。もっとも「有る」の方は一晩眠っただけで忘れてしまったが。

むろん当時の私に、それらへの自覚はまったくなかったが、その結果として、戦後教育までも資本主義化してしまった日本に、私はまったく順応することができなかった。つまり資本主義における学問とは、ただ金のための暗記鸚鵡になることであって、その結果「考える」必要はなく、また資本主義思想のもつ主人と奴隷との労働関係にも、私はまったく適応できなかった。さらに追討ちをかけるように、私はニヒリズム（虚無）に陥ってしまった。むろんそれらの事が自覚できるようになったのは、中年以降のことであるが。

そのことで思い出されるのが（私は他人（ひと）の言葉に驚くような人間ではないが）、ただ一度びっくりさせられたことがある。それは多分、日本人の誰も驚かぬようなことだろうが。

それは福田康夫総理大臣が、記者の質問（内容の記憶はない）に対し、向っ腹を立て次のように答えたことだった。

私はあなたと違って世界を客観的に見ることができるんですよ

その当時、なんでそんなに驚いたのか理解できなかったが、かなりの衝撃だった。その理由は今では分かる。それは言うまでもないが、日本人はキリスト者・デカルトの「我」（主観）を生きているわけではないから、世界を客観的になど見れるわけがないのである。ましてや戦争とは無縁の日本「村」人に、客観など分かるはずがない。ただ日本人の「マネする」ことが「考える」ことだと思っている猿マネ頭が、そう思わせているだけである。

客観的に見るとは、ヒトをも「延長する物質（モノ）」として見ることができる——科学とはそういうニヒリズムを孕んだ学問だ——ということであり、それはＷＡＳＰ（プロテスタント白人）が黒人を奴隷化することができたのも、ナチスのホロコーストも、また日本への原爆投下も、その視点からだということである。

それはすでに述べた新渡戸の『武士道』におけるラヴレー氏の「あなたのお国の学校には宗教教育はない、とおっしゃるのですか」「宗教なし！　どうして道徳教育を授けるのですか」は、よくも悪くもそういう「考える」視点を持たせることであり、新渡戸はその答を武士道に見出したのである。

つまり武士道を失った日本人は、完全に自前の「考える」能力である「私」の視点を失い（単眼で見ることもできず）、空っぽ頭化してしまった結果、それを埋めるために西洋文明・思想の暗記鸚鵡になってしまったのである（ちなみにニーチェや私のようなニヒリストは複眼で見ることができる）。日本人が武士道のような視点を持っていれば、これほど酷い（日本がなくなってしまうような）西洋化は起こらなかっただろう。三島が「日本」にこだわった理由もそこにある。

ただ日本人が自前で「考える」能力を失っていたのは、なにも戦後に起こったことではなく、戦前からのものである。

それは大東亜戦争において、すでに「村」人軍人によって「何となく何物かに押されつつ、ずるずると国を挙げて戦争の渦中に突入した」（丸山眞男）ところにも現れている。そして戦後になると、「逃げ走る」「客分」の歴史的古層を持つ者しかおらぬ、完全な空っぽ頭になってしまった日本人は、意味も分からず、ただ金になりさえすればいいとして、西洋文明・思想の猿マネに走ったのである。

そして「できれば日本語なしにすませたい（アメリカ人になりたい）と思った」かのように、至る所で英語を使う仕儀となった。

仮に洋書を原語で読めたとしても、日本人の歴史的古層は「村」人だから、結局、日本語で読んでいるのとなんら変わらない。だから私はもう何十年も前に、洋書を読む努力はやめた。そのことは、福沢が思想家になれたのは、彼が洋書を読めたからではなく（当時はその必要もあっただろうが）、彼が生粋の武士だったからである。

そんなであれば、西洋の学問をいくら学んでも、その本質にあるのがキリスト教・ニヒリズムであることなど分かるはずもない。仮に日本人が真に「考え」ようとするなら、武士の「無私」の視点で「考える」しか道はない（このメカニズムについては後述）。

西洋キリスト教文明・思想の本質は、そこが古代から戦争社会であったこと、そして紀元前一二〇〇年頃、ギリシャ、シリア、トルコ周辺において気候の乾燥化による砂漠化が起こったことで、それ以前の文明が失われ、代わってギリシャ哲学、キリスト教、イスラム教（これについては触れない）が生まれたことにすべての発端がある。

つまりそれらの地がもともと無（「0（ゼロ）」）の土地であったから、そこに生まれたのが「有の数字の哲学と宗教と」であり、その思考法は生き延びるために、欲望（生）と戦争（死）とのそれに成り、それを歴史的古層に蓄積することになった。

そうした社会であれば、戦争に敗けることがどれほど悲惨（勝者の残虐性）であるかは明らかだろう。

　そうであれば、彼らはなにがなんでも勝たねばならなかった。それに利用されたのがキリスト教である。

『新約聖書』が記すように、イエスは自らの死をも顧みずに、敢然と権力に立ち向かい、磔刑に処されて死んだ。そうであれば彼の行為が民衆に支持されたのは当然だろう。そして彼の教えに従い殉教して行く者も現れた。それを見たローマ帝国の為政者たちは、それを軍事に利用するために国教化したのである。

　ちなみに義のために死ぬことも辞さなかった、明治維新の際に武士だった新渡戸、内村らが、キリスト教に転向した理由もそこにある。だが、日本は平和だったから、彼らにはキリスト教が自己偽善によって、もはや『聖書』の世界とは異質なものになっていたことに気づかなかった。ただし内村はそれに気づき無教会主義を唱えた。

　つまりキリスト教は、その生まれが砂漠であったが故に、必然的に内部に持つことになった「有の数字の宗教」としての欲望と戦争との方向に走ることによって、デカルトの自己偽善を通してのニヒリズムを孕んだ「有の数字の哲学」を生み出していくことになるのである。そして彼の「有の数字の哲学」から成る欲望と戦争とへの意志を孕んだ進歩という自然破壊の哲学は、自然科学を生み出していくと共に、さらにそこから、産業革命、資本主義、植民地主義へと発展していくことになるのである。そこにおいてキリスト教は、自己のニヒリズムを孕んだ「権力への意志」を、自己偽善によって隠蔽することになった。

そのことをマックス・ヴェーバーは『プロテスタンティズムの倫理と資本主義の精神』で次のように言う。

デカルトの「我考える、故に我あり」の語は、こうした新たな論理的意味合いで、当時のピューリタンたちの受け容れるところとなった。このような合理化は、改革派の信仰に独特な禁欲的性格をあたえたが、このことがまた、カトリックとの独自な対立とともに、両者の内的類似を根拠づけるものとなった。

このヴェーバーの言葉は、デカルトの「延長する物質」をピューリタン（WASP）が黒人を奴隷として受け入れたところからも、同じ価値観であることが分かる。そしてこの自己偽善のトリックである禁欲的性格は、まさにニヒリズムを孕んだ傲慢な資本主義へと発展していくことになるのだが、彼にはそれが分からなかった。
　この禁欲的性格はカルヴァン主義に由来するものなので、その意を『世界史事典』から引く。

ルターの福音主義から出発して、アウグスティヌスの厳粛な信仰に復帰した反面、近代社会の要請に応じる市民的倫理を提供した。それは、(1)真理は教会の権威的決定ではなく、『聖書』の啓示による。(2)全知全能なる神の意志は不可知。(3)救済に選ばれる者は神意により予定され、その運命は変更できないとする「予定説」を説く。だが地獄への不安や自棄に陥ってはならないのであって、人間は(4)自己のためでなく神の栄光のために、(5)神の召命すなわち職業に従って、神の嘉（よみ）したまう禁欲と勤労に専心すべきである、(6)その労働の結果得られた利得や蓄財は承認される、などである。この教えは中産市民階級の信条となり、資本主義の発達に大きな影響を与えた。ユグノー・プレスビテリアン（長老派）・ピューリタン・ゴイセンなどがこれに属し、のちに多くの分派を生じた。（傍点　堀江）

まず、この「『聖書』の啓示による」などは、自己偽善のトリックによって、とっくの昔に吹き飛んでいる。いったい、金持のらくだに成ってどうやって針の穴を通ろうと言うのか？　そしてこの「禁欲と勤労」を自己偽善によって巧妙に変質させた象徴的人物が、ベンジャミン・フランクリンであり、彼の「時は金なり」である。それらは要するに、「労働の結果得られた利得や蓄財は承認される」として、金儲けのために『聖書』を利用しただけのことである。つまりキリスト教徒である手前、『聖書』に従わねばならず、それゆえ禁欲を持ち出しただけであって、それをパスカル流に言えば「できれば神なしにすませたいと思った。金儲けがすめばもはや彼は神を必要としない」のである。

そのようにして西洋人は、『聖書』を巧みな自己偽善によって、無意識にも自らを騙し、やがて彼らは自らの持つ「有の数字の哲学と宗教と」から成る、傲慢な欲望と戦争との資本主義へと走っていくことになるのである。

それに警鐘を鳴らしたのがニーチェである。彼は「神の死」を宣告し、それによってキリスト教によって覆い隠されていたニヒリズムが姿を現すことになったのである。つまり彼はニヒリズムを孕んだ西洋キリスト教文明は――資本主義、民主主義、共産主義も――真面（まとも）ではないと言ったのである。ちなみに日本は民主国家ではない。その猿マネである。

もしニーチェが、ヴェーバーが自らの思想と同質のものを感じていたと知ったら、大笑したろう。それほどヴェーバーは見当外れの学者だったのである。

なぜならニーチェは、西洋キリスト教文明はまったく狂っている、それはヒトが本然に持つべき群れ本能的価値（進化）が破壊されたニヒリズムを孕むと同時に、その傲慢な「我」の宗教は、欲望と戦争とに走ることによって破滅に至るだろう、と言ったのだから。

そしてその予言は当たり、世界は二つの大戦、ホロコースト、原爆投下等によってその残虐性を現すことになった。

しかしそれでも彼らは、己の思考法の愚かさを自省するには至らなかった。なぜなら、彼らが「我考える」以上、その「我」が作り上げた文明を「我考える」ことによって否定することはできぬから。それはいまだ資本主義（西洋民主主義）、中国共産主義（資本主義）が、キリスト教文明が本質に孕む「有の数字の哲学と宗教と」の欲望と戦争とから成っていることが証明している。それは民主主義云々を言う以前に、ニヒリズムを孕んだ西洋キリスト教文明が真面ではない、ということである。つまりそれは彼らの文明が「有の数字の哲学と宗教と」のもつ欲望と戦争との思想を歴史的古層に持っているからである。そして外ならぬその欲望が、彼らを脅かす中国という巨大国家を生み出したのである。それはある意味、身から出た錆である。

それに彼らは、民主主義によって主権が市民にあると思っているが、それは彼らに権力が与えられたわけでないことを理解していない。欲（金）まみれの西洋キリスト教文明の権力は、金と戦争との欲によって生み出されたものであって、言論の自由、市民の選挙権などは、単に真の権力者によるガス抜きでしかない。

ただしその権力がどこにあるかは明示できない。なぜなら権力は、西洋市民のニヒリズムを孕んだ傲慢な心の内、つまり「有の数字の哲学と宗教と」から成る欲望と戦争とによるキリスト教民主主義（資本主義）そのものの内にあるからである。言い換えれば、それは彼らの内にニヒリズムとして孕まれている「権力への意志」としての集団ヒステリーが、彼らの歴史的古層に内蔵されている、ということである。

それは大英帝国はともかく、アメリカ帝国はF・ルーズヴェルトの経済政策の失敗を日本に罠をかけ、戦争を仕掛けさせ、その真珠湾攻撃を「騙し討ち」とし、アメリカ人の愛国的集団ヒステリーに火をつけたのだが、実は「騙し討ち」に遭ったのは、外ならぬ、せずともよい戦争をすることになったアメリカ国民自身にあったのであり、その仕上げにトルーマンが広島・長崎の無辜の民に原爆を投下したのである。

これ以上、アメリカの薄気味悪さ（たとえばＪＦＫ暗殺、イラク戦争等）については述べぬが（拙著『私の愛国心』を参照）、彼らの思考の根底には、イギリス人同様に「人をいかにうまく騙して殺し、金を儲けるか」という推理小説的思考があり、――日本人にはその薄気味悪さがとんと分からない――そしてそれがアメリカ人にあっては極めて暴力的（それは銃社会にも見て取れる）であるかを述べるに止める。

さらにそれは、ワイマール共和国からヒトラーが生まれたのも、ニヒリズムを孕んだ集団ヒステリーであり、また共産主義思想が同様の集団ヒステリーによって生み出したのがソ連であり、その「権力への意志」としての神が外ならぬスターリンという独裁者である。それは毛沢東、ポル・ポトも同じである。これで西洋キリスト教思想が、いかにニヒリズムを孕んでいるかが分かろう。

西洋キリスト教文明はニヒリズムを孕んでいる。それはデカルトの「我」に見られるように、「有の数字」に基づく欲望と戦争とによって、群れ本能的価値を失い、さらにその「我」は自然を破壊し、自然科学を生み出すことによって、欲望と戦争とに走っていくことになった。そのことは科学そのものが、ニヒリズムを孕んでいるということである。

もともと科学は、デカルトの「我」から生まれたものだから、その本質に欲望と戦争とへのニヒリズム（破壊性）を孕んでいる。そしてヒトはその危険にほとんど無関心、と言うよりむしろ礼讃さえする始末である。つまり原子爆弾と原子力発電とが同じものだという自覚がほとんどない。それは東日本大震災によって、福島第一原子力発電所事故が発生したように、人間とは地球という自然の中での、ただの自然人でしかないのである。つまりヒトは自然を破壊したら生きていかれぬ存在だ、ということである。

しかるに西洋文明は愚かにも、その欲望ゆえに科学に未来を見るばかりである。それは原子力に限らず、自然破壊、地球温暖化、非自然物の氾濫等の示すところである。この欲望の西洋文明への過剰な礼讃は、人類を近い未来にその没落へと導くだろうが、その時はもう手遅れである。

その点、昔の日本人は賢かった。二宮尊徳は「天地の経文に誠の道は明らかなり」「学者輩の論説は取らざるなり」（『二宮翁夜話』）と言った。ヒトは自然から学び、自然と共生するのが「人の分（ぶん）」だということを知っていた。それにいかなる宗教も、欲が身を滅ぼすことを説いているではないか。もっともその欲に取り憑かれているのが現代の宗教ではあるが。

8

日本がガラパゴス的思想進化をしてきたことはかなり特殊であった。つまり西洋の「有の数字の哲学と宗教と」のもつ欲望と戦争とは対照的に、「『0（ゼロ）』の哲学と宗教と」である無（空っぽも含む）を根底として思想進化をしてきたことである。

それは日本が比較的自然豊かな島国で、しかもほぼ単一民族であったがゆえに、戦争も極めて少なく、従って基本的に侵略することもされることもなく、人々は必然的に「考える」必要もなく、ただ助け合い勤勉に働き、寡欲に生きる国民性を作り上げた。従ってこうした日本人にとって、死も戦死によるそれではなく、日常的「あきらめ」として受け入れられることになった。食糧難による餓死も、また人口増による間引きも「あきらめ」として受け入れる極めて忍耐性の強い、寡欲な歴史的古層を形作っていった。これが日本人が本質的にもつ「村」社会性である。が、それと共にそこには「私たち」「村」の法ともいえる道徳が支配し、それを破ると「村」八分にされるという掟も生まれることになった。

なぜなら、その「村」道徳が崩れると、「村」の存続が不可能になるからである。

そんな「村」社会的思考を歴史的古層に持つ、空っぽ頭の日本人には無駄なことかもしれぬが、敢えて言っておく。

それは、日本人には絶対にキリスト者・デカルトの、肉体のない進化から進歩思想に移った「我」は理解できぬ、ということである。

日本人は群れ本能的価値を生きてき、従って西洋人のように言語情報の下降・上昇からなる、肉体の無(な)い生の下降・上昇を除去した進歩思想、つまり肉体なしの意識だけから成る「我」をもって「考える」ことは絶対にできぬ、ということである。

デカルトにとって「我考える、故に我あり」を維持するためには、たとえ見せかけの宗教ではあっても、キリスト教は絶対に必要だったのである。なぜなら、キリスト教がなければ「我」は成り立たぬのだから。

それは別の見方をすれば、意識の「我」からしか世界を見ることのできぬ西洋人には、絶対に無もニヒリズムも理解できぬ、ということである。それはすでに述べたハイデガーの思考では、決してニーチェは理解できぬ、ということである。

さらに戦後、武士道（禅）という自前の思想を失った「私たち」日本人の空っぽ頭を、西洋思想で埋めてみても無意味である。それではいつまで経っても西洋の猿マネである。なぜなら日本人は進化を生き、西洋人は進歩思想を生きているからである。それはまた将来、西洋文明はフランケンシュタイン化して行く、と言うことでもある。

日本人にまず必要なのは、自前の思想を取り戻すことであるが、それもまず不可能だろう。

それに私には、戦後の日本人は「私たち」「村」社会談合派閥主義という「民主主義ごっこ」をやっているとしか見えない。なぜなら「我」がない以上、国民に主権のあるわけがないからである。日本人には西洋（国際）というと、なんでも立派に見えてしまうらしい。西洋が立派だったのは、ヤクザ組織（侵略、略奪、戦争）としてのそれだけである。つまり日本人はいまだに、武士（ヤクザ組織）には弱い空っぽ頭の「村」人なのである。

話を戻す。

過去の日本人は「あきらめ」の情感を持って生きてきたから、厭世思想を根本に持つ仏教の無常観は容易に受け入れられた。それが王朝貴族から庶民にまで及んでいるのは、次の歌からも明らかだろう。

世の中は夢かうつつか
うつつとも夢とも知らず有りて無ければ
　　　読人知らず　古今和歌集

何せうぞ、くすんで
一期は夢よ、ただ狂へ
　　　　　　閑吟集

そしてヒトがもともと持つ、闘争本能的価値がもっとも台頭してきた戦国時代の武将・織田信長でさえ、愛したのは幸若舞の「敦盛」の次の一節であった。

人間五十年　下天の内にくらぶれば　夢幻の如くなり

日本は島国という特殊な地政学的条件にあったから、武士にしても基本的には寡欲であった。欲を見せたのは、成金の豊臣秀吉くらいで、その後の徳川家康にしても、諸大名が持つだろう欲を殺ぐために巨大幕府化しただけであって、江戸時代は比較的平和な、そして特異な民族性を日本人の歴史的古層に植え付けることになった（はっきり言って、封建主義が前近代〔悪〕であって、民主主義が近代〔善〕だと思っている日本人の頭の悪さには恐れ入る）。

武士の本質は基本、会沢正志斎の『新論』の説くようなものである。

士風を興すことなり、奢靡を禁ずることなり、万民を安んずることなり、賢才を挙ぐることなり。

それは明治新国家を作るにあたって、すでに士風を失っていた諸大名がなんの役にも立たなかったことからも明らかだろう。

このことは人間の本質（歴史的古層）は所詮、獣だから武士の戦う知恵を持たねば生き延びられぬ、ということである。

たとえば『葉隠』の次のような言葉である。

山本前神右衛門（山本常朝の父）は、家来共に逢ひて、「博奕（ばくち）をうて、虚言（そらごと）をいへ、一時（いっとき）の内に七度虚言いはねば男は立ぬぞ」とのみ申され候。昔は只武篇の心懸（こころがけ）のみにて候、正直者（マトウ）は大わざならぬと存じ、右の通に申され候。

「博奕をうて」とは乾坤一擲の戦のとき、計算された博奕をうつことであり、また「一時の内に七度虚言いはねば男は立ぬぞ」とは瞬時にそれだけの数の知略が浮かばねば戦には勝てぬぞ、ということである。つまり武士はそうでなければ、生き残れなかった、ということである。

ところが、戦後空っぽ頭の日本人は西洋思想にすっかり賺（す）かされ（洗脳され）、自らの「肉体のなかに住む『無』」で「考える」ことができなくなってしまった。従ってこうした言葉が何を言っているのかも分からない。それは文字通りの思想退化である。

だからたとえば、三島が『葉隠入門』で、武士道にニヒリズムを見ていたことの意味も分からない。むろんキリスト教のない日本にその種のニヒリズムはない。従って彼が見ていたのは武士道の無としてのニヒリズムである。

しかし西洋文明の流入によって、キリスト教的ニヒリズムが入ってくることになる。たとえば科学（地下鉄サリン事件）がそうであり、また資本主義もその本質は、ヒトを人間的価値として見るのではなく、労働価値としての、「有の数字」でしか計らぬニヒリズムを孕んだ、欲望から成る経済である。それが欲望の資本主義と言われるものである。だから詐欺等の欲望の犯罪が多発するのである。

それに比べて江戸時代の日本の経済は、それに真っ向対立する石田梅岩の石門心学のようなものである。和辻哲郎は『日本倫理思想史』で彼のことを次のように述べている。

「倹約をいふは他の儀にあらず、生まれながらの正直にかへし度為（たきため）なり」（斉家論）、私欲を去った正直が町人の道の根本であることはいうまでもなく、士の道にとっても、政治に私欲なく「清潔にして正直」であることが、すべての根本であろう。

それを思うと三島が檄文で「経済的繁栄にうつつを抜かし、……国民の精神を失ひ」と言ったのも分かる。

ところで三島は『葉隠』のニヒリズムとして次の二つを挙げている。

幻はマボロシと訓むなり。天竺にては術師の事を幻出師と云ふ。世界は皆からくり人形なり。幻の字を用ひるなり。

道すがら考ふれば、何とよくからくった人形ではなきや。糸をつけてもなきに、歩いたり、飛んだり、はねたり、言語迄も云ふは上手の細工なり。来年の盆には客にぞなるべき。さてもあだな世界かな。忘れてばかり居るぞと。

それと関係づける部分を、既述のニーチェの文章から引用する。

「本来のおのれ」は君の「我」と、その得意げな跳躍をあざわらう。「思想のこうう跳躍と飛翔、それはわたしにとって何なのだ」と、「本来のおのれ」はみずからに言う。「それはわたしの目的地に至るべき回り道だ。わたしは『我』の手引き紐であり、『我』のもっている諸概念の吹込み人である」と。

前半の「〈肉体のなかに住む〉『本来のおのれ』〈ニヒリズム〉は君の『我』〈意識〉と、その得意げな跳躍をあざわらう。『思想のこういう跳躍と飛翔、それはわたしにとって何なのだ』と『本来のおのれ』はみずからに言う」とは、要するにヨーロッパ・キリスト教文明が生み出した「我」〈意識〉の思想は、「本来のおのれ」〈ニヒリズム〉に「からくられた」〈支配された〉存在でしかない、ということである。

これが『葉隠』〈武士〉になれば「肉体のなかに住む『無』」によって「糸をつけてもなきに、歩いたり、飛んだり、はねたり、言語迄までも云」う「からくり人形」になるということである。

そして後半の「『それはわたしの目的地に至るべき回り道だ。わたしは「我」の手引き紐であり、「我」のもっている諸概念の吹込み人である』」の意味していることは、ここで言う「わたし」である「ニヒリズム」〈「肉体のなかに住む『本来のおのれ』」〉が、意識という「我」を「目的地」に至らせるための「手引き紐」、また「諸概念の吹込み人」として、「我」をからくっている、ということである。つまり「ニヒリズム」という「本来のおのれ」が、「手引き紐」と「諸概念の吹込み人」とによって「我」〈意識〉を「からくっている」（支配している）、ということである。

そうであると、この「ニヒリズム」（本来のおのれ）の性質はどのようにして作られるのか。つまり人々の思考が異なるのはなぜか、という問題に派生してくる。それはそれぞれ個々人の言語情報が歴史的古層および古層に、どのように下降・蓄積されたかによって異なってくる、ということである。単純なことだが、「考える」と分からなくなってくるような性質のものである。

これがニーチェと三島＝『葉隠』との、ニヒリズムと無との相似性であるが、武士の世界は、群れ本能的価値を破壊したキリスト教疑似群れ集団価値としての、「我考える」の思想を生み出せるほどの戦争社会ではなかったから、「考える」ことはできても西洋市民意識から成る「我考える」思想に至ることはなかった、つまり武士を除けば「私たちは考えない」止まりだった、ということである。それを戦後の日本人は「私たちは考えない、故に私は正しい」にしてしまったから、煮ても焼いても食えぬ代物になってしまったのである。

武士は禅者と同様に（やり方は異なるにせよ）進化の逆行によって「無」に至り、その

「無私」（この「私」は「我」とは異なる）で「考える」のであるから思想化はできない。ただ武士道と禅とが大きく異なるのは、武士の日常は生ではなく死だということである。信長が「生」を夢幻と見ていたように、それは西洋人の「有の数字の哲学」ではなく、「『0』（無）の哲学」だということである。

三島は自らの武士道を思想化することはできなかった。またニーチェも自らの思想を理論化するに至らなかったが、自らのニヒリズムが群れ本能的価値を破壊していることで、それが生命進化の本道を外れ、サルにまで進化を逆行させていることを、どこか直観していたはずである。それが『ツァラトゥストラ』という神話を書かせた動機であり、サルからヒトへ進化するその過程を明らかにすることになったのである。

そうであれば私は、キリスト教文明のもつニヒリズムと「無」との双方を知るに至ったからこそ、両者を関連づけてその構造をある程度明らかにすることができたのである。

もし三島に過ちがあるとすれば、「肉体のもつ大いなる理性」は「『我』を唱えはしない。『我』を行うのである」の、その「『我』を唱え」ることとしかしない日本人（たとえば自前の思想のない鸚鵡化した東大全共闘との討論）とのお喋りは、ペットとのそれでしかないことが、見抜けなかったことである。彼らは決して「『我』を行う」ような人種ではない。

そして幕末の志士が歴史マンガ化されたように、三島も今やマンガ化されていることでは変わりない。

9

戦後の日本人には完全に士風というものが分からない。

だいぶ以前、ある小学校でいじめによる生徒の自殺があった。それを取材していたテレビ・レポーターに対して、学校長が次のように答えたことがあった。

全生徒に命の貴さを説きました

正直、この国はもうダメだと思った。誇りや名誉を持つ者なら、命を賭けて戦い、時には相手を殺して後に自決する、そういう覚悟を持たせることが人間教育である。三島も檄文で「生命以上の価値」ということを言っている。

この国の戦後教育は完全に崩壊している。

たとえば大江健三郎氏の「子供は幼いなりに固有の誇りを持っている……人を殺さないということ自体に意味がある」（一九九七年十一月三十日『朝日新聞』）も同類である。いったい死刑囚を殺しているのは誰なのかという自覚がない。

それらはペットの発想である。だが人間は言葉を喋る獣（けだもの）である。それだけに質（たち）が悪い。だから人類史は戦争史なのである。そうであれば、人が人であることの価値は、自己の生命以上に高い価値のために死ぬことだけが、人間としての唯一の価値なのだ、ということを教えるべきである。新渡戸が『武士道』のなかで、ラヴレー氏が「どうして道徳教育を授けるのですか」とはその答である。

人間という獣は、教育を通して初めて人間としての誇りや名誉心を持てるのである。しかるに戦後教育は、金儲けのためだけの西洋猿マネ暗記教育である。しかもそこにニヒリズムのあることが分からない。

たとえば、三島はなにも好きこのんで三島事件を起こしたわけではない。それは幕末の志士が無闇に暗殺し合ったわけではないのと同じである。黒船という外敵（獣）に対峙できるだけの国にするために殺し合ったのであって、それは『新論』の言う「士風」であり

「万民を安んずることとなり」のためだ、と言うことが戦後の「村」人には理解できない。

正直、幕末の志士は自分の命のために、万民を放っておき、「村」人が夷狄に煮て食われようがどうでもいい、という立場も取れたのである。彼らはペットを守るために自らの命を賭けることまでし、しかもそのことを理解しない者のために、殺し合うというそんな馬鹿なことはしなくてもよかったのである。しかしそこが野性をもつ志士の異なる所であり、より高貴な価値のために自らの命を捨てることのできるのが、人間の唯一の誇り、名誉だということを、無自覚にも知っていたのである。そこが「逃げ走る」ことしか知らぬ「客分」と異なる所である。

その意味では、福沢の『学問のすゝめ』はまったく誤読されてきた。彼はそこで「一身独立して一国独立する事」のためには、「実語教に、人学ばざれば智なし、智なき者は愚人なりとあり、されば賢人と愚人との別は、学ぶと学ばざるとに由って出来るものなり」と言ったが、戦後の日本人は「学ん」でも「一身独立」することも「一国独立する事」もできない。士風がないからである。福沢にとって士風は当たり前のことだったから、言わなかったのかもしれぬが、学問は士風をもつ者が学んで、はじめて意味のあるものだ、ということを言わなかったのは彼の落度である。

彼は自己の士風を『瘠我慢の説』で次のように言う。

　然るを勝（海舟）氏は予め必敗を期し、その未だ実際に敗れざるに先んじて自から自家の大権を投棄し、ひたすら平和を買わんと勉めたる者なれば、兵乱のために人を殺し財を散ずるの禍を軽くしたりといえども、立国の要素たる瘠我慢の士風を傷うたるの責は免かるべからず。殺人散財は一時の禍にして、士風の維持は万世の要なり。

福沢の思想の根底にあるものが、このようなものだということを、戦後の日本人はまったく理解していない。その最たる人物が、士風なしの「村」人頭で彼を論じた丸山である。福沢は「一国独立」のためには「士風」は要であり、その前提の下に『学問のすゝめ』を書いたのであるが、士風を持たぬ戦後の日本人にはそれが理解できない。

10

話はちょっと変わるが、福沢のことに関して戦後の日本人がちっとも分かっていないことがある。それは『福翁自伝』の「幼少の時」の項の「乞食の虱をとる」の箇所の次の記述である。

乞食の虱をとる

ここで誠に汚い奇談があるから話しましょう。中津に一人の女乞食があって、馬鹿のような狂者のような至極の難渋者で、自分の名か、人の付けたのか、チエ、チエといって、毎日市中を貰ってまわる。ところが此奴が汚いとも臭いとも言いようのない女で、着物はボロボロ、髪はボウボウ、その髪に虱がウヤウヤしているのが見える。スルト母が毎度のことで天気の好い日などには「おチエ此方に這入って来い」と言って、表の庭に呼び込んで土間の草の上に座らせて、自分は襷掛けに身構えをして乞食の虱狩を始めて、私は加勢に呼び出される。拾うように取れる虱を取っては庭石の上に置き、マサカ爪で潰すことは出来ぬから、私を側に置いて「この石の上のを石で潰せ」と申して、私は小さい手ごろな石をもって構えている。母が一疋取って台石の上に置くと、私はコツリと打潰すという役目で、五十も百も、まずその時に取れるだけ取ってしまい、ソレカラ母も私も着物を払うて糠で手を洗うて、乞食には虱を取らせてくれた褒美に飯を遣るという極りで、これは母の楽しみでしたろうが、私は汚くてくく堪らぬ。今思い出しても胸が悪いようです。

これは福沢にとっては「汚くてくく堪らぬ。今思い出しても胸が悪いようです」でしかないことであったが、彼の母親にとってはまったく異なることであった。西洋では、聖人だってこんなことはしないだろう。

しかも彼の母親は下級とはいえ武家の内儀であるのに対し、相手は虱だらけの乞食女である。

この話から痛感されるのは、資本主義がいかに「有の数字」（損得勘定）からものを「考える」欲望の経済か、ということである。言ってみれば、自らが金のために奴隷となり、いかに稼ぐかによって幸福の尺度が決められる、文字通り人材の世界である。と言うより西洋人の歴史的古層はキリスト教・ニヒリズム（群れ本能的価値が破壊されている）だから、共産主義はむろんのこと、民主主義にしても上手く行くはずがない。

その点、福沢の母親は無智だったかもしれない。なぜなら、智とは得するために、言い換えれば、「有の数字」の方向に「考える」ことだからである。

ただ福沢が「人学ばざれば智なし、智なき者は愚人なり」と言ったのは、あくまで「一国独立」のために「学べ」と言ったのであって「私欲」のためではない。私欲のために慶應義塾など作れるか！

そうした視点から見れば、彼の母親は世界を「『0（ゼロ）』の数字」で計るという意味では無智であった。しかしそれは彼女が、ニーチェ風に言うと「肉体のもつ大いなる『無』」である「知られない賢者」だった、ということもできる。だから彼女の頭のなかには損得勘定というものがなかった。彼女にとって相手がどんなに卑しい身分でも、人は人であり、その人が不幸であれば幸福にしてやることが、彼女の喜びだった。それはほとんど『聖書』のなかの人のように思える。そんな母親を彼が特に評価しなかったのは、当時の日本人としては普通の女性だったからだろう。後年、福沢が自然に「天は人の上に人を造らず人の下に人を造らず」と言えたのは、そうした母親の存在があったからだと思う。

そうした他人（ひと）を幸福にしてやることを半ば義務のようにして生きてきたのが、過去の日本人である。

ラフカディオ・ハーンは「日本人の微笑」のなかで次のように書いている。

いちばん気持ちのよい顔は、にこにこした顔である。それで両親や、親類や、先生や、友人や、好意をよせる人たちに、いつも出来るだけ気持ちのよい顔を見せるのが生活の掟なのである。なおそのうえ、たえず世間の人々へ幸福そうな様子を見せ、ほかの人たちに出来るだけ楽しそうな印象をあたえるのが生活の掟である。たとい胸が張り裂けそうでも、勇敢にほほえむのが社会的義務である。それに反して、しかつめらしい顔をしたり、不仕合わせな様子をするのは無礼である。なぜなら、それは愛する人たちに心配や苦痛をあたえるかも知れないからだ。それはまた愚かなことでもある。というのは、こちらに好意をもっていない人に無情な好奇心をおこさせるかも知れないからだ。子供のじぶんから義務として養成されているので、微笑はやがて本能的になる。ごく貧しい農夫の心のなかにも、個人的悲しみや苦しみや怒りをおもてに出して見せるのはめったに役にたつことはなく、いつも相手に思いやりのない仕業になる、という確信が潜んでいる。

（次の部分は長くなるので前半は要約するが、ハーンの友人が彼に語った話である）

その友人が馬に乗って坂を下って来、車夫の車と衝突したときのことである。双方にケガはなかったが、車の梶棒が馬の肩にささり血が出ていたのである。「僕はすっかり怒りだして鞭（むち）の太いほうの端で、車夫の頭を殴りつけました。すると、その男は僕の顔をまともに見てにっこり笑い、それからお辞儀をしました。その微笑がいまでも目にうかびます。僕は打ちのめされたような気がしました。その微笑のためにすっかり当惑してしまい、腹立たしさも何もたちどころに消えてしまいました。まったく、それはていねいな微笑でしたよ、君。だが、どういう意味だったんでしょう？　いったい全体なんであの男が微笑したのか、僕にはまるで訳がわからんですよ」

その当時には、わたしにも判らなかった。しかし、その後これよりもずっとふしぎな微笑の意味が判ってきたのである。しかし、そうした場合でも、ほかのときに微笑するのと同じ理由で微笑するのである。その微笑には軽蔑もなければ偽善もないのだ。

なぜ動物のなかで人間だけが笑うのか、そのメカニズムを知る者はいない。このお笑い大国にいる日本人でさえ考えてみようともしない。

ヒトがなぜ笑うのかについては、拙著『ニーチェを超えて』等で述べたのでここでは詳述はしないが、まずヒトが他の生命と異なり、虚構（嘘）である価値（言語）の世界を生き、その拡大のための生の上昇による快を得る存在であるが故に笑うのだ、ということである。

ハーンの言う日本人の微笑は、日本（江戸時代）は戦争もなく、あるのはただ「村」（仲間）社会における他者への思いやりであるところの、ハーンの言う、愛する人たちに心配や苦痛を与えない、ということを子供の時から義務のように養育されてきた社会が、それを生み出したのはむろんである。が同時に、彼らには日常的に死・苦という苦しみもあった。そこでそこから半ば本能的に逃れるために、自己偽善による微笑という生の上昇の快によって、その苦しみを和らげるという身体的本能を身につけたのである。だから、車夫は鞭に打たれるという苦痛を微笑に替えたのである。これは福沢の母親の行為にしても同じ範疇のものである。

ハーンがそうした社会に惹かれたように、ポール・ゴーギャンがタヒチ島に魅せられたのも同じ理由だろう。文明人だと思っていた自分たちが、どれほど野蛮であるかを悟らされた瞬間である。

当時、日本を訪れた西洋人が一様に魅せられた理由もそこにある。彼らから見れば極めて寡欲な人々だったのである。それをチェンバレン（『逝きし世の面影』で）は次のように言う。

古い日本は妖精の棲む小さくてかわいらしい不思議の国であった

しかし日本人のこの微笑は次第に失われていく。それは日本が戦時体制に入って行くからである。もはや戦争という非日常的死・苦を前にして、それまでのような自己偽善による微笑によっては、それらを騙すことはできない。日本人もしかつめらしい顔になり、その無智な、妖精のような頭で哲学的思考をすることを、余儀なくされて行くのである。

そんな状況下に現れたのが西田幾多郎である。今日ではほぼ理解不能となった彼の哲学も、当時の学徒にはその晦渋さにも拘わらず、なんとなく共感できるものがあったのだろう。たとえば次のような一文である。

自己の永遠の死を自覚すると云うのは、我々の自己が絶対無限なるもの、即ち絶対者に対する時であろう。絶対否定に面することによって、我々は自己の永遠の死を知るのである。（「場所的論理と宗教的世界観」）

これは完全に「『0』（無）の数字の哲学」である。欲のない無限の命の世界である。それを悟りと言えばそうであるが、人間という死と対面して生きなければならぬ存在の、一つの安心静寂の境地であるのも事実である。その境地を無意識にも生きていたのが、石田、二宮、福沢の母親らである。

しかしそれも敗戦によって一転してしまう。戦勝国によって持ち込まれた「有の数字の哲学」の持つ欲望という名の幸福観である。そしてそれと共に「生は得、死は損」の思想によって、それまで日本人の持っていた無常観は一挙にして吹き飛ばされることになる。それによって妖精の空っぽ頭は、すぐにも無智な欲に走ることになってしまう。つまりこの国から「武士道」という「宗教教育」は失われ、ただ西洋の暗記鸚鵡へと化して行くのである。

その結果、近代民主主義という資本主義の富に支えられた極めてあくどい歴史をもった政治思想の、その本質を考えることのできぬ鸚鵡頭は、ただそれを日本人が歴史的古層にもつ「村」社会道徳価値観で、それを「村」社会談合派閥主義として受け入れることになった。つまり戦後民主主義とは、ただの「民民（ミンミン）ゼミ」のそれでしかないのである。妖精の頭になにかそれ以上を望むのは無理である。

ただ言えることとは「有の数字の哲学と宗教と」に基づく、欲望と戦争とから成る西洋キリスト教文明とは、それ自身に歯止めのかけられぬヤクザ組織（略奪、戦争、破壊）思想を孕んでいる、という事実である。それは科学の進歩（フランクインシュタイン化）という幻想に酔っていること一つからも明らかだろう。そしてそれはそれ自身の持つニヒリズムによって、自然は破壊され（戦争もその一つ）、気づいた時にはもはや自然人である人間の住める惑星ではなくなっていることだろう。

11

日本人は西洋思想——哲学、経済学、政治学等——を愚かしくも有り難がるが、それらは砂漠から生まれた「有の数字から成る哲学と宗教と」に基づく、欲望と戦争との思想である。従ってそれらの思想が立派そうに見えるのは、それらが単にヤクザ思想としてそうなのであって、またそれらが難解そうに思えるのは、暴力に対する思想として「考える」ことが、いかに難しいかを証明しているだけのことである。

西洋文明の宗教的根拠は『聖書』に基づき、彼らはそれを利用して、砂漠化した土地での戦争社会のなかで生きざるを得なかったから、それは生き延びるための欲望と戦争との思想を歴史的古層に持たざるを得ぬことになった。そのため彼らは自らの群れ本能的価値を破壊し、そこを「我考える」キリスト教群れ集団価値で埋めるという思想進化をすることになったのである。

その事実は、彼らの生き方が『聖書』の思想にまったく反するものに成らざるを得なかったから、彼らはそれを弥縫する策として、自己偽善化（自らを騙し、他者をも騙す）

は、どうしても必要不可欠なものとなった。それが結果的に彼らを進化から進歩へと歩ませたのである。

それはすでにデカルトのところで述べたように、「神の存在証明」などと手の込んだ自己偽善を用いたことからも明らかだろう。彼は「我考える、故に我正しい」と言えれば、言いたかったのだが、彼の「我」はキリスト教に基づいたニヒリストの「我」であるから、理屈上どうしても「我あり」とする必要があった。しかしこれは事実上、キリスト教の裏付けによって「我正しい」としたも同然である。つまり自らを神人化したのである。そこにパスカルの怒りがあった。

これはカルヴァン主義も同じである、彼らは孤独なニヒリストとしての「我」を生きているから——つまり群れ本能的価値を失っているから——労働は苦痛以外のなにものでもない、しかし金（欲望）はほしい。そこで「予定説」などという自己偽善によって、神をダシに「禁欲と勤労に専心すべき」だ、などという嘘を言い出したのである。要するに、「労働の結果得られた利得や蓄財は承認される」、つまり「金が欲しい」と言えばよいだけのことなのだが、キリスト教徒である手前それが言えなかったのは、デカルトの場合と同じである。

その後、一層、西洋キリスト教文明は、「有の数字」に基づく欲望と戦争との本質を見せはじめた。それはフランクリンの「時は金なり」によって露骨に示されている。

そのことを、彼らは自己偽善によって誤魔化してきたが、彼らの「我」はもはや事実上、神となり、それを偽るために自己偽善は一層、巧妙さを増してゆき、論理は難解さを帯びていった。つまりもはや「時は金なり」ではなく、「神は金なり」なのである。


が、話をそこに進める前に、デカルトの哲学のもつ「有の数字」への欲望と戦争との意志が、自然科学を発展させることになったことへの重要さについて述べておく。

なぜそうなるのかの理由については、彼の哲学がニヒリズムを孕んだ、群れ本能的価値を欠いた自然人のものではないが故に、自然を自然（進化）として見ずに、数字として捉えることを可能にしたのである。

それは彼が偉大であったというよりも、この自然が数字で計れるという偶然が、彼を大きな存在にしたに過ぎない。そして不幸にして、ヒトはそこに欲望という価値を見出し、ヒトはそれを追うことに必死となる余り、「生」そのものの持つ価値を見失うと共に、そこに生まれたニヒリズムを孕む自然科学による自然破壊（それは資本主義に繋がる）によって、人類は没落の坂をころがり落ちて行くことになったのである。

科学はたしかにヒトに恵みも与えたが、それ以上の災厄を齎した。それはヒトを含めてすべてを数字で計れるという思想を、キリスト教という神の保証つきで世界に広めてしまったのである。それは戦争を過酷化し、かつ拡大化し（毒ガス兵器、原子爆弾等）、自然を破壊し（原子力発電所事故、地球温暖化等）、さらに学問をも数値化する、つまり社会科学という信仰に陥らせ、中でも経済学においては、彼らがその歴史的古層に持っている主人と奴隷（モノ）との二極化という、人間性を欠いた資本主義経済を生み出し、人間を完全に数値という奴隷下に置き、その結果として、社会をまったくゆとりのない競争社会にしてしまった。

そうなれば、資本主義は学問から人間が人間らしく生きるという価値を奪い、単なる数値的に優秀な暗記鸚鵡を作ればよいだけの場となり、また企業もそれに応じるようにブラック化してゆくことになる。それは欲望の資本主義化するということであり、ヒトはそこでモノ（奴隷）化され、切り売りされる存在となり、そこで得た金で欲望を消費することを幸福だ、としか感ぜられなくなる。さらにその欲望の消費のためにモノ（奴隷）として働くことになるのと同時に、その世界での主人である資本家の数値に支配されることによって、格差社会は広がって行くことになる。それはたとえ民主主義という、一見、平等思想に見えるものであっても――近代民主主義は資本主義に支えられているのであって――それは言葉上のまやかしでしかない。つまり、この欲望の資本主義を生きる経済人は、束の間の欲望の消費のために奴隷労働をすることになり、さらにこの数値化された資本主義は、ヒトの心を金とその消費との欲望人間化させ、そのヒトをして、ただ無意味なものを買いたくなるという衝動を心に産み付けることになり、またそれによって生み出される金銭の欠乏のために奴隷労働をする欲望経済人にしてしまったのである。その結果、ヒトはヒトが本来もっているはずの「生」の価値を忘れてしまい、ただ欲望（数値）のためにのみ生きることになったのである。西洋人が労働を嫌う理由はここにある。

しかし欲望は価値であるから、それが満たされてしまえばそれは消え、新たな欲望を産み出さねば欲望人間は生きていかれない。それは賭博、麻薬常習者となんら変わらない。そしてその欲望を満たすことのできなかった者は、犯罪によってそれを満たすしかない現実を生み出す。

資本主義に――これは同時に民主主義にも――未来はない。なぜなら彼らは「有の数字」の欲望と戦争とに走るだけで、自らの持つ徳性を失い、経済的欲望人間として廃人化していくしかないからである。それはいくら金欲が満たされようとも、その内面は満たされぬ空虚な、ニヒリズムを孕んだ欲望人間と化し、それを満たすためにはもはや覚醒剤等の麻薬に走るしかないことになる。これが資本主義の現実である。

西洋文明のそうした価値観ほど、世界に災厄を齎したものはない。にも拘わらず、そんな最低な文明の学問を有り難がる戦後の日本人とは、愚か者と言うしかない。つまり西洋文明は「有の数字」から成る欲望と戦争とによって、自らの価値を満たそうとする歴史的古層を持っているが故に、彼らの思考は無意識にもせよ、そちらの方向にむかうことになる。

それは大英帝国にしろ、ナチスにしろ、アメリカ帝国にしろ、彼らの信仰の源であるはずの『聖書』は、彼らの欲望と戦争とのための利用価値でしかなくなり、ただ彼らはキリスト教徒である手前、それらの目的のために手の込んだ自己偽善芝居を行ったのが、西洋思想の本質である。

たとえば今日、民主主義は美しい自己偽善思想にまで祭り上げられているが、要は戦争に勝つ（欲望を満たす）ための徴兵制の代替思想でしかなかったのである。それは植民地主義の戦争に典型的に見られるものである。

だから民主主義が平等思想として、機能するはずはない。それは単に資本主義にからくられた政治思想でしかないのである。別言すれば「勝てば官軍」だけの思想なのである。

西洋キリスト教（『聖書』ではない）思想のなかで、まっとうな人間性に溢れている思想など皆無に近い。なぜなら、彼らはキリスト教・ニヒリズムのなかを生きているから理屈上では美しい社会を、たとえば共産主義思想などを描くが、彼らのニヒリズムを孕んだ非人間性がそれを可能にしない。だからマルクス主義などは難解である反面、極めて幼稚なのである。

12

そうした側面は、ハイデガーの『存在と時間』のつまらなさにも見て取れる。

彼の『存在と時間』は二十世紀最高の哲学書というので私も齧ってみた。齧るとは、直にそれに当たるのではなく、彼の思想がどのような傾向のものであるのかを、まず解説書に当たるということである（日本には西洋の猿マネには事欠かぬから、その種の書物は汗牛充棟あふれている）。そしてその解説書を読んだだけでも、彼の自己偽善思想は例のごとく、自己を騙し他者を騙そうとすることを意図しているから、難解な表現には事欠かない。

しかし言っていることは極めて単純である。「存在とは何か」「なぜすべてのものは存(あ)るのか」である。正直、私はなぜこんな詰まらぬことが大問題になるのか理解できない。

なぜなら「存在」とは、私が「有る」から「存在」があるのであり、私が「無(な)」ければ「存在」はしないという関係にあるのだから、まず「我あり」の問題を解くことの方が、先だと思うからである。だから私は「存在」の問題は解けぬと考えるが、この際、今一度この問題に触れてみる。

私の本書の初めで「有る」とはなにかについて言及したが、忘れてしまった読者のためにそのことを復習的に述べておく。

宇宙は四次元の無であり、その惑星の一つの地球に生命というものが生まれた。そしてこの生命は、あたかも生が上昇するかのように、食うか食われるかの中で進化してきた。

その進化のメカニズムは情報の下降を本能（あるいはそれに類するもの）に下降・蓄積

させ、その蓄積された情報を基に、自然環境に適応できるように身体（生命体）を変異させることで生き延びてきた。

　ところがその進化を有利にするために、言語（価値）を生み出すまでに進化した人類というものが登場してくる。

　まず言語（価値）とはなにかと言えば、それまでの無（四次元）の情報の下降・上昇を生きてきた生命（サル）が、それを言語情報の下降・上昇としたのがヒトであり、その交錯するところに「意識の流れ」という「有る」（時間と空間とから成る三次元世界）を生み出すに至った（これが「存在と時間」の原型である）。

　しかし宇宙は本来、無（四次元）であるから、三次元という「有る」は、言語という価値からなる無の上に成り立っている虚構（嘘）の世界であり、その虚構の意識のなかで「考える」ことによって、ヒトはその言動による価値の拡大に基づいて、生命進化を有利にすることになった。つまり生き延びる確率を高くしたのである。

　が、これだけで済めばよかったのだが、古代ヨーロッパは本能的価値（特に闘争本能的価値）に基づく戦争社会であったが故に、死が多量にあった。しかし本能的価値は同時に群れ本能的価値をも含んでいるから――生命は本来、群れで行動する生命体であるから――その限りにおいては、単独者＝「我」（主観）で「考える」ことはできない。そこで彼らは死に強いキリスト教を利用して、群れ本能的価値を破壊し、それに代えてキリスト教群れ集団価値をもって置き替え、キリスト教を信じる者は「我考える」ことを可能にしたのである。つまりこのときキリスト教徒は、群れ本能的価値を欠いた片端な生命体、すなわちニヒリズムを孕んだヒトになったのである。それは言い換えれば、彼らはユダヤ・キリスト教を信じねば生きられぬ存在となったのである。彼らが無神論を恐れるのはこのためである。

このことは別言すれば、彼らの「我」は意識（三次元身体という虚構）であり、そこからしか世界を見ることができなくなってしまったということ、つまり自分たちが無（四次元）の上に乗っている意識上の三次元身体という虚構（嘘）から世界を眺めていることが、まったく自覚できない。そのことに僅かに気づいたのが（ニーチェは別格）フロイトであり、彼は意識の下に無意識の世界の存在を主張したのである。

つまりわれわれが意識上に「有る」を感じて生きているのは、進化の結果であり、その進化を逆行させることによって価値を脱落させ、サルないしは原ヒトにまで戻ってしまったのがニヒリズム（虚無）、無である。

まずニヒリズムから言えば、進化の逆行によって価値を脱落させてしまえば、キリスト教という価値も脱落し、それまでキリスト教によって穴埋めされてきた群れ本能的価値を欠いた、つまり正常な本能的価値を持たぬ――それ故サルの本能にまで進化を逆行させてしまうことになるのだが――状態に陥ってしまったのが、ニーチェのニヒリズムである。

それに対して、無は正常な本能的価値にまで進化を逆行させただけであり、それはただの生の下降・上昇の無であるから、意識というものがない、それが禅でいう禅定の無である。その結果、無を言語で表すことは不可能となる。

ここまで復習したところからも、意識（主観）の世界しか生きられぬハイデガーが、なぜ「存在とは何か」「なぜすべてのものは在るのか」という理由も分かろう。

西洋哲学の主流に「存在論」というものがあるが、それはデカルトの「我考える」が、そもそも西洋が戦争社会であったから、群れ本能的価値を欠いた片端な（ニヒリズムの）思考に成らざるを得なかったところにある。なぜ片端かと言えば、生命は（ヒトも生命である）群れで生きる存在である以上、単独者＝「我」（主観）で「考える」ことはできぬからである。

そのことは、ヒトは神話の最初期において「有る」を感じることはできても、それを「我考える、故に我あり」とすることは、できぬということである。なぜなら、「我考える、故に我あり」とは、肉体を欠いたニヒリズムを孕んだ虚構の思考だからである。言い換えれば、その「我」とは、神の保証の下に肉体のないニヒリズムに基づく主観であって、そこから外に広がる世界を客観とした、ある意味独善的世界観だからである。デカルトが「神の存在証明」などという、インチキを行った理由もそこにある。つまり彼らは世界を主観（意識）からしか見れぬから――それを見事に証明しているのがフロイトの無意識である――従ってその外に広がる世界は客観となり、「存在論」となるのである。これは「認識論」の根拠も同断である。

西洋哲学の底の浅さは、そこに一切の肉体への考察のないことであり、デカルトのそれはまさにそれである。彼らの哲学になにか深さがあると勘違いするのは、彼らのニヒリズムを孕む、その片端の「我」のヤクザ思考が、どこまでもその「我考える」を追いかけて行くから複雑、難解になるだけのことである。

　以上から考えても、主観と客観とが一致するかどうかなど馬鹿げた話である。いくら戦争社会とはいえ、自分で勝手に主観を作り出しておいて、それが客観と一致するかどうかなど戯言（たわごと）である。だから私はハイデガーの「存在とは何か」「なぜすべてのものは在るのか」など、つまらぬと言ったのである。しかし彼には意識という「我」の視点（主観）からしか世界を見ることができぬから――「我」から外れたら（無神論者になると）ニーチェのように狂うしかないが故に――彼にはこの問題を解くことはできない。ちなみに私が狂わずに済んだのは、日本には「無」の思想があったからである。

　これとは逆にニーチェや私は、「私とは何か」「私が在るとはどういうことか」というところから問題を解こうとしたのである。

　と、こう書いている内に、私は事の本質を直観するに至った。つまり私は事の九九％に達していながら、最後の一％が分からなかったが故に、全体が理解できなかったということに。

　すでに述べたように、西洋人の考え方がニヒリズムを孕んだ「我考える」であるのに対し、日本の武士（禅者）が、どのようにして「無私」で「考える」ことができたのか、そのメカニズムを悟ることができた。

それはすでに述べた「ハイデガーは『無とは何であるか』という問いそのものがおかしい、という。無を問うのに、あるという仕方で提出するのは矛盾ではないか、というのである」の問いにすべての答があることに、私はようやく気づいたのである。

武士（禅者）が進化の逆行によって、「肉体のなかに住む『無』」を知るとは、意識のない禅定の無であってそこには本能的価値以外の、いわゆる世間的欲望はない。それに対して意識とは、言語情報の下降・上昇よりなる価値の拡大という欲望である。

それは西洋キリスト教文明が、「我考える」の意識に基づく欲望と戦争とのそれであるが故に、主観（意識）からしか「考える」ことができぬのに対し、日本はガラパゴス的島国であった上、江戸時代の「村」人は鎖国という欲望と戦争とを封じた——それは同時に土地・資本の制限された——世界を生きることになった。そこでは欲望に基づく主観（意識）で「考える」ことはできず、欲望を捨てることによってしか生き延びられぬが故に、無（無欲）という「無私」の価値（『0』の哲学）で、「無私」の幸福を得るための知恵を身に付けたのである。その限りにおいては「考える」という欲望と戦争とへの指向はなく、その制限された「0」の世界で幸福に生きるには「人の和」という「徳」の世界で幸福を求めて生きるしかない。それがこれまで述べてきた、価値の拡大のために「考える」

ということをしない――無欲を生きた――福沢の母親、石田、二宮、ハーンの描いた日本人の微笑の示すところである。

　だが、戦う武士は彼らとは異なり、国家（主君）に対する価値（欲）を持っていた。彼らが「考える」ことができたのは、「肉体のなかに住む『無』」を生きながら、同時に国家に対する価値（国家を在らしめようとする欲）、言い換えれば、無から在るへの欲（意識）の価値の落差が、「考える」ことを可能にしたのである。つまり国家への欲（意識）を無で計るから、そこに価値の落差としての「考える」尺度が生まれたのである。それは武士が無から意識（在る＝欲）を見ることができたから、「考える」ことができた、ということである。

　それはすでに述べた『葉隠』の「山本前神右衛門は、家来共に逢いて、『博奕（ばくち）をうて、虚言（そらごと）をいへ、一時（いっとき）の内に七度虚言いはねば男は立ぬぞ』とのみ申され候」も、国家を在らしめようとしたら、無に基づくそうした「考え」をしなければ、武士としては役に立たぬと言うことである。ただそれがどこか禅問答のようであるのは、当時の武士にとって特段それ以上の論理性の必要がなかったからである。

　それが福沢の時代になると、西洋文明という意識の文明の侵略に対し、彼はその意識

（学問）を学びそれを彼の無という士風で計り、論理的に思考した結果が『文明論之概略』等である。

だが戦後、士風――無と意識との間に価値の落差を計れる頭――のない日本人に、彼の思想は本質において理解できない。

それが幕末の志士が、国家の存るために命を捨てる（無にする）ことができた理由である。

その典型とも言える人物が、吉田松陰、西郷隆盛等である。彼らの権謀術数の知略と、無智無欲との不思議なアンバランスの訳もそこにある。

武士はそうした無（「『0（ゼロ）』の哲学」）を生きていたから、自らの価値を評価する「我」を持たなかった。それ故に、彼らは自ら武士道を廃してしまったのである。

これが後の「村」人政治家・軍人を生み出すことに繋がり、大東亜戦争へと至るのである。

そしてそれがそのまま、戦後の愚かな日本人へと連続していく。なぜ彼らが愚かかと言えば、それまで武士の持っていた無（「0（ゼロ）」）の哲学を失い、空っぽ頭になってしまったから、それまでの国家への価値（欲）を無で計るという「考える」能力がなくなってしまった、つまりその空っぽ頭を暗記鸚鵡化し、西洋を猿マネすれば、金欲は満たされたから、「考える」必要がなくなってしまったのである。これが戦後日本の知性の墓場化である。

とは言え、むろんそれは戦後に始まったことではない。

それを戦前、東北大学で教鞭を執ったカール・レーヴィットは、『ヨーロッパのニヒリズム』（「日本の読者に与える跋」）で次のように述べている。

もちろん学生は懸命にヨーロッパの書籍を研究し、事実また、その知性の力で理解している。しかし、かれらはその研究から自分たち自身の日本的な自我を肥やすべき何らの結果をも引き出せない。かれらはヨーロッパ的な概念——たとえば「意志」とか「自由」とか「精神」とか——を、自分たち自身の生活・思惟・言語によってそれらと対応し、ないしはそれらと食い違うものと、区別もしないし比較もしない。即自的に他なるものを対自的に学ぶことをしないのである。ヨーロッパの哲学者のテキストにはいって行くのに、その哲学者の概念を本来の異国的な相のままにして、自分たち自身の概念とつき合わせて見るまでもなく、自明ででもあるような風にとりかかる。

だから、その異物を自分のものに変えようとする衝動はぜんぜん起こらない。かれらは他から自分自身へかえらない、自由でない、すなわち――ヘーゲル流にいえば――かれらは「他在において自分を失わずにいる」ことがないのである。二階建ての家に住んでいるようなもので、階下では日本的に考えたり感じたりするし、二階にはプラトンからハイデガーに至るまでのヨーロッパの学問が紐に通したように並べてある。そして、ヨーロッパ人の教師は、これで二階と階下を往き来する梯子はどこにあるのだろうか、と疑問に思う。

このことは日本「村」人が、その歴史的古層において「逃げ走る」「客分」しかやってこなかったから、一切「考える」という能力が発達しなかったことの証である。つまり「二階と階下を往き来する梯子」である、「考える」能力がゼロだということである。それに対して西洋哲学の本質は、戦争社会から生まれたものだから――ギリシャ哲学を考えれば分かることで――そこにおいて「考える」能力が発達したのである。

その事実は、古来、戦争の少なかった日本人をして、マネすれば済んでしまう民族とし、外国のものはなんでも立派そうに見えてしまうという歴史的古層を植え付けることになった。だからなんの意味もなく、――二階と階下との間に梯子を考えることもなく――プラトン、ハイデガーをマネするのである。それこそまさに暗記鸚鵡そのものである。それは戦後日本の西洋猿マネ化を見れば明らかだろう。

唯一、そうした価値観にそれほど染まらずに済んだのが武士である。だから、彼らは自らの価値基準に従って外国とも戦争をした。そういうことが、戦後の日本人には分からない。それは福沢の士風が分からぬことからも明らかだろう。

つまり戦後の日本人は、意識（「有の数字」から成る哲学と宗教）を、無（「『0』の哲学」）との価値の落差で計るという「考える」能力を失ってしまったのである。そこに西田哲学の失敗の偉大さがある。

そしてそのことは、日本人には永遠に西洋人の「我考える」（主観）の思考はできぬ以上、「無私」で「考える」しかないことを示している。

以上が私が直観で得た「私とは何か」「私が在るとはどういうことか」であって、ニーチェも同じ立場を取っている。少なくとも西洋哲学は欲望と戦争とのために、キリスト教をダシにしたニヒリズム哲学でしかない。ニーチェがキリスト教を激しく非難し、西洋文明の本質にあるものがニヒリズムだと指摘したのは的を射ている。

だが、ニーチェや私の言い分が理屈としては正しくとも、それを理解することがどれほど困難かは言うまでもない。なぜなら進化を逆行させねばならぬのだから。

13

ところで、私がなぜ「私とは何か」の問題を提起し、それと格闘してきたかについて述べておく。

私は三十歳の頃、友人と議論をしていて、突然、自分の喋っていることが、すべて親の躾、学校教育、社会慣習、書物、新聞等から得た情報を暗記させられた鸚鵡のように喋っていることに気づき、愕然としたのである。私自身の思考、意見、思想などどこにもないのである。まさに私はからくられていることに気づいてしまったのである。私はそれを切っ掛けに「私とはなにか?」の疑問を明らかにするため、一切の情報を遮断し、隠遁生活に入った。

しかし話がそう簡単にいかぬのは当然だろう。が、当時の私にはそれが分からなかった。

分かっていたら、そんな無謀なことはしなかっただろう。だがそれも今や四十年近くになろうとしている。

まず情報を遮断すると何が起こるのかと言うと、「私」がなくなってしまうのである。そのことをランボーは知っていた。彼は手紙に「『我』は一個の他者であります」と記している（なお西洋人の「我」＝「有る」と、日本人の「私たちは考えない」＝「神話的有る」の「私」とを区別していることに注意）。ランボーがどういう切っ掛けで、そのことを知るに至ったかは分からない。なにかキリスト教を捨てねばならぬような状況が生じたのかもしれない。

ヒトは群れ本能的価値を生きることを宿命としているから、他者（情報）が存在しないと「私」は成り立たない。それは群れ本能的価値を欠落している西洋人（「我」）が、その穴埋めにキリスト教群れ集団価値で補っていることからも明らかだろう。

ところでニーチェや私のやったことは、進化を逆行し、サルないしは原ヒトにまで、――「ほぼ意識の無（な）いニヒリズム」といってよい地点にまで――価値を脱落し、そこから理屈上、意識を見上げるという形を取ったのである。そこで私が「ほぼ意識の無いニヒリズム」と注記したのは、完全に意識の無い世界とは禅定の無のような世界であり、そこに意識（言語）がない以上、その状態を言語で表すことはできない。

さらに「ほぼ」という意味は、西洋人は「我考える」意識の世界を生きており、そこからニヒリズムに落ちてしまったニーチェはそのほぼ意識（言語）のない状態から、かろうじてその言語表現で『ツァラトゥストラ』という、サルからヒトへ進化するまでの神話を描くことができたのである。そしてそこに記された「肉体のもつ大いなる理性」「肉体のなかに住む『本来のおのれ』」がニヒリズム（虚無）であり、それを「肉体のなかに住む『無』」としたのが、武士道、禅の無である。

この「ほぼ意識のないニヒリズム」と注記したことについて、今少し説明を加えれば、それは進化の逆行によって、意識がサルの本能にまで進入するという、ほとんど有り得ぬことが起こった、ということである。つまりそのことによって、意識を生きるニーチェは、意識を生きていない生命（サル）の本質に宿る「力（権力）への意志」を読み取るに至った、ということである。そしてその時感じる感覚が、俗に言われる神秘体験である。

そのニーチェのほぼ意識を欠いた、西洋人自身無意識に孕むニヒリズムの思想を、意識

（主観）の視点でしか見れぬ西洋人には、まったく理解できぬか、ないしは誤解する理由がある。

そのニーチェと同じ状態を、私は生の下降・上昇という進化のメカニズムから、ニヒリズム、無に焦点を当て、さらにそれをヒトにまで進化させることによって、言語情報の下降・上昇とし、その両者の交錯するところに「意識の流れ」としての三次元という虚構の「空間と時間」を産み出させるような理解に至ったのである。しかしそういうことを理解する頭を西洋人は持たない。

なぜなら彼らにとって問題なのは、あくまでニヒリズムを孕んだ主観であるところの、彼らが歴史的古層にもつ「有の数字の哲学と宗教と」から成る、欲望と戦争との思想だからである。だからそうした彼らのニヒリズムを孕んだ科学的発想は、たとえば月（つき）へなど行って喜べるのである。それが宇宙から見れば蚤（ノミ）がほんの一ミリ飛び上がったにも値しないことだ、ということが理解できない。そんな金があったら、『聖書』の精神に戻って、多くの貧しい人々を救おうという発想ができない。それでいて『聖書』を信じる振りだけはする。そんな偽善者の頭では、とてもじゃないが核兵器はなくならない。

それに比べて昔の日本人は賢かった。月見の宴と称して薄（すすき）を立て、団子を食べながら月の美しさを愛で、団欒することで喜びが得られたのだから。金などかけずに「私たち」の和の喜びが図れたのである。だから昔の日本人は、ハーンが見たような微笑を浮かべることができたのである。

日本人に必要なのは、かって持っていた日本人の価値観を見直すことである。つまり幸福は金ではなく無償の和だということに。福沢の母親などはその典型である。

14

戦後の日本「村」人は、「考える」能力ゼロの空っぽ頭だから、西洋キリスト教文明・思想が最悪なものだ、ということが理解できない。それは近世世界史を読んでもその事実を解さず、また近代民主主義についても同断である。つまりそれがニヒリズムから成る資本主義に支えられたものだから、そうなるのだということが分からない。だから西洋思想の最悪さをマネして喜ぶのである。たとえばカント、ヘーゲル、マルクス、ハイデガーなどがそれである。つまりそれらの思想とは、まったく異なる歴史的古層をもつ日本人に、それらが分かるはずがない、ということが理解できない。彼らの思想の本質は、戦争思想によるニヒリズムに基づくものだから、他人(ひと)に損をさせる思想はあっても、得させるそれはない、ということが。資本主義の本質もそれである。

それに対して、戦争社会ではなかった日本（特に江戸時代）は、それとはまったく異なる思想進化をした。それは福沢の母親のような、ある意味無智な（損得勘定をしない）聖人のような人物を数多く生み出すことになった。それは石田、二宮も同様である。

石田、二宮は無学な一介の百姓であり、独学で自らの思想を築いた人々である。

石田は商人の道を、資本主義のそれとは異なる「『倹約をいふは他の儀にあらず、生まれながらの正直にかへし度為(たきため)なり』。私欲なく『清潔にして正直』」とする石門心学の礎となった人である。

また二宮が「天地を以て経文」とし「学者輩の論説」を取らなかったとは、たとえば茄子(なす)を食べ、その味が通常とは異なる変化に翌年の冷害を予感し、それに強い作物を農民に植えさせ、「村」人を飢餓から救ったというような独特の思考法が、小田原藩家老の認めるところとなり、晩年に至っては幕府の登用するところとなった。彼は死後、まったく財産を残さなかったと言う。

むろんそうした「無私」の精神は、日本人の歴史的古層であるから、戦後においても日(ひ)

影（かげ）の存在として脈々と存在し続けている。

近年では、アフガニスタン復興事業に尽力し、二〇一九年、ターリバーンによって暗殺された医師・中村哲の存在がある。だが戦後の日本人は自らの民族のもつ価値（歴史的古層）を評価する能力をまったく失っているから、彼の存在はすぐに忘れられるだろう。むろん彼は私欲で行った活動ではないから、それで本望だろうが。

どうして戦後の日本人は、これらの人々を評価できぬのか？

それはもともと損得勘定をしない無智の無（「0（ゼロ）」）の世界を生きてきた日本「村」人であったから、それはある意味頭が空っぽだったということでもある。しかも江戸時代は徳の社会だったから、徳のために独学で自らの頭を埋めていくという努力ができた。

だが戦後、悪い意味での完全な無智となり、しかも国家意識のない空っぽ頭の日本「村」人は、連合国によってそれまでの価値観を否定されると、あたかも西洋文明に価値があるかのように容易に洗脳されることになった。つまり空っぽ頭を、それで埋める暗記鸚鵡になったのである。しかも西洋文明は「有の数字」から成る欲望のそれであったから、それまで鎖国によって寡欲な世界を生きてきた日本「村」人は欲望に目覚めることになり、暗記鸚鵡として西洋文明・思想で空っぽ頭を埋め、それを金（欲望）に換えればいいという思考に変わっていった。

その典型に見られるのが朝日新聞の従軍慰安婦報道である。つまり戦前、無智な「私たちは考えない」「村」人であった、なんの罪もない兵士を、彼ら同様の無智な朝日の暗記鸚鵡は、西洋思想になんの徳のないことも自覚できず、彼らの言うがままに彼らを悪者に仕立て、報道と称して金儲けに走っただけだ、ということが自認できない。それは大江健三郎著『沖縄ノート』（岩波新書）も同様である。つまり彼らこそ典型的「私たちは考えない、故に私は正しい」とする「村」人なのである。

そしてそれが戦後の主流となった。彼らには西洋文明のもつ「悪徳」に気づくにはあまりに無智であった。この悪徳とは、幕末日本を訪れたヒュースケンが『逝きし世の面影』で述べている「おお、神よ、この幸福な情景がいまや終わりを迎えようとしており、西洋の人々が彼らの重大な悪徳をもちこもうとしているように思われてならない」のそれである。そしてまさにその通りになった。

戦後の日本は民主国家でもなんでもない。むろん戦後生まれの私は、日本を民主国家だと思っていたが、そんなものとは縁もゆかりも無いものだと、ようやく気づいた。

今日、日本が民主国家であるという定説は完全に崩れている。ただ戦後の「村」人は「考える」能力がないから、それが自覚できぬだけの話である。

まず国民の半分は選挙に行かない。それは当然で、どこの馬の骨とも分からぬ人間が、口先だけで選挙演説をしているのは、詐欺師だってできることだからである。それに、そも日本人の歴史的古層に民主主義を受け入れられるような素地がない。

今日、行われているのは、徳川幕府を武士なしでやっている自民党幕府のようなものである。つまりほぼ徳川幕藩体制同様、政治家も世襲、二世三世で占められている「村」社会談合派閥主義であるに過ぎない。なぜ二世三世が駄目なのかは（例外はあるかもしれぬが）、世間の荒波に揉まれた経験もなく、親の背中を見てきただけだから、ただその世襲的地位を受け継ぐことに汲々とし、政治の本道も見えなければ、また志もない。

だから自民党天下であっても、決して優れたものではなく、一時は民主党に政権を明け渡したが、彼らの政治担当能力のなさは、まことに無惨であった。

それに戦後日本民主政治は、西洋のようにそれを歴史的古層にもつ市民が行っているわけではなく、空っぽ頭の「村」人がただ彼らを猿マネしてやっているだけのことである。

彼らにはここが西洋ではなく日本だと自覚できるだけの知能がない。つまり日本「村」人は、長きに渡って培ってきた農工商という歴史的古層を生き、それに支配されているが故に、そこに民主主義、（言論の）自由、（男女）平等、人権等などまったく育たず、また当然理解もできない。従って、いまだ西洋の「悪徳」も分からぬ歴史的古層を生きているのである（すでに挙げた江戸時代人に、西洋の悪徳は無縁だった）。その無智な歴史的古層で西洋を猿マネするから自虐史観のようなものが生み出されるのである。

たしかに大東亜戦争は不幸なことであった。しかし福沢も言うように「殺人散財は一時の禍にして、士風の維持は万世の要なり」を忘れたら、国民精神は失われる。そしてそうした士風を欠いた戦後の日本「村」人には、西洋文明・思想がまともではない、ということが分からない。

たとえば戦後、男女平等としてフェミニズム、ウーマン・リブがはやった。また女性の政治参加（議員数）が少ないと嘆く論者もいる。しかしそれらは西洋からの視点であって、日本人のもの（歴史的古層）ではない。

そも男女平等なら異性愛ではなく、同性愛でもいいことになる。西洋に同性愛者が多いのはこのためだろう。

またそれを支持するなら、天皇は女帝でもいいはずだが議論にもならない。そういう時になると無考えに歴史、伝統、文化を持ち出す。それは日本「村」人には、議論に耐え得るだけの思考能力がないことの証である。

生命はその進化において、それを早く押し進めるためにオス・メス化した。それはそれぞれの役割分担をすることによって、進化を早めようとしたことの結果である。

過去の日本人は西洋人のような愚の道は取らなかった。男は男の、女は女の道を選択した。それを戦後の自前の頭を持たぬ日本人は、西洋のそれで計ることしかできなくなったから、あたかも男尊女卑であるかのように映るのである。

日本の男は女に対し「大和撫子(やまとなでしこ)」（日本女性の美称、▽見かけは弱そうだが、心の強さと清楚な美しさをそなえている意。『明鏡国語辞典』）の尊称を贈った。私はそれを福沢の母親に見る。彼女はたしかに政治に係わっていないが、自らがある種の社会浄化に喜びを見出すことのできるスケールの大きさを持つ女性であった。今日これ程の女性がどれだけいるか。これほどの女性であったればこそ、福沢諭吉という思想家が生まれたのである。

今日の若者の情けなさは、こうした母親を持たぬところにある。

今日、日本に女性議員が少ないのは、彼女らの意識（歴史的古層）にそうした気持ちがないからである。むしろそれ故、女性議員は日本女性の価値を貶めているようにさえ見える。そして悪いことに戦後の日本人は、西洋人の齎した欲望という悪徳に染まり、金のある伴侶を求めるようになった。つまり月見をするような男より、月に行ける男の方が価値があると。そう考えると、いずれ自壊するであろう「有の数字」に基づく、ニヒリズムを孕んだ欲望と戦争とから成る資本主義の後に、日本人はどのような価値観を持って生き延びることができるのかと、私は疑う。

15

これは話の質がちょっと異なるが、これまでのことと決して無関係ではないので記す。なぜなら睡眠と夢とに関することだからである。

まず西洋人には、禅定の無が「眠っていたんだろう」程度にしか理解できぬことについてである。これは言うまでもないが、彼らが意識（主観）からしか世界（客観）を見ることができぬからである。

すでに述べたように、四次元生命は情報の下降・上昇の無のなかで進化してきた。それをヒトは言語情報に進化することによって、その交錯するところに「有る」という時間と空間とから成る、虚構の三次元世界を生み出すことによって進化を有利にした。

しかし殊、睡眠時に関しては、それはある種の休息時であるからして、進化の必要はなかった。従ってサルからヒトに進化しても、睡眠時に関してはその必要がなかったから、ヒトの睡眠はサルの四次元の無そのままなのである。

それに対して、禅定の無は眠っているわけではなく、進化を逆行させることによって、言語情報の下降・上昇の内の、その言語の部分を脱落させ、無の情報の下降・上昇に至ることによって得られるものであり、それは目覚めての無である。そのことを「我」を生きる西洋人は理解できない。なぜならそういう無は西洋人にとってはニヒリズムに陥ることであり、ニーチェのように狂う可能性のあることだからである。またハーン、ゴーギャンのような人たちは、西洋文明のもつ「有の数字」に基づく、ゆとりのない、非人間的にして強欲な世界から逃れたくなったのである。つまり月へ行くためにあくせく争うよりも、月見の宴に惹かれたのである。

ところで私は中年時には、心身ともに相当病んでいた。そのことが無関係とは言えぬと思うが、ここでは睡眠と夢との内、私の睡眠障害についてだけ述べる。

今はどちらかといえば良くなっているが、それでも一晩に四、五回は目が覚める。私には「眠気（ねむけ）」というものがないのである。薬だよりに眠っているのである。むろんそれだけであれば単なる苦痛でしかないが、今から十年程前、私はある夢によって私の人生観がかなり変わった。

その夢は、夢そのものとしてはなんの変哲もないものであった。特にこれと言ったストーリーもないものだったが、ある一点において決定的に異なっていた。それは現実感覚（リアリティー）において著しく質が高かったことである。私はそれを今も鮮明に思い出せる。

と言ったところで、そうした体験をもたぬ人にはなんのことやら分からぬと思うが、それは私に、この人生よりも夢の世界を生きたい、と思わせる程のものだった。比喩で言えば、その夢の世界がカラー映像であるとすれば、この現実はモノクロームでしかないのである。

あるいはそれは臨死体験（私にその経験はないが）に近いものだったのかもしれない。その体験をすると人生観が変わると言われているように。正直、私には富も学問も味気ないものになってしまった。

私はそれによって、あたかも自分の歴史的古層を覗いてしまったような気がすると共に、ヒトは眠っている間も「考えている」のでは、と思うようになった。事実、たとえば夜中に突然、目覚めると私の頭のなかにある想念が浮かんでいることがしばしばあった。私は枕元に常に紙とペンとを用意するようになった。

また、通常ヒトは夢を見ているとき、それを夢だとは判断できぬと言われているが、私は稀に「今、自分は夢を見ているのだ」と思えることがあった。どうしてそう思えるのかと言うと「今自分が見ている世界は不合理であり、論理的ではないから、これは夢に違いない」と思えるのである。私は眠っている間も「考える」「肉体のもつ大いなる理性」を信じはじめていた。

そして私が睡眠中も、ヒトは「考えている」と断定するに至ったのは、ある夜、例の如く目覚めたとき「主観と客観との一致など馬鹿げている」と確信している自分を発見した時だった。

そしてつい最近その確信は、ほとんど理解不能な夢によって一層深まった。

私はその夢のなかでラジオを聴いているのだが、その話の内容は江戸時代の落語のようなものだった。夢は長かったが、肝心の部分だけを述べる。

ある旅籠(はたご)で新婚の若侍夫婦と三名の町人風体の旅人が相部屋になった。むろん相部屋といっても、それぞれ衝立障子(ついたてしょうじ)で仕切られているが、ただ一つ当時の常識と異なるのは、部屋代が一部屋幾らであって、それを新婚夫婦が支払っていたことである。

何事もなく一夜は明けた。そして翌朝、三人の町人風体の旅人が新婚夫婦の前に出て「昨晩は楽しませていただきまして、ありがとうございました」と言って、それぞれお礼として懐から束子(たわし)を取り出し差し出すのである。話はそこで終わるのだが、ラジオのその話を聴いていた夢のなかの私は思わず吹き出してしまったのである。

夢はそれからも延々と続くのだが、夢から覚めた私にとって重要なのはこの部分だった。正直、ショックに近かった。

まず第一に、夢のなかに明確に別の「私」が存在したことである。それはランボーがどういう意味で「『我』は一個の他者であります」と言ったにせよ、その夢は私にニーチェの「肉体のなかに住む『本来のおのれ』」の存在を確信させるに足るものだ。

第二に、それが夢のなかの「私」を笑わせることができたことである。本書では「笑い」については述べなかったが、他人(ひと)を笑わせるのにはそれなりの高度のテクニック、と言うよりその仕組みを直感しておらねばできぬことだ、と思われるからである。多分、夢に笑わせられた人間などそうおるまい、と推測する。

　第三に、私は生まれてこの種の笑い話——こういう話を艶笑小咄ということを初めて辞書で知った位で——とは無縁の世界を生きてきた。そういう話を成り立たせる知識は持っていたかもしれぬが、私の日常の意識はニーチェ、デカルトといったところにあれば、よもや私の中にこんな「私」が存在するとは思いもしなかった。これはスティーブンソンの『ジキル博士とハイド氏』を連想させたが、そんなことで済むことではなかった。


　これから述べることは仮説に過ぎぬが、私にはそう考えるしかなかった。

　まず第一点は、カラー映像のような現実感覚の夢についてであるが、それはヒトがサルから進化した原始、世界はそのような生々（なまなま）しさを帯びた恐怖と苦痛とに満ちており、そのカラーの世界を「考える」ことによって、稚拙ではあっても合理化、論理化（たとえば占い、天体観測等）することで、世界をモノクローム化するまでに静めようとして生まれたのが、文明ではないかと考えたのである。

　第二点は、生命（サル）は、生の下降・上昇という肉体で「考え」て行動していた、という事実である。そしてその肉体で「考える」能力は、ヒトが言語化しても、睡眠および夢のなかにも受け継がれることになった、のではないか、つまりそれがニーチェの言う「肉体のもつ大いなる理性」「肉体のなかに住む『本来のおのれ』」ではないか、と考えたのである。それは「肉体がそれ自身の理性で考える」ということである。それを意識の世界から見たのが、フロイトの無意識である。

16

これは私なりの「まとめ」であるが、まずデカルトが夢をどう考えていたかについて、再び竹田著『哲学入門』から取らせていただく。

たとえばひとはまるで現実そっくりなありありとした夢を見ることもある。夢の中では自分が見ているものを確かに実在するものと思っているが、夢から醒めれば一切が幻だったということがある。

　するとわれわれが現実だと思っているこの生も、ひょっとしたらみな夢だったという可能性が絶対ないとは言えない。そう考えるとふつう人間が現実の目安にしているありありしたい感覚も、それがたしかに世界の実在の証拠だとは言えない。そう考えてみよう。デカルトはこう言う。

デカルトのこの「方法的懐疑」には説得力はあるが、後がいけない。すでに述べた「神の存在証明」というインチキである。なぜなら神とは、フランスが言うように「人は自分で神を作り出し、それに隷属する」ものである以上、神がヒトにとって必要不可欠な存在とはいえ、あくまで虚構だということである。そしてその神を利用して、肉体のない「我考える、故に我あり」とするニヒリズムを孕んだ「我」＝神人を生み出し、さらにヨーロッパ人はその自覚もなしに、その「我」の欲望を限りなく膨らませることによって、没落への道を歩むことになったのである。その肉体のない「我考える」（意識）は、自然（ヒトを含む）をも数字によって「延長する物質（モノ）」として計り、自然科学を欲望の対象として発展させることになったのである（むろん自然を数字で計れたのは単なる偶然に過ぎぬが）。

確かにヒトは原始において、世界をカラーからモノクローム化したことによって、恐怖や苦痛から逃れることはできたが、その現実感覚を失ったことを、西洋人は本能的に知っていた。そこで彼らは「有の数字」のなかに、欲望という価値を見出すことによって、戦争へのそれに拍車を掛けることになった。特に砂漠に生まれたキリスト教は、欲望ゼロの土地であったから、その文明は欲望と戦争とへの指向の強いものとなった。

こうして西洋キリスト教文明は、「有の数字」に基づく欲望を価値とし、それを自然科学、産業革命、資本主義へと発展させると同時に、その欲望は戦争による世界侵略へと向かっていくことになった。たとえばヒトラーのソ連侵攻、戦後アメリカの「世界の警察官」等である。特にアメリカの見境ないとも思える、意味不明な戦争は、彼らの歴史的古層にあるピューリタン信仰に基づくものと考えられる。さらに彼らの持つ、ニヒリズムを孕んだ科学者としての一面は、「有の数字」の成果として、それを確認したいという欲望に駆り立て、それを実験に走らせることになった。それは第一、二次世界大戦における毒ガス兵器、ナチスによる医学人体実験、原爆投下等に見られるもので、特に原爆について言えば、アメリカはその投下理由について、なにかと言い訳をするが、要は広島（ウラン）型、長崎（プルトニウム）型、双方の人体実験をしたかっただけのことである。

このようにして自然科学が「有の数字」に基づいて、資本主義へと発展していくことだけでも、モノクロームの世界であるのに加えて、そこにおける過酷な競争社会は、一層カラーの世界への欲望を強く抱かせることになり、それが麻薬への方向に走らせることになった。

なぜそうなるのかと言えば、繰り返しになるが、彼らのニヒリズムの世界には、肉体の思想がないからである。つまりそれがニーチェの言うところの「肉体のもつ大いなる理性」「肉体のなかに住む『本来のおのれ』」のないことの帰結である。

そもそも彼らの「有の数字」に基づく思考法は、資本主義に見られるように、価値を欲望だとしか考えられぬことである。そして彼らは『聖書』を信じる振りはするが、江戸時代人のように、他人(ひと)を幸福にすることに価値がある、という考え方ができない。彼らはキリスト教徒でありながら、与えることを幸福だという『聖書』の教えが理解できず、奪うことからしか幸福を見いだせぬ歴史的古層を、自己偽善を通して作り上げてしまった結果、彼らがどんな立派な理想社会を理性で描こうとも、実現するわけはないのである。その典型が共産主義思想である。

江戸時代人にも例外はあっただろうが、武士でさえすでに挙げた『新論』のような考え方をしていた。敢えて再録する。

士風を興(おこ)すことなり、奢靡(しゃび)を禁ずることなり、万民を安んずることなり、賢才を挙(あ)ぐることなり。

この『新論』の言っていることは、士風のある者が国を統治しなければ駄目だということである。これが戦後民主主義が駄目な理由である。これは吉田松陰、西郷隆盛といった武士を見ればよく分かることである。

彼らは士風という公欲のために権謀術数を用いながらも同時に、「肉体のなかに住む『無』」の無欲さによって、ほとんど無智とも思える行動を取るという、欲望を生きる現代人から見るといささか奇異な生き方をした人々である（松陰の生き様は、どこかイエスを思わせる）。

正直、私には三島のように戦後の日本がまったく分からなかった。私は彼ほど二・二六事件の青年将校たちを評価はしないが、彼らは戦後日本人が完全に失ってしまった、命を賭けるほどの「生」の価値を持っていたのは確かである。

従って私は江戸時代人である石田、二宮、福沢の母親、吉田、西郷にまで戻るしかなかった。彼らは「『0』(ゼロ)の哲学」――それは無であり、空っぽ頭である――を生き、無欲で「考えた」のである。彼らは他人(ひと)に幸福を与えて、初めて自らも幸福になれると素朴に信じた人々である。しかしもう、戦後の日本人には彼らの価値が分からない。なぜなら欲望化した暗記鸚鵡にまで落ちてしまったからである。

それはたとえばdemocracyを民主主義としか訳せぬ知力の衰えである。なぜならそれの正しい訳語は利権主義だからである。近代民主主義と呼ばれるものは、欲望の資本主義の上に乗っかった欲望の民主主義だからである。つまり民主国家における人間の一生は、ほぼ親の持っている財産、地位によって決定される、ということである。そのための選挙制度、無能な政治家のために無駄金を浪費し、国の借金を増やすのが民主主義である。私が『新論』などを持ち出す理由もそこにある。

どうして民主国家が、多額の税金を支払っている者を支持せず、弱者を保護するなどということが考えられようか。しかも金持ちは「有の数字」を生き甲斐(欲望)としている者であれば、格差の広がるのは当然である。

そしてそのことは同様に、中国共産主義国家の賄賂政治と言おうが、アメリカ民主主義国家の政治献金と呼ぼうが、同じことだということである。

アメリカ人の頭のおかしさは、自国の歴史を顧みることなく、中国の人権問題に触れる神経の図々しさである。そしてそれを信じる日本人の知能の低さである。

私は別にアメリカを貶め、中国を擁護しているわけではない。ただ戦後の日本人の想像を絶する頭の悪さ――たとえば三島の死を理解できない――を言いたいだけで、もはや日本人を止めた私には興味のないことである。

ただ人類が生き延びるには、脱資本主義、脱民主主義しかない、ということである。多分、人類にはそれだけの叡知はないだろう。

最後にインド哲学について触れておく。と言ってもそれについて私は、西洋哲学以上にチンプンカンプンなのではあるが。その上、学者輩の書くインド哲学への解説も、その本質においてまったく分かっていないように感ぜられた。

もともと私は、二宮のように「学者輩の論説」は取らぬ主義、と言うより学者という人種は、自分の頭で「考える」ことをしない鸚鵡だと悟って以来、私は自分の頭で考えることを習いとしてきた。

だが正直、「『０（ゼロ）』の数字」から成るインド哲学の生まれた、その地政学的、気候風土的要件というものが、私にはまったく分からない。ただインド人が死後、自分の身がインダス川の畔（ほとり）で焼かれ灰となり、川に流されることに喜びを見出せる宗教観であることを聞かされ、私の想像力が膨らんだに過ぎない。その葬送の形は、文字通り自然に帰る——墓などというケチなものは作らぬ——という意味でスケールの大きな世界観だと感ぜられた。

これは三島の輪廻転生、ニーチェの永遠回帰である永遠の生、ないしは西田の永遠の死に繋がる思想だと思える。つまり「０（ゼロ）」の解脱の哲学（宗教）にとって、生も死も同じであり、それは無であると同時に、また無限をも含んだものだと言うことである。つまり無も無限も共に、初めも終わりもないという意味では、明らかに「有の数字」とは異なるものだ、ということである。従って彼らにとって、死は無であると同時に、永遠の生だということになる。そこに、インダス川にわが屍を流すことへの宗教的な喜びがあるのだろう。

ところが、この「０（ゼロ）」の価値観を西洋人は持たない。従って無限の概念もなく、あくまで「有の数字」から成る哲学と宗教とに基づく、欲望の世界観しか作れない。つまり有の数字によって計れる価値観——たとえば資本主義——しか持てぬ、ということである。

そのいい例がノーベル賞（オリンピックのメダルなど）である。

私はつい最近まで、ノーベル賞を授与されて喜んでいる日本人を見て、演技しているものとばかり思っていた。正直、厄介事に巻き込まれて気の毒だとさえ思った。なぜなら賞を貰ったからといって、一寸たりとも自分の業績の価値が変わる訳ではないのだから。つまり信念をもって自分が行ってきたことを、他人（ひと）が褒めようが貶そうがどうでも良いことだから。それに名声など虚しい幻影でしかない。

ところが彼らが本当に喜んでいるのだと知って、私は驚いた。ここまで日本人は西洋的価値観に染まってしまったのかと。そんな日本人に福沢の母親らの価値観など分かるはずがない。

それは三島の死が理解できぬのと同断のことである。つまりたまたま天才にされてしまった「『0（ゼロ）』の哲学」を生きる彼にしてみれば、まったく無価値化してしまった戦後の日本人の中にあって、ただ自己流の演技をし、その反応を見て面白がって大笑するしかなかったのである。それは彼が「私は戦後を鼻をつまんで生きてきた」と言っていることによって裏付けられよう。犀利にして、日本的価値を生きてきた彼にとって、ノーベル賞など問題外だったのである。問題だったら三島事件など起こすわけがない。それはニーチェ、ランボー等を天才視する世間という、永遠に無智な人々との間に生じざるを得ぬ喜劇である。

正直のところ、戦後日本人の頭の悪さは鼻つまみものである。それは戦後三〇年、日本の敗戦を信じず、フィリピン、ルバング島に潜伏し、その後帰還した小野田寛郎が、まったく真面目(まとも)ではない日本に嫌気が差し、ブラジルに移住した理由もそこにある。私が日本を捨てたのも本質的に同じである。

なぜ戦後の日本人が真面ではないかと言うと、もしかしたら小野田の方が真面で、おかしいのは自分たちの方ではないか、と疑える知力をまったく欠いているからである。それは鸚鵡化した一切の思考停止状態である。言い換えれば「私たちは考えない、故に私は正しい」とする、もはや思考状態にない「村」人の頭で、自分は「考えている」と思っている最悪の意識状態だ、ということである。そんな頭では、間違っても西洋思想の本質に横たわるニヒリズムなど読み取ることは出来まい。

日本人は日本的価値観（歴史的古層）を生きるべきである。それは脱資本主義を本気で考えるべきだ、ということである。資本主義が日本人に向いてないのは、中高年の引き籠もり人口が一〇〇万人も存在し、自殺大国であることを考えれば分かりそうなものだが、戦後日本を支配している「村」人の放つ「空気」の質の悪さに問題がある。日本人はこの質の悪い空気と対峙すべきなのだが、暗記鸚鵡にはそれを「考える」だけの知恵がない。

話はやや逸れてしまったが、インド人にとって、無であり無限である宇宙にロケットを飛ばすことに、なんの意味のないことを悟る知恵がある。ところが西洋人はあくまで「有の数字」に執着し、それを積み上げようと宇宙に向かって突き進む。その本質は、なにかと言っては自己偽善によって自己を騙し、その落ちぶれた宗教観をもって、欲望・戦争に走りたがるのである。こんな世界観がいつまでも持つ訳がない。

それに対して、インドのマハトマ・ガンジーは、イギリス植民地支配に対し、インド人の人権擁護のために非暴力抵抗運動を組織し、またイギリス繊維工業への依存を断ち切るために、糸車運動（脱資本主義）を奨励するなどして、インド独立の指導者となった人である。これは彼のなかに欲を失った「『0（ゼロ）』の哲学」（無と無限と）があったから出来たことである。

こうした思想を戦後の日本人は失ってしまった。彼らは丸山のような「勝ち馬に乗る」

人物、つまり戦前、抵抗運動のかけらもせず、戦争に負けるや否や直ちに、「間違った戦争」観に走る人間である。従ってそうした人間から見れば、「負け馬に乗った」三島の言動など分かるはずもない。

　また西洋人にも当然、ガンジーのような発想はできない。彼らにはなにかと理屈を作り出し、それを暴力に訴え欲望に走る思考しかできない。彼らは「『0』の哲学」を持たぬから、自らが悠久（無と無限と）の天地を生き、その経文を読むという発想ができない。つまり株式市場の株価に、一喜一憂するような生き方しかできぬのである。これは私から見れば完全に「永遠の生」ではなく、「有の数字」から成る欲望の世界である。

　これは言い換えれば、西洋人には（戦後の日本人にも）色即是空の世界観の意味が分からぬ、ということである。つまり有の数字という延長する物質（モノ）の世界とは、物質界という「色」から成る「空」に過ぎぬ、ということがである。

　西洋人は古代から、戦争社会という欲目でしか世界を見れぬ歴史的古層を持ってしまったが故に、その欲目による自己偽善によって『聖書』を改竄に改竄を重ねたあげく、ついにはその教えがまったく分からぬ程の欲望人間になってしまった。

　それはまさにニーチェの言う神（キリスト）の死んだ、欲望のための宗教でしかない。

そして彼らの自己偽善による嘘つき根性は、単なる欲望（利権）のための民主主義でしかないものを、なにか価値があるかのように見せかけ、多くの者を騙しているという現実である。

それはまさしく『聖書』の言うソドムとゴモラの世界であり、それはキリスト教徒ではない私にさえ、いずれ天罰（人類の没落）が下るだろうことを予感させる。

それはもし人類が生き残ろうとするなら、インド哲学のもつ「『0』（ゼロ）の数字」（空、無）に基づく思想によるしかないことを暗示させる。

17

私は前項で話を終えた積もりでいたが、些か考えるところが浮かんできたので先を続けさせてもらう。従って重複する箇所もある。

戦後の日本人はレーヴィットの言うように、二階ではプラトンからハイデガーに至るまでのヨーロッパの学問を空っぽ頭で暗記し、階下ではその空っぽの思考から一歩も出ることができぬから、その間を繋ぐ「梯子」である「考える」ことができぬ、と記した。それは要は、自分が暗記鸚鵡になって賢くなったと思っている自己満足でしかない。

　生命は群れ本能を生きているから、単独者として判断行動することはできない。これはヒトに進化しても、基本においてはあくまで「私は考える」ことはできぬ、ということである。

　が、ヒトは言語に基づく価値という虚構の世界を生きるまでに進化した結果、そこに備わっていた闘争本能的価値に加えて、虚構から成る価値の拡大という欲望に目覚めることによって戦争は一層激化した。従ってそれに勝つためには、無理にでも「私は考える」という思考法の必要性に迫られることになった。

　その「考える」方法には、私の知る限り二つしかない。それは「有の数字」から成る思考法と、「『0（ゼロ）』の数字」から成るそれとである。

　前者はニヒリズムを孕んだデカルトの「我考える」であり、後者は武士（禅者）の「無私」による「考える」である。

「我考える」がなぜニヒリズムを孕むのかと言えば、ヒトはもともと四次元生命である「肉体」のもつ群れ本能的価値を生きるよう作られているものを、ヨーロッパ人はそれを破壊し捨て、そこをキリスト教疑似群れ集団価値によって、意識より成る虚構の「我考える」を可能にした。

もともと彼らはその歴史的古層に、砂漠から生まれた「有の数字」から成るギリシャ哲学、キリスト教を持っていたから、彼らはあくまで「我考える、故に我あり」の意識（有という三次元身体）の視点からしか世界を見ることができない。その事実は、彼らは「我」という主観（意識）からしか世界という客観を見ることしかできぬ、という制約された世界観を生きざるを得なくなった。そしてその客観とは、延長する物質（モノ）の世界だから、西洋文明は「肉体という大いなる理性」を失った、人間性に乏しい――世界をモノとしか見ることのできぬ――ニヒリズムの世界に陥ったのである。つまりナチスのホロコーストも、原爆投下も、その結果として、成るべくして成ったということである。

そうした「有の数字」から成る思考法は、半ば必然的に、宇宙は有になるからして、宇宙論は今から一五〇億年前に起こった大爆発（ビッグ・バン）によって始まり、また宗教観でいえば終末論と言うことになる。彼らは宇宙の始まりの前になにがあり、終末論の後になにが来るのか、とは考えない。それが彼らを「有」（三次元）の世界である「存在と時間」の思想に縛らせるのである。だから彼らには「無、無限」（『0（ゼロ）』の哲学」）という四次元世界が、仮に理屈として分かったとしても、「肉体のなかに住む『無』」を色即是空としては理解できない。

この「肉体のなかに住む『無』」、色即是空が私の言う今一つの「考え方」である。そしてこれが分からなくなってしまった戦後の日本人は、当然の帰結として「考える」ことができない。なぜなら彼らは肉体ではなく頭で、しかも空っぽのそれで「考え」ようとするから分かるはずがない。

無とは文字通りの無であるからして、言語では説明できない。それを理解できるのは、「肉体のもつ大いなる理性」だけである。

別言すれば、無と無限とから成る「『0』(ゼロ)の哲学」は、「有の数字」という三次元身体(意識)に基づく言語(価値)体系から世界を計る西洋人には、言語に基づかぬ四次元身体である「肉体のなかに住む『無』」は理解できない。つまり色即是空の「色」として世界を見、それを実体のない「空」と見ることは彼らにはできぬのである。

ヨーロッパ人に「無」(色即是空)がまったく理解できぬように、日本人もその歴史的古層にある日本文化としての「無」(空っぽ頭も)からしか世界を見れぬ以上、ヨーロッパのニヒリズムを孕んだキリスト教文明の「我考える」思考法が理解できぬのは当然である（ただしニーチェや私のようにニヒリズムに陥ればある程度理解できる）。

日本人にできることは、身心脱落によって価値を脱落し、それによって「肉体のなかに住む『無』」に達することで「無私」となり、そこから意識（三次元世界）を見上げることによって、その落差上に「考える」ことを可能とするだけである。西田のやろうとしたことはこれである。彼の失敗は日本文明は進化に基づき、西洋文明は進歩に基づいていることが分からなかったことである。後者を進化から進歩思想（ニヒリズム）に変えてしまったのが、キリスト教でありデカルトのインチキ哲学である。

東西の思考法に違いはあるにしても、そこに共通しているのは、共に食うか食われるか、殺すか殺されるかの進化の根源にある闘争から生まれたものだ、ということである。禅は闘争とは関係ないが、武士と禅とが近いことは、両者の無に至る進化の逆行のメカニズムが、同じであることからも明らかである。

ところで私がここで述べたいと思っている主目的は以上のようなことではない。これまで述べてきたのは、ある意味前置き的なことである。

私にこの項を書かせる切っ掛けとなったのは、佐伯啓思著『自由と民主主義をもうやめる』の第三章「成熟の果てのニヒリズム」の「日本文化の核心にある『無』」に触発されてのことである。

まず氏のその文章を引用しよう。

京都哲学にはもう一つ論点があります。

ヨーロッパはニヒリズムに陥ってしまった。ニヒリズムとはすべてのものが無意味と化す状態です。言い換えれば、これまで正しいと思われてきた物事の「根拠」がなくなって「無根拠」になってしまうことです。

一九三一年に数学者のゲーデルが、科学であれ、いかなる合理的な言説の体系であれ、自ら自身を基礎づけることはできない、ということを論理学的に証明しました。いわゆるゲーデルの「不可能性の定理」と呼ばれるものです。

この定理の意味するところは、いかなる学問体系であれ、科学であれ、それが真理であるという確かな理由は存在しない、ということです。最も合理的で正しいと思われた科学も実は「無根拠」だったわけです。

ゴシック様式の高い建築物が象徴的ですが、一つ一つ石を積み上げるように、物事をロジックによって上へ上へと組み立てていくのが、ヨーロッパの基本的な考え方です。ところが、ゲーデルは、どんなに石を積み上げても、一番底が空洞であることを示してしまった。土台はどこにもなかった。

ヨーロッパの場合、学問にせよ、建築にせよ、まさに石で造られた寺院のように、上に伸びるように構築していくだけに、この「無根拠性」は非常に大きな打撃です。ニヒリズムはこうしてすべてを壊していったのです。

これに対して西田幾多郎が言ったのは、東洋では無意味であることが最初から前提になっているということです。言ってみれば「無根拠」ではなく、「無」が「根拠」となりうる。

東洋には「無」という考え方があり、最初から世の中は無意味であることを知っている。しかも、その「無」は、すべてのものを受け止めている。

特に日本には、世の中に常なるものはなく、すべては無常であるとする価値観が強くある。壮大な建築物が「無根拠」によって崩れたとしても、時が来ればすべてのものは崩壊していくのは当然だと思っている。権勢を誇った者が滅びるのは当然の理だと思っている。だからニヒリズムに陥ることもなく、「無根拠」によってまったく動じることもないわけです。

さらに言えば、逆に無の中からこそ、いろいろな「意味」が生まれてくる。「色即是空」に対して「空即是色」となるのであって、確かにこの両者は同じことなのです。

ここで数学者ゲーデルと思想家ニーチェとを重ね合わせることは、突飛に思われるかもしれない。しかしゲーデルが「どんなに石を積み上げても、一番底が空洞であることを示してしまった」ことは、ニーチェにしてもヨーロッパ・キリスト教文明の「合理的な言説の体系」というゴシック建築の底部にあるギリシャ哲学、キリスト教がニヒリズムを孕んだ空洞であり、まったくの無根拠であることを見抜いたことでは、彼ら二人の辿ったその道筋、また衝撃度においてこそ異なれ同じである。

ニーチェはそこにおいて、そのゴシック建築の基底にあるギリシャ哲学、キリスト教がまったくの無根拠であり、それらを抜き取ればヨーロッパ・キリスト教文明は崩壊すると予言したのである。

なぜ彼にそのような予言ができたのかは、進化において人類はそれ以前の、サルが肉体にもつ四つの本能を本能的価値とし、それを歴史的古層にもつ存在であることを、彼の肉体が直観したが故に、それを破壊し捨て去ってしまった「我」という存在はもはや正常な生命では有り得ぬことを、つまりギリシャ哲学、キリスト教から成る意識（三次元身体）という虚構の上に成り立っている思想は、もはや肉体（群れ本能的価値）を持たぬが故に、無根拠であるニヒリズム（虚無）に外ならぬ、と言ったのである。

すなわちヨーロッパ、ゴシック建築という体系化された世界を、ニーチェはギリシャ哲学、キリスト教という無根拠性を取り払うことによって、彼自らもまたその思想を瓦解化（崩壊）させたのである。そしてその完全に瓦礫化した――それまでのヨーロッパ・キリスト教文明を成り立たせていた価値を崩壊させてしまった――世界で、彼はその「0（ゼロ）」の地点から自らの思想を築き上げねばならなかったのである。それが故に彼は、『ツァラトゥストラ』という神話および箴言という形を取らざるを得なかったのである。

彼の思想的予言はまさに第一次世界大戦によって現実化され、それは今日にまで至っている。しかし歴史的古層において、ニヒリズムによって欲望人間化しているヨーロッパ人には、ニーチェの価値（欲望）を脱落した（無化した）思想は理解できなかった。

これはまたゲーデルの言ったことが、歴史的に現実化した、ということでもある。

それに対し、日本人の「根拠」となるのは「無」以外にない。が、その無が武士や禅者のそれのように、「考える」根拠となる場合と、まったく無智（空っぽ頭）のそれとでは大きく異なる。

さらに日本には無常という価値観があるが、これはある意味色即是空に近いものであって、「考える」人間も、空っぽ頭の人間にもある程度共通している面もあるので判断は控える。

まず「考える」武士等では、たとえば松陰、西郷、福沢、西田等であり、無智の側では、福沢の母親、ハーンの述べた車夫の微笑のそれである。前者については特に述べることもないが、後者のハーンの説明には、若干違う点があるように思われるので追記する。

日本は戦争の少ないガラパゴス的進化をしてきた結果、敵をいかに多く殺すかという思想（智といってもいい歴史的古層）は、武士を除けばまったく発達しなかった。

そも思想（智）とは「考える」ことだが、その「考える」能力を戦後の日本人は皆無といっていい程持っていない。ただ文字通り「無根拠」に「考えている」と思っている暗記鸚鵡である。それは「村」人の歴史的古層にあった「私たちは考えない、故に正しい」の「考える」であるに過ぎない。

太平の江戸時代もまたそうした時代であった。しかも「村」人が支配者である武士を養っているという関係にあった以上、「村」人は「考える」必要はなかった。

その上、武士は『新論』にあるように「万民を安んずることなり」であり、万民が戦争に加わることはなかったから「考える」能力はまったく発達しなかった。その事実は「村」人の歴史的古層には、まったく闘争本能的価値が発達せず、ただ群れ本能的価値だけを蓄積することになった。

そも「群れ」という価値には「自他」の区別がない。従って個の意識がまったく成育せぬことになる。すでに述べたように個の意識は、東西共に戦（戦争）において闘うことによって発達した「考える」能力である。つまり進化の原理によって発達した能力である。それが武士が存在しなくなった戦後の日本人は、「村」人の「逃げ走る」歴史的古層しか持たぬが故に、「考える」能力のない空っぽ頭を生きることになった。それが歴史的古層に基づく戦後の平和ボケである。

ガラパゴス的島国に住んでいた日本人の平和ボケは、ある意味『古事記』の時代から始まっていた。

『古事記』には次のような記述がある。要約して述べる。

仁徳天皇が高い山に登り、国に烟が立っていないのは民が貧窮しいからだ、今から三年、人民の課役を免除することにしよう、その結果、皇居は壊れ、雨が漏れることになったが、それによって国には烟が立ち人民も富んだ、だから今は課役を課することにしよう、という話である。

これは単なる善政というような性質のものではない。日本においては古代から群れ本能的価値が育っていたことの証である。そこに西洋のような個の思想は生まれようがなく、従って自他の区別が生まれなかったから起こったことである。

そうした自他の区別のない「私たち」の意識をもって生きてきた日本人の歴史的古層は、歴史上に特に現れることもなく、延々と続いてきた。

それが平和だった江戸時代、たまたま福沢が自分の母親のことを記し、またハーン（特に彼だけに限らぬが）のような西洋人が、日本人の特殊性に驚かされただけのことである。

それは彼らが損得勘定のない無智だった、ということである。なぜなら智とは、得をするために発達したものであるのだが、日本人の多くにそれは生まれなかった。

福沢の母親で言えば、自分と乞食女との間に自他の区別がつかなかった。さながら母親と娘との関係のようなものである。だから彼女は虱を取ってやることに幸福を感じ、褒美に飯まで食わせてやったのである。

また車夫の場合で言えば、現代人であれば殴られたら怒るのが常識だが、自他の区別のない彼は殴った相手が許してくれたことで、幸福になれたから思わず微笑したのである。当然そこに「軽蔑もなければ偽善もない」。

こうした日本人を生み出した背景には、「主人」である武士の（特に下級の）『新論』に見られるような思想があったから可能だったのである。

さらに日本は「木の文化」である。だから自然が滅びる（「0（ゼロ）」になる）のは当たり前であり、そこには滅びの美学というものさえ生まれた。そうであれば、そこには西洋ゴシック建築のような、いかなる理性、合理性、体系的なものは生まれようがない。あるのは空っぽ頭を含めた無であり、無常観である。

私が司馬という作家に呆れたのは、彼の『言語についての感想』を読んでいたら「私どもも人間は、言語体系によって世界を把握している」という一文に出会ったときであった。日本に「体系」と呼べるようなものは一切ない。

彼の無智は、まさに武士という「主人」を失った「村」人のその空っぽ頭を、西洋（特にアメリカ）的価値観で埋め、それで自分は「考えている」と思っていることである。彼には完全に武士のもっていた「無」がないのである。

たとえば『葉隠』の「博奕（ばくち）をうて、虚言（そらごと）をいへ、一時（いっとき）の内に七度の虚言いはねば男は立ぬぞ」である。武士はそれだけで分かったのである。そこには理性も、合理性も、体系的なものも一切ない。武士とはそうしたものであって、それがまったく理解できぬ司馬史観なるものが罷り通る戦後とは異常である。

それは完全に日本から「肉体のなかに住む『無』」が失われ、「肉体のもつ大いなる理性」で「考える」ことができなくなった、ということである。

それは当然、司馬だけに限られたものではなく、日本人全体に言えることである。

江戸時代までは、武士という主人の下で、自他の区別もできぬ無智な福沢の母親や、ハーンの言う車夫のような人々はそれなりに幸福に暮らしていた。だがそれが、戦後アメリカというまったく歴史的古層の異なる者が主人（支配者）となったにも拘わらず――それへの理解は日本国憲法一つを取ってもない――それが日本人には実感できず、ただ洗脳されるがままの暗記鸚鵡となったのである。

一部繰り返しになるが、それは朝日新聞の従軍慰安婦報道、大江健三郎著『沖縄ノート』（岩波新書）裁判に如実に示されている。

つまり彼らは完全に「間違った戦争」観に洗脳された頭で、自分は「考えている」と思っているのである。そも彼らには、「考える」ための主観も無もなく、ただ主人に支配された付和雷同の空っぽ頭で考えているから、戦争に「正しい」も「間違い」もないことが分からない。戦争は単なる戦争であって、もしそこに善悪の価値観が入るのなら、人類そのものが「間違い」だということになる。

それに彼らにはジャーナリズムを理解するだけの知力がない。

ジャーナリズムは西洋戦争社会から生まれたものだからして、最大限情報を重視する。しかるに彼らは「間違った戦争」観（旧日本軍＝悪）に洗脳された空っぽ頭だから、朝日新聞は『吉田証言』なるマンガ本をただ信じるだけで、その事件現場である済州島を取材、調査することもせず、また大江氏も同様に『鉄の暴風』なる本を下敷に、氏の妄想によって、旧日本軍人が渡嘉敷島島民に「集団自決命令」を出したという、ほとんど幼稚園児並みの知能で記述したのである。なぜ幼稚園児並みかと言えば、世界に「自決命令」を出すような愚かな軍人は一人もいない、ということが「村」人の歴史的古層しか持たぬ氏には分からぬのである。これは退化の問題であり、今も退化したままだということである。

日本には「道」という思想がある。これについて明確な定義はできぬが、それは無常観であり、色即是空であり、無であるところの欲を捨てた心身寂静（じゃくじょう）の境地である。

それはスポーツのように勝ち負けにほとんど価値を置かぬ世界である。スポーツの起源は、もともと戦争社会であった古代ギリシャにおいて、戦闘のための肉体鍛練から生まれたもの（オリンピック）であり、それを「平和の祭典」などと言うのは真っ赤な嘘である。

そうした精神とは無縁なところを生きてきた過去の日本人は、たとえば加来耕三著『日本人は何を失（なく）したのか』において、イギリス人・ブリンクリが目撃した武士の果たし合いに示されるところである。

その果たし合いは、呆気なく終わってしまうのだが、その後の、勝者が敗者に執った行動にブリンクリは痛く驚かされるのである。勝者は斃した敗者を自らの羽織で覆うと、その前に跪（ひざまず）き恭しく合掌したのである。

この合掌はインドで古くから伝わる礼法（「『0（ゼロ）』の哲学」に由来する）であり、仏教においては仏を拝む行為である。

それに対し「有の数字」から成るニヒリズムを生きる西洋人にとって、勝利はいわゆるガッツ・ポーズのような歓喜の形で表される。これはあくまで伝聞であるが、原爆投下の成功の一報を聞いたトルーマンは、小躍りして喜んだと言う。これはヒトラーが言わばユダヤ人インフルエンザにかかった症状と同じく、日本人インフルエンザによる発作である。

この対照的反応の違いは、日本人は仏教徒であり、そこにはニヒリズムはなかった、ということである。つまり福沢の母親も、ハーンの車夫の微笑もそこに繋がるものである。

そうした歴史的古層をもつ日本人であれば、従軍慰安婦を強制連行したり、南京大虐殺などするわけがないのである。そのようなことに翻弄される戦後の日本人とは、底抜けの愚者だということである。

戦後、西洋文明の影響を受け暗記鸚鵡化し、また欲望人間化した日本人は、もはや過去のこうした世界とは無縁になってしまった。

私には戦後の日本を見ていると、七十五年前の焼野原にただ民民ゼミが鳴いているだけのイメージしか思い浮かばない。恐らく三島もそれに近いものを見ていたのだろう。彼の檄文を読んでいるとそう感ぜられる。
彼は檄文に次のように書く。

経済的繁栄にうつつを抜かし、国の大本を忘れ、国民の精神を失ひ、本を正さずして末に走り、その場しのぎの偽善に陥り、自らの魂の空白状態へ落ち込んでゆくのを見た。……自由でも民主主義でもない。日本だ。われわれの愛する歴史と伝統の国、日本だ。

三島を理解する者はもはや日本にはいないだろう。

第二章　結語　西洋のニヒリズム

実はこの部分は、私の原稿を読んで下さった方（以下、貴方と書かせてもらう）の寸評を読んで、その一部に刺激されて、どうしても書かねばならぬ気持ちにさせられて記すものである。それは次のようなものである。

中には同趣旨の言説が繰り返し登場する箇所も見受けられる。全体をモティーフごとに幾つかの章に区分して、小見出しなどを設けたほうが、より読みやすい作品になるのではないだろうか。

これに対する答は幾つかある。
まず第一に、私に残された時間はそれほど長くない、ということである。が、そんなことは正直どうでも良い。
第二に、私の反省すべき点に気づかされたことである。

それはたとえば福沢に限らず、思想家とはただ一つの目標に向かって、あれこれと論ずる人種だということである。彼の場合で言えば、彼の目標は「一身独立して一国独立する事」であって、それには日本人は「逃げ走る」「客分」ではなく「主人」にならなくてはならぬ、そのためには、未開、半開、文明の段階を経て、日本も西洋文明を目的としなければならぬと、言わば口を酸っぱくして言ったまでのことである。それは私も自らの著作で口を酸っぱくして同じことを論じたから、結果的に繰り返しが多いことになった。

が、私が貴方から教えられた教訓は、耳学問は——書物を読むだけでは——役に立たぬということである。つまり福沢の著作をいくら読んでも、空っぽ頭（ペット）にはなんの役にも立たず、士風（無）がなければ単なる口先人間になるだけだ、ということである。戦後の日本人はほとんどこれである。学問は肉体（「肉体のなかに住む『無』」）で学ばなければ意味がないのである。

戦後、アメリカによって武士道から家庭教育に至るまで肉体の学問を失ってしまった日本人は、「主人」の作った憲法、およびすべてのものにおいて隷属する「召使」にまで落ちぶれてしまった。これはもはや国家でもなければ、国民も存在しない。ただの誇りを知らぬペットによる保護国の繁栄である。こんな国家擬きはいつ崩れてもおかしくない。

つまり私の反省点は、貴方の「同趣旨の言説が繰り返し登場する」ことによって、論理を尽くし、口が酸っぱくなるまでに論じればヒトは理解する（話せば分かる）ものだという、甘い楽観論があったことである。

しかしそれは朝日新聞、大江氏に限らず、士風のないペット化した学者、知識人等に、なにを言っても無駄だ、ということである。文字通りの馬耳東風である。

第三に（これがもっとも重要なことだが）、「全体をモティーフごとに幾つかの章に区分して、小見出しなどを設けたほうが、より読みやすい作品になるのではないだろうか」である。私も過去に、ある程度その努力はしたが、はっきり言って苦痛であった。

それはニーチェを考えれば分かることである。彼は見出しどころか『ツァラトゥストラ』という神話、また様々な箴言集に見られるように、「読みやすい作品」どころか、ある意味支離滅裂である。

私は『ツァラトゥストラ』を理解している人間など、一人もいないと思っている。それはニーチェ自身にしても理解できなかったから、神話、箴言という形を取ったのだと思う。

それは私にしても、私自身が理解できぬことから類推すれば分かることだが、そもそも私なんてものは存在しない。なぜそうかと言えば、私という存在（主体）そのものが虚構

（嘘）であり、私とは単に解釈によって成り立っている存在であるに過ぎぬからである。

　この意味することは重大である。なぜなら私という存在は、解釈（洗脳）によって成り立っているのであり、その解釈を保証するものはなにもない。つまり私は無根拠の上に成り立っているニヒリストだ、ということである。

　このことは同様に「我考える」にもなんの根拠がないのを、デカルトは自己偽善を通して、自分の都合のよい神を捏ち上げ、その保証（根拠）によって、「我考える」を成り立たせた、ということである。つまりデカルトの神は、彼の解釈（自己偽善）によって作り出された無根拠な神であるからして、彼の哲学「我考える、故に我あり」はニヒリズムという無根拠の上に成り立っているのである。すなわち西洋キリスト教文明そのものが、ニヒリズムというイカサマの上に成り立っているのである。

　その点、仏教は「我」の根拠を「無」に置くことによって、この問題を解決したからニヒリズムはない。

　ところで、古代神話とニーチェのそれとでは当然異なる。

　古代神話は、混沌流動としている四次元世界を、言語によってその世界を、自己にとって価値の拡大となる方向へ言語によって切り分け、三次元化（意識化）したものである。ところが理性、合理性という視点から見ることに慣れている（洗脳されている）現代人——ただし日本人は無考えにそう思っているだけ——には、古代神話とは荒唐無稽な話としか映らない。それは資本主義、共産主義、民主主義等も同様にして作られた神話だ、という自覚がないということである。なぜ自覚が持てぬのかと言えば、それがまさに「洗脳」そのものだからである。ヒトはそうした洗脳の世界を生きているのである。

これはニーチェにとっても、理性、合理性、思想体系より成るヨーロッパ・キリスト教文明というゴシック建築の土台に対して、彼のニヒリズムの視点から見る限り、まったくの無根拠である（彼は洗脳を解かれている）が故に、それは彼のなかで完全に崩壊し、瓦礫化してしまったのである。

すなわちニーチェは、瓦礫化（無価値化）した言語をもって古代人が神話を書いたように、その瓦礫化した言語をもって、「0（ゼロ）」化した世界に『ツァラトゥストラ』という彼なりの神話を打ち立てるしかなかったのである。箴言集も同様である。そんな彼の思想が、ヨーロッパ文明という、意識から成る価値を信じ、それを根拠として「考える」人々に分かるはずがない。つまり貴方の言う「見出しを設けたほうが読みやすい」とは、ヨーロッパ文明という価値（言語）を根拠として成立している、その洗脳によって作られた虚構（嘘）の世界――われわれヒトはそうした無根拠の世界を生きているのであり、従って正しいものなどどこにもないのである――を信じられる限りにおいては、正しいかもしれぬというだけのことなのである。そしてそれを「正しい」として根拠づけるのが自作自演の宗教（信仰）なのである。

従ってニーチェ同様、ニヒリズムに陥った私にとって、これまで世界を洗脳によって価値付けていた一切の根拠が崩壊し、瓦礫化（無価値化）した人間にとって「見出しを付ける」とは、読者に分からせたいという気持ちはあるにしても、ほとんど意味を成さぬのである。

私は以上のことを教訓として教えられた。と同時に想像力を刺激され、今一度、ニヒリズムについて言及できるだけの論理が芽生えた。それがたとえ多くの仮説に基づくものだとしても。

私がここで論じようと思っているのは、ニーチェの言う「ヨーロッパのニヒリズム」であるが、それはアメリカにも及ぶので「西洋の」とした。

まず彼が「主体は虚構である」と言っていることである。繰り返しになる部分もあるが、それについては一応述べておく。

その意味は、言語（価値）から成る意識という主体（我）は虚構（嘘）であり、その意識から成るヒトの主観の前に広がる世界（客観）も、言語（価値）による洗脳によって成り立っている虚構（嘘）だ、ということである。別言すれば、世界とは単に解釈によって成り立っている虚構（嘘）なのである。

これを仏教的視点から言えば、色即是空だということである。つまり実体だと思われている世界は、「色」という虚構（嘘）から成る「空」だ、ということである。ここにニーチェが仏教に関心をもった謂われがある。これは佐伯氏がゲーデルについて述べた「『無』が『根拠』となりうる」ということである。

しかしこうしたこととは、「我考える、故に我あり」という意識の世界を生きる西洋人には分からない。

私はこれまで、彼らは群れ本能的価値を破壊し、そこをキリスト教疑似集団価値で埋めてきたと書いてきた。それはそれで正しいと思っているが、事実はそれよりさらに進んでいるのではないか、と考えるに至った。つまりキリスト教疑似集団価値で埋めたのではなく、もはや彼らから群れ本能的価値は失われ、「『我考える』キリスト教集団価値」に思想進化（外道化）してしまっているのではないか、と。このことは、彼らは「我考える」以上、もはやニヒリズムから逃れられぬ思考体質（歴史的古層）に持ってしまっているのではないか、ということである。

それをニーチェは、ヨーロッパのニヒリズムと言ったが、それは現今のアメリカの問題でもある。

ニヒリズムとは何か、といった語源的なことはこの際述べない。またニヒリズム（虚無）、無が進化の逆行というメカニズムによって起こることも、すでに述べたので繰り返さない。

ここで述べるのは、西洋に存在するニヒリズムとはどのようなものかに焦点を当てる。

ニヒリズムという概念は、ニーチェによって一躍脚光を浴びることになったが、その思想の本質はまったくと言っていいほど分かっていない。

それまでヨーロッパ哲学は、デカルト、カント、ヘーゲル等の理性、合理性、論理性に基づく思想体系の下に成り立っていた。

　ところがそれが突然、第一次世界大戦における戦車、毒ガス兵器等による殺戮に、また第二次世界大戦におけるナチスのホロコースト、アメリカの原爆投下等によって、まさに彼らが殺人狂であるかのような観を抱かしめるに至った。

　そして私はそうした彼らの思想の根底にあるものを、ニヒリズムと呼ぶのである。ちなみにアメリカ人（特にＷＡＳＰ）には、まったくニヒリズムに対する自覚がない。記憶は曖昧であるが、原爆投下作戦の指揮官が、平然と画像のなかで、自らの肉声で、日本が降伏しなければ、もう三、四発、投下する積もりだった、と述べていたことからも、彼らがニヒリズムに陥っているものと断定した。

　ここで誤解を招くといけぬので一言注記しておく。ニヒリズムはキリスト教（『聖書』ではない）と表裏一体の関係にあるから、キリスト教徒である限りニヒリズムの自覚はない。ニーチェのようにキリスト教という価値を脱落し疑似群れ本能的価値に穴が空くと――より正しく言えば、「『我考える』キリスト教集団価値」の内の「キリスト教集団価値」が脱落して、後(あと)に残った「我考える」を保証するものがなくなると――正常な本能的価値を維持することができなくなるが故に、ニヒリズムに陥るのである。

こうしたアメリカ軍人の話を私は噂としては聞いていたが、こうして画像を見せられると「ああ、やっぱりか」と正直思った。それに彼らが歴史的古層に虐殺史を持っていれば、そういう発想が生まれることはなんら不思議ではない。

ここでは西洋にそうしたニヒリズムの思想が、どのように育っていったかについて述べるわけだが、正直、私に読者を納得させられるだけの論理性を持ち合わせているか、その自信はない。が、とにかくそれを箇条的に述べる。

一　まず宇宙論的なところから始める。今日、宇宙物理学では、宇宙は高速度で膨張しているとの論が主流を占めている。それが正しいかどうかは別として、地球上生命が半ば闇雲に、食うか食われるか、殺すか殺されるかの中で進化してきたという事実を受け入れて、それがその膨張の延長線上にあるものだと理解すれば、それは生が上昇する意志を持っていることだ、と私は解釈した。

なお、この生の上昇する意志とは、ニーチェの「力（権力）への意志」を私風に解釈したものである。そしてこの闇雲に生を上昇させようとする意志のなかで、特に進化を押し進める弾みとなる意志を「集団ヒステリー」と呼ぶ（その具体例は後述）。

生命がそのように進化してきたと考えられれば、サルから進化してきたヒトは、当然それらの意志を歴史的古層に内包しているはずである。

だがヒトは、言語による意識を持つことによって、その思考の下に、法律、道徳等による国家、社会等の秩序によってそれを維持する知恵を得て生きる存在となった。その結果、その秩序が崩れれば、権力への意志が集団ヒステリー化することは特別異常なことではない。

二　さらにその宇宙をどう理解するかであるが、インド哲学においてはそれを「0（ゼロ）」の概念で捉えた——無から無限へと解した——から、彼らの思想の根拠は、結局のところ「0（ゼロ）」に集約される「解脱」の方向へむかうことになった。
それに対し、砂漠に発生源をもつ西洋キリスト教文明という「有の数字」から成る哲学と宗教は、「1（イチ）」から無限へと向かうから、それは「有の数字」から成る価値の拡大となるが故に、それは欲望の世界へと向かうことになった。それは『聖書』の思想が自己偽善によって済し崩し的に改竄され、それが欲望の資本主義を生み出したことを考えれば分かろう。

三　砂漠に生まれたキリスト教は、自然物に神々を見ることなく、それを天に求めることで、自然は神の属性に過ぎなくなり、これが後に「有の数字」から成る科学による自然への侵略と同時に、それが人間（キリスト教）中心主義の思想を生み出していくことになる。従って科学は神によって保証されたものだから「科学の進歩」は善と捉えられることになった。ここに自然は、神の保証の下に「有の数字」に基づく科学の対象となったが、しかしその科学をもって『聖書』を批判することはできぬ、という矛盾を孕むことで、科学を歪なものにしていった。つまり科学とは、神とは無縁な食うか食われるか、殺すか殺されるかの生命進化の延長線上にあるだけのものだ、ということが忘れられていったのである。すなわち自ら作り出した神に、殺生権が与えられたのである。

その事実は、病原菌もまた生命であり、その生を上昇させようとヒトを侵略するだけであって、それを人間の都合で、医学と称して殺しているだけのことだ、ということである。それはヒトが牛や豚を殺し食っているのと同じであって、人間中心主義に生きるヒトは、自分の都合で世界に善悪の価値観を付けているだけなのである。

さらに戦争などにおいて、ヒトが科学の対象に含まれれば――神はそれを可能にする存在だから――ホロコースト、原爆投下もなんの問題もなく行われた。

そして原子力を平和利用の名の下に、発電所を作ってもそれは所詮ヒトの知恵でしかなく、呆気なく崩れ去ってしまうものだという事実を、欲望人間は実に簡単に忘れるのである。

このように西洋文明はヒトを増上慢にし、科学の万能を信じさせ、そしてその同じ能天気な土壌から、カント、ヘーゲル、マルクス等の思想家が生まれることになったのである。なぜ能天気かと言えば、彼らの思想の歴史的古層にはニヒリズムが潜んでいることが分かっていないからである。そして当然、今も分かっていない。

四　人間中心主義のキリスト教は、イエス・キリストを神の子としたが故に、その信仰者には当然、選民意識が生まれることになった。ただし選民思想は特にユダヤ教に強いもので、それがユダヤ人迫害の一端ともなったのだが、奇妙なことに、キリスト教徒による彼らへの迫害には、ユダヤ・キリスト教と言うことから分かるように、ユダヤ教自身が内包しているものなのである。

またその選民意識は、アメリカの黒人奴隷を生み出すことにもなった。

キリスト教徒のそれは、選民意識というよりは、ヒトが本来もつべき群れ本能的価値を失い、それを「我考える」キリスト教集団価値に置き替えることによって、ニーチェの言う「肉体のもつ大いなる理性」、「肉体のなかに住む『本来のおのれ』」である「肉体」（四次元身体）の思想を失い、「意識」（三次元身体）だけの思考しかできなくなってしまったことにある。

この「我考える」キリスト教集団価値による思考法とは、「我」という個の思考によって、それぞれはばらばらであるが、一旦、個の意識がキリスト教集団価値に集約されると、団結するというものである。これがいわゆる個人主義といわれるものであり、彼らの愛国心とはそうした性質のものである。

そしてそれは、一般的に言えば、演説のうまい、ある意味悪知恵の働く、そして自らも集団ヒステリーに陥っている権力者――そこには独裁者と呼ばれる人間も含まれる――が現れると、大衆は容易に集団ヒステリーに陥る。

さらに重要なことは、彼らは「我考える」キリスト教集団価値を生きるが故に、

「我考える」による思想、理念等（むろんこれらも虚構〔嘘〕）を通して、自己自身を騙す自己偽善によって集団ヒステリーを起こすこと——そこには起こした当人も含まれる——だということである。しかし当然、彼らにその自覚（意識）はない。なぜならヒトは、俗な言い方をすれば、「無意識」（歴史的古層）にコントロールされて生きる存在だからである。

それを正しく言えば、ヒトは価値（言語）という虚構（嘘）の世界を生きているから、——別言すればヒトの主体は虚構だから——自分の嘘（洗脳されていること）を保証するものは神しかなく、しかも神とは「自分で作り出し、それに隷属する」（これは思想、理念等についても言える）性質のものだから、それは本人がどう考えようとも、まさに無根拠性の上に成り立っているものなのである。しかも神の存在は絶対に科学によっては証明されぬ性質のものである。

ヨーロッパにおいては、すでに第一次世界大戦前からこのニヒリズムは彼らの歴史的古層に横たわっていたのだが、それが明らかになるのはその大戦だから、そこから始める。

それはオーストリア皇太子暗殺（サラエボ事件）という、ある意味些細なことから始まった。従って彼らは戦うための明確な根拠を持たなかった。

なぜなら愛国心と呼ばれるものは、その本能的価値において、生命のもつ防衛攻撃的本能に由来するものだからである。そしてその防衛攻撃とはあくまで一つの概念であって、防衛だけ、攻撃だけというものではない。

そのことはいくら愛国教育を行おうとも、その言語が三次元身体だけでは駄目で、四次元身体に達しなければ——つまり防衛攻撃的本能を呼び起こさねば——ならぬということである。

戦前の日本兵が、あたかも愛国教育によって動かされたかのように思うのは誤解である。それはそれまでの日本人が無智の下にある無常観、つまり生を夢幻（ゆめまぼろし）と見る価値観が意識を占めていたからである。それが戦後にわかに「生は得」という知恵を付けられたから、その無智な頭は平和にしがみつき、あたかも愛国心が悪であるかのような見方しかできなくなってしまったのである。

それが証に、今日どれほどの日本人が無常観を理解しているかを考えてみれば分かることである。例えば月を見て美しいと感じる人間はまず居（お）らず、そこへ行くことを考える人間の方がはるかに多くなった。従って日本人は古典を読まなくなり、と言うより理解できなくなってしまった。それは今日、雪月花、夏炉冬扇がほぼ死語になっていることを考えれば分かることである。

話はちょっと逸れたが、防衛攻撃的本能とは、ヒトが牛、豚を殺して食うのも、病原菌を殺すのもそれだ、ということである。

そうであれば、サラエボ事件によって、兵士たちはなんで自分たちがこんな酷い目に遭わされなければならぬのか、と感じるのは当然だろう。たとえ愛国心という、三次元身体における洗脳による神の保証はあるにしても、四次元身体（防衛攻撃的本能）においては、ほとんど無価値とも思えるもののために戦っているという意識が、潜在的にあったとしても不思議はない。

このことは、彼らにとって空洞化した愛国心という価値の下に強いられた戦争だった、ということである。しかもそこには、神に保証された科学の下に生まれた様々な殺人兵器があったから、その殺戮は凄まじいものとなった。そうであれば、彼らの戦う唯一の理由は、殺し合いのなかから生まれた憎しみによる集団ヒステリーだけだった。

これはなんの価値もない、ただ神の名の下にある愛国心による戦争であって、そのことは事実上、神の死を意味する。ヨーロッパにおいて、神の価値が下がった理由はここにある。

これは「肉体のもつ大いなる理性」、「肉体のなかに住む『本来のおのれ』」を育むような思想進化をしてこなかった西洋文明の本質的問題である。つまり肉体を捨てると共に進化をも捨て、それによってキリスト教をダシにデカルトのインチキ哲学を生み出すことで進歩思想（ニヒリズム）に至ったのである。

これがニーチェの言う、来るべき二〇〇年のニヒリズムであり、私の、三〇〇年後の人類の没落である。

さらに第二次世界大戦におけるナチス・ドイツのニヒリズムである。

まず貧困下にあったワイマール共和国から、ヒトラー率いるナチス党が生まれたことである。

その理由の一つとして、西洋は大陸国家（例外はイギリス）であり、従ってそこには文字通り歴史的古層において、侵略国家を生み出す土壌があった。

ヒトは群れを生きる存在――「我考える」キリスト教集団も群れ――であるから、そうした国家を率いるためには、強いリーダーシップが必要となる。そのための要件として、自らを自己偽善に陥(おとしい)れられるほどに、演説がうまく、悪知恵に長けていなくては、大衆を集団ヒステリーに引き入れることはできない。ヒトラーはその点、申し分のないリーダーとしての資質を持っていた。

彼の演説のうまさは有名であるが、ここで悪知恵というのは、一寸話が逸れるようだが、鳥インフルエンザというものを想像してもらいたい。

少なくともそれをテレビ画像で見る限りは、大きな穴が掘られ、防護服に身を包んだ人々によって、大量の鶏が殺処分される光景を見ていると、多分ほとんどの人が恐ろしい病気だという印象を覚えるに違いない。だがそれが、単なるインフルエンザに過ぎぬと認識しているのは、医学関係者等の一部の人々に限られる。

私の言いたいことは、仮に医者に行って「あなた、インフルエンザです。殺処分させていただきます」と言われたら、この医者、狂っているに違いないと思うだろう。

しかし人間の理性とはそうした範疇の中のものなのである。なぜならヒトとは価値という嘘に洗脳されて生きる存在であって、後はその嘘によって他人(ひと)をいかにうまく騙すかの問題だけなのである。

では、なぜ鳥インフルエンザのために、そんな大袈裟なことをするのかと言えば、それが養鶏業者にとって死活問題だからである。しかしテレビ・メディアはそういうことは説明してくれない。自分で考えるしかないのである。

実はヒトラーのやったことは、これと同性質のものである。つまりドイツ国民に、メディアを通してユダヤ人インフルエンザの恐ろしさを吹き込んだのである。唯一異なる点があるとすれば、ユダヤ人が悪であるのは神に保証されたことだ、ということである。そしてそれを理由に、ユダヤ人の財産を巻き上げ、それによって一層、権力基盤を固めたのである。

しかしヒトは自己偽善によって自分で自分を騙し、それによって他人(ひと)を騙して価値の拡大を図る存在であるから、ヒトラー自身も、ユダヤ人インフルエンザ恐怖症集団ヒステリーに陥り、彼らを焼却しなくては済まなくなるまでの、自己偽善に陥ってしまったのである。

これはある意味、神を殺し自らが神人になった、つまり自らが作り出した神(思想)に、彼自身隷属することによって神になった、ということである。

そうした彼の集団ヒステリーによる頭の狂いは、ソ連進攻にも見て取れる。いくら共産主義が嫌いだからと言って、それがいかに愚策であるかは、ナポレオンを例に持ち出すまでもあるまい。仮にソ連を占領できたとして、いったいあの広大な領土をどう統治しようと言うのか？　もはや軍事的集団ヒステリーに陥り、神になった男にそうした思考は生まれない。後は没落しかない。

次いでアメリカのニヒリズムである。

そもアメリカの歴史は、デカルトの神殺しの受け入れから始まりそれを受け継いだフランクリンの神を利用した、金儲けのための神殺しに受け継がれ、さらにそれが資本主義へと繋がって行く。

これは事実上、『聖書』の神が死んだということである。が、しかし自己偽善によって神が金になることを、歴史的古層において知ってしまった彼らは、神に死なれては困ることになる。従って同じ自己偽善によって神を生かし続けてきたのが、第二次世界大戦前までのアメリカである。

まずF・ルーズヴェルトから始める。

彼の大東亜・太平洋戦争における日本への罠は見事に当たり、「騙し討ち」としてアメリカ人を戦争への愛国的キリスト教集団ヒステリーに陥らせることができた（ここでは日本の愚についてては触れない）。

しかしこの下地にあったのは、彼の経済政策の失敗を戦争による軍需景気によって、復興させようとする目論見があったことである。

失政を戦争によって挽回しようというのは独裁者の手口である。つまり彼は、しなくてもいい戦争を、自らの権力維持のために、自国民を愛国的キリスト教集団ヒステリーに陥らせ、多くの兵士を死に追いやったのである。

私が民主主義におけるシビリアン・コントロール（文民統制）を支持しないのは、この例でも分かるように、政治家は自らの権力のためには兵士等をいくら死なせ、殺そうとも痛くも痒くもない、ということである（ヒトラーも同様である）。

それはアメリカの政治家をして、国民を無意識にも「我考える」キリスト教集団価値に基づく愛国心に訴えれば、容易に軍事的集団ヒステリーに陥らせることができる、という誤解を根付かせることになった。

このことは、西洋人はデカルト以来の三次元身体の意識（言語）の世界を生きてきたから、愛国教育という言語的洗脳を行えば、愛国心は身に付くもの、という誤った理解を植え付けることになった。しかしこれは群れ・闘争集団ヒステリーに基づくものに過ぎない。

これはアメリカの愛国映画を見ていて、またケント・ギルバート氏の著作からも彼らの愛国教育の仕方に違和感を覚えて、私なりに考え得た結論である。

すでに第一次世界大戦のところで述べたように、愛国心の本質は「肉体のなかに住む『本来のおのれ』」である四次元身体のもつ防衛攻撃的本能に基づくものであって、必ずしも三次元身体である愛国的言語教育だけで、成り立つものではない。そしてそれはその後のアメリカの戦争において、あたかもそれを証明するような形に成っていった。

いずれにせよ、アメリカは第二次世界大戦後、超大国になったわけだが、さらにその後、段々とおかしくなっていく。ベトナム戦争、アフガニスタン戦争、イラク戦争と。これらは広い意味で、彼らの歴史的古層に宿る宗教戦争の価値観が、形を変えて現れたとも見える。

まずベトナム戦争で言えば、一応愛国心に基づいてはいるが、当然、戦場で戦っている兵士にしてみれば、本国でぬくぬくと暮らしている政治家、金持ちに対し「どうして自分たちはこんなベトナムという僻地で、しかも他国の戦闘に従軍しなければならぬのか」という、あくまで無意識ではあっても、思いが芽生えたとしても不思議はない。

しかし彼ら意識（三次元身体）に支配された世界を生きる兵士は、自分たちの四次元身体内の「我考える」キリスト教集団価値に縛られているから、それに目覚めることはない。あくまで無意識内のものである。

だが当然、そうした内面の矛盾を生きる兵士の士気は上がらない。なぜなら、ベトナムという他国の戦争では、兵士の四次元身体内における防衛攻撃的本能は目覚めぬからである。つまりヒトが群れ本能的価値（西洋人においては「我考える」キリスト教集団価値）を生きるということは、群れの縄張り内を生きるということであり、基本的にそれが侵されたとき闘争本能的価値に目覚める、ということである。従って愛国心が呼び起こされるのは、特に自国という縄張りが侵された時に起こるものだという関係にあるから――それはルーズヴェルトの「騙し討ち」にしろ、9・11同時多発テロ後のアフガニスタン戦争にしろ――そうした本能的価値に訴えてこぬ戦争は、いくら愛国心を叫ぼうが、四次元身体内の防衛攻撃本能的集団ヒステリーは目覚めぬのである。

斯くして、そうした内面の矛盾に気づきはじめた者の間からベトナム反戦の声が上がる。そしてそうした諸事情の下に、圧倒的軍事力を誇りながら、アメリカは事実上、敗退に追い込まれることになった。

さらに外形は異なるものの、9・11に端を発した、アフガニスタン戦争にも似たところがある。

彼らは神に保証された「我考える」キリスト教集団価値という「意識」の視点でしか思考できぬから――「肉体のなかに住む『本来のおのれ』(無)」の視点がないから――彼らは愛国心に基づく軍事的集団ヒステリーの価値のなかでしか思考できず、従ってソ連によるアフガニスタン戦争はなんの教訓にもならなかった。つまり、9・

11同時多発テロの首謀者、オサマ・ビンラディンを討てば、それでいいだけのことだ、という発想ができない。

話はやや逸れるが、日本の戦国武将なら決してこんな馬鹿な戦争はしなかっただろう。

なぜなら彼らはキリスト教のもつ宗教的集団ヒステリーを持たぬからである。あくまで「肉体のなかに住む『無』」から物事を見るから、その種の集団ヒステリーを持たない。

なぜ武士が持たぬのかと言えば、彼らは政治と軍事との双方を担う存在であったから――つまり文民統制を執らなかったから――そのためには兵士（部下）との信頼関係が築けぬと、武将としての地位が保てぬという現実があった。

例えば、それは甲斐という貧しい領国であった（金は採れたが塩がない）にも拘わらず、武田信玄が強力な軍事力を維持できたのに対し、はるかに豊かな領国を治めていた織田信長が、部下の信頼を得られなかったが故に、暗殺されたのは誰もが知るところである。

日本人の人間関係は、古来、「和」であり、それがいわゆる集団主義と言われるものである。

　それに対し、アメリカの政治家、市民は、基本的にアメリカ兵がいくら死のうが、自分には関係ないという個人主義に基づいている。だから自分の身は自分で守るしかない。銃社会も、国民皆保険が成り立たぬのも、背景にそうした事情があるからである（彼らの本質には戦争狂、欲望狂への指向があるから、社会を不安定化させておくことは金になる、という思考が無意識に働いている）。

　そしてアフガニスタン戦争は、ベトナム戦争同様に泥沼化していった。


　さらにイラク戦争に至っては、何がなんだかさっぱり分からぬブッシュ（息子）大統領の取り巻き連中の、「我考える」キリスト教集団価値に基づく、愛国的集団ヒステリーによる戦争だった、ということである。その結果、中東のその地域が滅茶苦茶になったのは誰もが知るところである。

　ところで、アメリカは憲法上、政教分離を称えているが、アフガニスタン・イラク戦争を見ていると、それは事実上、メイフラワー号以来の宗教戦争の歴史的古層の範疇から、抜け出しておらぬように見える。

かつてブッシュ（息子）政権時代に「古いヨーロッパ」と評した政治家がいたが、むしろ逆で「古いアメリカ」である。なぜならヨーロッパは二つの大戦の戦場となったから、嫌でも自らの歴史的古層に懐疑を抱かざるを得なくなり、その結果、それまで彼らが戦争、宗教等に持っていた価値観に警戒心、疑念を抱くようになっていた。従って、フランス、ドイツはイラク戦争に参戦していない。

それに対して日本は、召使日本国憲法を守ると称しながら、主人の命ずるがままに自衛隊を、いかにも召使風にイラクに派兵したのである。これはもはや文民統制以前の問題であって、国家の体を成していない。

ところで話は一寸逸れるが、こうしたアメリカの一連の戦争を見ていて気づかされたことがある。それは一に、戦争は金になるということ、二に、それが基軸通貨という経済の基本を守るためのものだ、ということである。そのことは国家とは軍事力と経済力との両輪で保たれている、ということである。が、これは別に真新しい考え方ではない。私が気づいたのは通貨の問題である。

少し前、仮想通貨というものが流行った。が、通貨とはもともと仮想という虚構（嘘）のものである。西洋の経済学者が意味不明な議論をするのは、基本的にそのことが分かっていないからである。分かっていないとは、ゲーデルの不完全性定理の本質が分かっていない、ということである。つまり資本主義経済という「色(しき)」は、なんら実体のない「空(くう)」だということである。すなわち、彼らは色即是空（「0(ゼロ)」）の視点を持つことのできぬ、「有の数字」を生きる人々だから、どこまでも資本主義というゴシック建築を積み上げられるものだ、という幻想から抜け出せぬのである。

そうであれば通貨という、空(くう)なる紙切れの価値を保証するものはなにか、という問題が起こる。

たとえばアメリカ・ドルがなぜ基軸通貨たり得るのか？　その答は偏に軍事力によるものである。だからアメリカは嫌でも世界に軍隊を送り、また中国は軍事力を増しているのである。

そのことはかつてポンドが基軸通貨であったのがドルに代わったということは、今後、人民元がそうなってもおかしくない、ということである。その兆候と言えるかどうか分からぬが、トランプ政権下におけるアメリカ国内の分断化である。

正直、私には単なる分断とは思えない。なぜならアメリカ大統領自らが、大統領選に敗れたからと言って、それを不正選挙のせいにし、またそれを支持する国民が多数いるということは、アメリカ民主主義の価値観そのものの崩壊と私には映る。なぜなら発展途上国ならいざ知らず、民主国家であるとは選挙に不正のないことを前提として成り立っているからである。その選挙を否定したらもはや民主国家ではない。私にはこれがアメリカの終わりの始まりとさえ映る。が、アメリカに限らず何事にも終わりがある。それはローマ帝国の廃墟を思い起こせばよいだけの事である。それだけの事だと思えば、別にどうということもない。それは資本主義もいずれ、自然を食い潰すことによってか、核によってか、地球温暖化によってか分からぬが、空になるということである。それは地球の歴史にも、かつて恐竜の時代があったように、いずれ人類の時代があったという話になるだけのことで、無常を生きる人間から見れば当たり前のことである。

以上をもって一応ニヒリズムへの言及を終えるが、それを一言でいえば、神を戦争、科学のために利用し、それによって集団ヒステリーによる愛国的戦争を生み出したのと同時に、「有の数字」に基づく自己偽善によって、自らを欲望人間化することによって、神を殺していった過程と言えよう。

なお、これ以下、これまでの内容に関して補う点、気づかされたことを補記する。

まず、なぜほとんどの人にニヒリズム（ニーチェや私の考え）が分からぬのか、と言うことである。

たとえば識者は、ニヒリズムを最高の諸価値の崩壊、と言ったような説明をする。定義（理性）としてはそれで正しいかもしれない。しかしそれで何が分かったと言うのか？多分なにも分かっちゃおるまい。そこには肉体がないからである。

譬えば「拷問」とは何か、と言われたとき、それを辞書的に定義すれば、他人（ひと）の肉体に苦痛を与え苦しめること、ということになるだろう。しかし現に拷問を受けている人間にとって、そんな説明は意味をなさない。なぜなら、その人にとっては、肉体の苦痛から生ずる悲鳴以外のなにものでもないからである。

ニヒリズムもこれと同じである。それを外（そと）から見れば最高の諸価値の崩壊になるかもしれぬが、現にニヒリズムに陥っている人間にしてみれば、ただ悲鳴を上げるしかないから、ニーチェや私が何を言ってるのか分からぬのである。そも悲鳴状態を「章に区分けして、小見出しなどを設け」ることなど不可能なのである。

ニヒリズムへの誤解は、そのように頭（理性）で考えるところから生ずる。ニヒリズム、無という肉体に属する問題は、「肉体のもつ大いなる理性」で解くしかないのである。そして敢えていえば、ニーチェはその拷問に耐えられなくなって、発狂したとも言えるのである。


最後に一言。

先日、ある学者のプラトンに関する著作を読んでいたら、そこにはまさにレーヴィットのいう二階と階下を繋ぐ梯子がないのである。つまり日本人にとってプラトンがどう関係し、どんな意味があるのかという、言わばそれを「考える」能力がないのである。そしてその人物の略歴を見たら、東大の学長を歴任しているという事実に、日本が駄目になるのも無理ないと思った。

それは二階にプラトンはあるが、階下はまったく空っぽであって、ただ暗記鸚鵡がその知的暗記のなかで、それを弄くり回しているだけなのである。戦後の日本人はほとんどこれである。

この人物になにが欠けているのか、それについて前掲の佐伯氏の文章から再び引用させてもらう。

西田幾多郎が言ったのは、東洋では無意味であることが最初から前提になっているということです。言ってみれば「無根拠」ではなく、「無」が「根拠」となりうる。


言うまでもないが、氏が「東洋」というのはインド哲学のもつ「0（ゼロ）」の価値観であり、そこから日本へ波及した「無」である。

この人物に欠けているのは、日本で唯一「考える」ことのできた武士、禅者のもつ無が階下になかったことである。

福沢の無（士風）が成功したのは、あくまで二階である西洋文明を外観から捉え、それを「一国独立」という階下のために、どう利用すればいいかを「考えた」からであって、彼はその文明を生み出した西洋人の内面に足を踏み入れなかった。

他方西田は、二階である西洋哲学という彼らの内面に、階下から無（「0（ゼロ）」）を根拠に足を踏み入れたから、彼は混沌世界に陥ってしまったのである。

なぜなら日本文明の本質が、「肉体のなかに住む『無』」を根拠としているのに対し、西洋文明は、肉体のない、意識という虚構の世界を生きているからである。しかも後者は、「有の数字」から成る哲学と宗教とであって、それはさながらゴシック建築のように、上へ上へと積み重ねられていくものだから、それは「『0（ゼロ）』の哲学」とは水と油との関係にある。

そこから日本の武士、禅者は「無私」で「考える」という思考法に至り、西洋人は神をダシに強引に「我考える、故に我あり」としたのである。

しかしそも生命は、そのＤＮＡ（超歴史的古層）において、単独者であるということは有り得ず、従ってたとえヒトに進化したからといって「私は考える」ことなどできぬのである。

戦後の日本人が「私は考える」と思っているのは、その空っぽ頭を洗脳され、その暗記知識をもって、日本「村」人のもつ歴史的古層の上をなぞることを「考える」ことだ、と思っているだけなのである。つまりそれは召使の「考える」であるから、主人が代われば「私の考え」も主人と同じものになる。それは鬼畜米英が、簡単に「間違った戦争」になり、民民ゼミになった理由である。

言い換えれば、日本人は絶対に「主観」から世界（客観）を見ることはできず、唯一「無」からしかできぬのだが、戦後の日本人はそれさえ失ってしまったから、文字通り付和雷同の視点から――戦前は軍国支配者、戦後は西洋というように――ただ主人の命ずるがままにしか見れぬ、というのが現実である。つまり戦後の知識階層の人々の頭とは、ほぼ階下は空っぽで、二階で民民ゼミの大合唱をやっているだけなのである。

さらに佐伯氏の前掲書の今少し後の部分を引用させていただく。

日本文化の核心にはこの「無」というものがある。「無」であるがゆえに、それはすべてを包含しており、天皇という存在も日本文化の中心にある「無」を表しているのです。

このように考えれば、ニヒリズムなどということは、もはや問題にならない。この東洋的思想もしくは日本思想をもってすれば、西洋思想が陥った袋小路を脱することが可能となるのではないだろうか。

これが西田を中心とする京都学派の、もう一つの柱となる論点だと、言ってよいでしょう。

ぎりぎりの思想的試み

しかし残念ながら、これは世界には通用しませんでした。世界どころか、日本の中でも通用しなかった。

西田のこうした思想的試みが世界（西洋）に通用しなかったのは、すでに述べたように、日本人（武士、禅者）が「肉体のなかに住む『無』」から意識を見上げて（フロイトは逆に意識から無を見下ろして）思考をしたのに対し、西洋人は、意識という肉体のない虚構（嘘）の世界——それを保証しているのがデカルトの神——を生きることになったからである。なぜ後者がそうした選択をしたのかと言えば、神に保証された肉体のない意識という虚構（嘘）の「我考える」の方が、（自己偽善を含めて）戦争に強かったからである。

しかしそれがニヒリズムを孕んでいることを、ニーチェに指摘されるまで（と言うより指摘されても）、彼らはそれを理解できるような頭の構造をもはや持っていなかった。なぜなら彼らは「我考える」キリスト教集団価値のなかでしか、考え生きることができなくなっていたからである。

その典型は、欲望に取り憑かれたアメリカが、今日、戦争と金儲け（例えばリーマン・ショック）に明け暮れる姿は、まさに『聖書』の神の死んだニヒリズムそのものである。

そうであれば「西洋思想が陥った袋小路を脱することが可能となるのではないだろうか」は、もはや手遅れの域の問題である。

いずれにせよ、戦後日本人（学者、知識人等）の頭の悪さは、肉体（無）で考えず、頭（暗記知識）で考えるからである。頭の悪い方が楽に金を稼げるのである。

あとがき

私は本書「序章」を「私が祖国と愛国心を捨てた理由」で始めているし、その積りでいた。しかし巷を騒がせた「森氏、女性蔑視発言」なるものを見聞き(みき)するにつれ、戦後の日本人とはここまで情けない民族に成り下がったのかと、涙が流れるというより、三島のように腹を切ってどうにかなるものなら、そうしたいくらいであった。

森氏の発言の骨子は「女性が会議に入ると長くなる」というものだが、こんなことは当たり前のことである。この当たり前のことが分からぬほど、戦後日本人はその知力を失い、訳の分からぬ「国際」(西洋)にその空っぽ頭を乗っ取られてしまったのである。

三島はその檄文で「自由でも、民主主義でもない、日本だ。われわれの愛する歴史と伝統の国、日本だ」と書いている。

自由や民主主義は国際である。しかし日本には我が国の歴史と伝統がある。つまり女性が会議に入ると長くなるのは、日本女性は昔から井戸端会議という他愛もない話を長々とする歴史的古層を持っているからである。それはそれだけ日本が平和だった、ということである。

これは女性が社会進出したがらないのも同じである。世間は男の縄張り、奥向きは女のそれと決まっていた。それは「男子、厨房に入るべからず」という掟のあったことからも明らかだろう。つまり日本女性はその歴史的古層において、社会に出たくないだけの話で、それを「国際だ、国際だ」と言って引っ張り出そうというのが、そもそも無理なのである。それに対して、西洋が男女平等なのは、そこが日本のように平和ではなく、侵略されれば男女平等に殺され、奴隷化されるような所だったから、女性が井戸端会議などやっていられるような環境ではなかった、というだけの話である。

この今回の騒動は、図らずも戦後日本人の「考える」能力ゼロを証明することになった。なお、森氏がその職を辞するまでの経緯（いきさつ）を見ていると、あたかも大東亜戦争の再来に遭ったかのような気分になった。つまり日本「村」人の歴史的古層はなんら変わっていないと。それはかつてチェンバレンがあげた、「付和雷同を常とする集団行動癖や、さらには『外国を模範として真似するという国民性の根深い傾向』である」（『逝きし世の面影』）。要するに主体性「0（ゼロ）」の、何一つ「考える」根拠（レーヴィットの言う梯子）を持たぬし、また持とうともせぬ民族だ、と言うことである。しかもこれは頭の良し悪しの問題ではなく、思想退化のそれだからどうにもならない。

ある文明の終焉——無とニヒリズム——

まえがき

本書は私の思想を分かり易く理解してもらうために記したものである。だからと言って安易な著作でないことは、本文を読んでいただければ分かるはずである。それに私自身、新しい発見もあった。

本書の副題、無とニヒリズム（虚無）とは、日本文明と西洋文明との違いを、明らかにしたものである。

だが正直これも難解である。それは西田幾多郎をある程度、理解できる者なら分かるはずである。

ただ、私と西田と唯一異なる点は、私がニヒリストであることである。従ってニーチェへの言及も多くある。また、それに関連して民主主義、三島由紀夫の謎についても言及した。

が、いずれにしろ私の有利さ（不幸さ）として、私が西田とは違った視点で見るに至ったことである。

なお、第四章以降は追記した部分である。

序　章　私が思想家にならざるを得なかった天命

私の一生は、ほぼ無とニヒリズム（虚無）とに翻弄されたそれと言ってもよい。あえて言えば、その地獄のような人生からようやく、そのなんであるかを前作『人類の没落』によって理解し、また同時にそれによって一切が吹っ切れたから、ここに私の思想を分かり易く書き記そうと思い立ったのである。

言ってみれば、それまでは愛する者が瀕死の床にあるのを見て私も苦しんでいたが、今は死体を見る医者の目になった、ということである。

私にとって日本は、昭和二十年八月十五日に完全に滅んだから――実質的には明治維新と言ってよい――戦後日本とは、私にとってただアメリカ製「民民ゼミ」の鳴き声が、多少耳障りな土地という程のものでしかない。従って時間が余ったから書いていると言えなくもない。

幸か不幸か、私は少年期を田舎で過ごすことによって「無」というものを知ってしまった。むろん当時の私にその自覚はない。それを自認するに至ったのは、中年以降のことである。

私は少年期に東京という資本主義社会に投げ込まれたとき、すでに骨の髄まで無に染まり、――それを理解できなかっただけで――それによってまったく社会に適応できず、言わば人生の落伍者になってしまった。

が、その本質を私は無意識にも知っていたのかもしれない。なぜなら私は二十歳のとき、二つのことを誓ったのだから。

一、子孫を残さぬこと

二、自殺しないこと

後者の誓いは結構、歯止めになった。

また三十歳の頃、あることに気づいたが、当時それをそれほど重大なことだとは考えなかった。

それは友人と議論をしているとき、突然、私は自分の喋っていることが、親の躾、学校教育、社会慣習、書籍、新聞等から得た知識（情報）を鸚鵡（おうむ）返ししていることに気づいたのである。つまり洗脳されているだけなのだと。

その後、私は洗脳されていない「私とは何か？」ということに悩まされ、と同時に社会に適応できぬことから隠遁生活に入った。

と言ってしまえば話は簡単なのだが、それは同時に、一切の価値判断を停止することでもあった。つまり私は自分の意見をまったく持たず、「0（ゼロ）」から思想することになったのである。それが私の思想に四次元、三次元、進化等が多出する理由である。それによって私は膨大な時間と苦痛とを強いられることになった。

が、ここではその結論を先に言っておこう。

「私」という存在の主張する意見とは、まったくの無根拠であり――洗脳されているだけなのだから――従って明確に根拠のある「私」などというものは存在しないと。

それは戦後の日本人とは、西洋思想をただ暗記鸚鵡のように喋るだけで、その喋る内容の根拠を一切持たぬし、また考えようともせぬ、ただ意味のないことを喋る幼稚園児並みの頭脳だ、ということである。

第一章　無とニヒリズムとの基本定義

私は自らの「考える」根拠を見つけるために、視点を変えてみることにした。

生命とは何か、から入ることにしたのである。ヒトも生命進化の末にそこに至ったのだから、その考え方に妥当性はあろう。それに生命医学は、ヒトの脳には今も爬虫類以来のそれのあることを証明している。ヒトの脳が爬虫類からのそれを持っているということは、それの持っていた本能をなんらかの形で受け継いでいる、ということである。

では進化とは何か？

進化とは、生命が生き延びるため、食うか食われるかのなかで、強者が弱者を食う弱肉強食の世界であるのが基本だが、しかし進化のメカニズムからいうと必ずしもそうとは言えない。

生命は環境（自然）から情報を得、それを「生の下降」として本能（あるいはそれに類するもの）へ下降し、そこであえて言えば（そう言うしかないという意味）、そこで「考え」ることによって、環境に適応できるような身体に「生の上昇」を通して「変異」し実現するものだと。従って弱肉強食とは言っても、弱者はそれなりに「考え」て環境に適応できるように変異するから、必ずしも弱者というわけではない。

たとえば擬態という言葉があるが、ある昆虫が自然環境そっくりな姿に似せて身を守ることなどは、環境から情報を得、それを本能において「考え」環境に適応できるよう変異したものだ、と考えられる。

そして人類（ヒト）がサルから進化したのも、弱者であるサルが文字通り「考える」ことによって、知恵を持つヒトにまで進化することで、生き延びることができたのである。

そうしたメカニズムはヒトになっても変わらず、弱者が「考える」ことによって強者を倒すのは、たとえば現代の革命一つにも見て取れる。

そこで取りあえず次のことが言える。

ヒトが脳に爬虫類のそれの一部を保存しているということは、「超歴史的古層」にそれを保存している、ということである。ここで用いる歴史的古層とは、西田の言う「人間は何処までも無限に深い歴史的バラストを脱することは出来ない」とほぼ同義である。

そうであれば、サルから進化したヒトが、サルの「歴史的古層」を持つ存在となるのは自然であり、さらに文字通り「考える」ことを覚えたヒトが、弱者ではあっても「考える」ことで革命を起こせたことでも分かろう。

それを別の面から見ると、サルから進化したヒトは、なんらかの形でサルの本能を保存していることになる。それを「本能的価値」と呼び、それは四つに分けられる。「食餌、生殖、闘争、群れの諸本能的価値」である。

なお、ここで一つ注意しておかねばならぬことがある。それはすでに記したように「サルから進化したヒトは、なんらかの形でサルの本能を保存している」ことに関連していることである。つまり進化とは、ある日突然「サルの本能」が、ヒトの「本能的価値」に変異したわけではなく、そこには長い時間が掛かっている。従ってその表現方法において、必ずしもヒトの「本能的価値」と表記するよりも、時には「ヒトの本能」とする方がより実情に合っていると思えることがあるが故に、私はその手法を採用することにした。ただしこれは、それ程重要なことではなく、読者の混乱を招くことを恐れて記したまでのことである。前後の文脈から判断すればある程度分かることである。なお、必要な場合はその都度、注記する。

話は変わるが、ここに一つの重要な前提として記憶に留めておいてもらいたいことがある。それは生命は本質的に「群れ」であって、単独者として「私は考える」ことはできぬ存在だ、ということである。

私が戦後の日本人を幼稚園児並み、と言ったのは、そのことがまったく分からず「私は考えている」と思っていることである。彼らはただ他者の知識の暗記鸚鵡をやってるに過ぎぬ、という自覚が持てない。

ところで私は「価値」という用語を用いたが、これは「言語」と同義語である。では、ヒトは生きるための知恵として生み出した、言語（価値）とは何か、ということが問題になる。

一寸ややこしくなるが我慢してもらいたい。

それは宇宙が四次元だということである。科学的には、三次元空間に時間を加えたものである。しかし科学がどう言うかなど、この際なんの意味もない。科学はゲーデルの言うように無根拠であるのに対し、生命は「生を上昇」させているのが現実だからである。

ちなみに、この「生の上昇」とは、ニーチェの「力（権力）への意志」を私風に解釈したものである。

宇宙をどう定義しようとも、生命にとってそこは無と無限とから成る混沌流動とした（無の根拠はここにある）、なんの価値もない、ただ「生を上昇」させる場所でしかない。そこは絶対時間・空間の存在しない四次元世界であって、それはアインシュタインの特殊相対性理論によって証明されている。絶対時間が存在しないとは、時計の時間が通用せぬということである。

そこでサルから進化したヒトは、その混沌流動とした四次元世界にあって、生を上昇させるために価値（言語）によって、その世界を言語を用いて自己の生存の拡大に有利な方向に切り分けたのが、言語（価値）から成る時間と空間（三次元）との世界である。

では、なぜ切り分けることができたのか？

すでに記したように、生命は環境から情報を得、それを本能に下降し、そこで「考える」ことによって環境に適応できるよう変異し、それをもって生を上昇させ環境に適応してきた。

それをヒトは、その無と無限とから成る四次元世界を、その情報の下降および生の上昇を言語（価値）化し、言語情報の下降および言語情報の上昇とし、その交差するところに言語から成る意識の流れを生み出したのである。そしてその意識の流れが「有る」となり、それを時間と空間とに分離して生きるのがヒトである。

そうであれば、ハイデガーの『存在と時間』など意味を持たない。


この事実は、これまで述べてきた歴史的古層、本能的価値と共に重要な意味を持つ。

つまりサルは混沌流動とした四次元という本能（無）の世界を生きていたが、ヒトは時間と空間（三次元）とに分離した世界を生きることになった。ここに初めて絶対時間が存在し得、時計が意味を持つことになった。

そのことはヒトがサルの歴史的古層、本能的価値を持ったのと同様に、サルの四次元身体（無）を持つことになった、ということでもある。

しかしサルの無と無限とから成る混沌流動とした四次元身体（これはヒトがサルの本能を属性として持っている、ということである）から進化したヒトは、そのままでは当然、存在し得ない。なぜなら言語（価値）化した身体にまで進化したのだから。つまり四次元世界を、時間と空間（三次元）とに切り分けた世界を生き、そのように世界を見る三次元化したヒトは、もはやそのような身体では存在し得ぬことになる。すなわちヒトはその歴史的古層に、サルの四次元身体（本能）を持ちながら、同時に、意識という三次元身体をも生きる存在になったのである。そのことは、ヒトは歴史的古層、本能的価値と共に、本能という四次元身体を持ちながら、意識という三次元身体をも生きる存在になったのである。

ここでなにが問題かと言えば、四次元身体とは生命（サルの本能）が本来もつ無であるのに対し、三次元身体とは、言語（価値）によって切り取られた意識の流れという虚構（嘘）だということである。そして日本人（それは武士、禅者であって農工商という暗記鸚鵡の「村」人〔戦後の日本人〕は問題外）は、その無を根拠に「考え」、西洋人は「意識」（有）を根拠に「考える」存在になったのである。それは別言すれば進化と進歩との違いである。

ここで「意識」で「考える」というのは分かると思うが、「無」で「考える」とはどういうことか、と思われる人もいるだろう。「無」で「考える」とは進化上で「考える」ということである。

無は四次元身体（本能）であるからして、当然そこで「考える」ことはできない。つまり四次元生命である野性動物（サル）は、「死は損、生は得」などとは考えない。そう「考える」のは意識の「有る」がそうさせるのである〔戦後の日本人の平和観はこれに基づいている）。しかし生命の世界は本質的に、食うか食われるかの戦争社会であって、「死は損、生は得」などと言っていたら、それこそ生き延びられない。そこで武士はその意識を捨て、野性の無である四次元身体という「肉体の思想」（本能）に達するため修行したのである。

だから『葉隠』は「死は損、生は得なれば死ぬる事をすかぬ故、すくたるるものなり。又学問者は才智弁口にて、本体の臆病、欲心などを仕かくすものなり」と言ったのである。武士にとって意識「有る」は虚構であって、「本来のおのれ」は四次元身体である無（本能）にあるとし、そこから無自覚に意識を見上げることによって「考えた」のである。

それに対し西洋人は、意識「有る」の世界を生きており、しかもそこは戦争社会であったから、その「有る」を保証してくれるものがなければ戦争はできない。それを保証したのがキリスト教である。

この間の事情を西洋人である程度、分かっていたのがニーチェである。

彼は「主体は虚構である」と言い、また「意識にのぼってくる思考は、その知られないでいる思考の極めて僅少の部分、いうならばその表面的部分、最も粗悪な部分にすぎない」と言い、さらに『ツァラトゥストラ』では「肉体のなかに住む『本来のおのれ』」と言っている。つまり肉体のなかにある無というものをある程度分かっていた、ということである。

ただ西洋では、その「本来のおのれ」に達しても無にならず、ニヒリズムになることが異なるのである（その間の事情は後述）。ただ一言っておけば、無（本能）は無であるからして、それを私がしたように言語化することはできない。私にそれを可能にしたのは、私が無を知り、また同時にニヒリズムに陥ったからである。

西洋においてこれと逆のこと、つまり意識から無を見下ろしたのが、意味はまったく異なるにせよ一応、フロイトとユングである。フロイトは意識から無を見下ろし、その四次元身体、本能的価値を無意識と言ったのであり、ユングは歴史的古層を見て集合的無意識と言ったのである。

私は彼らが逆のことを行ったと言ったが、意味的には似ても似つかない。

第二章　無

無とは、たとえば禅において座禅を通して身心脱落することによって、無の境地に達することだ、と言ったところで何のことだか分かるまい。

無に達するとはニーチェの言葉を借りれば、「肉体のなかに住む『本来のおのれ』」を知ることだが、彼の場合の「本来のおのれ」はニヒリズムだが、日本におけるそれは無だということである（その違いは追々分かってくると思う）。

この無は、たとえば武士においては剣術修行等、禅なら座禅による「肉体の行為」を通して「進化の逆行」によって本能的価値に達し、得られるものである。それは原ヒトにまで、進化の逆行によって価値を脱落させると同時に、本来、言語が持っている価値を空無化させること、つまり三次元身体（意識）を四次元身体（無）にまで脱落させ、また歴史的古層、本能的価値を原ヒトのそれにまで脱落させることである。そしてその「進化の逆行」によって「肉体の無」（本能的価値）に達することで、そこから意識を見上げることによって、日本人は「考える」方法を生み出したのである。

むろんこれができたのは、武士、禅者だけであって、闘争本能的価値を退化させた歴史的古層をもつ「村」人には、まったく「考える」能力は発達しなかった。

と言うと「村」人にも、たとえば商人にも「考える」能力はあるではないか、と言う人もいるかもしれぬが、それはあくまでルール内での「考える」であって、それはスポーツのように審判者の下で「考えている」だけで、戦（いくさ）のようなルールなしの下での「考える」のとは訳が違う。それは野性の思考と、躾（しつけ）内を生きるペットのそれとの違いである。

武士道や禅は、そうした「肉体の行為」を通して「進化の逆行」を行い野性の無に達したのである。

それはたとえば江戸時代、役にも立たぬ剣術修行を武士が行った理由もそこにあるのだが、無は言語によって定義できぬものだから、彼ら自身その価値が分からなかった。

その結果、明治維新になり、武士の廃刀令と共にその無の価値が失われることによって、日本人から「無私」で「考える」能力も失われていった。

だから日露戦争などという愚かな戦争をし、それが大東亜戦争へ、さらに戦後の民民ゼミへと繋がっていくのである。

そしてこれらの戦争は、ある意味シビリアン・コントロール（文民統制）の欠陥を暴露したと言ってもよい。つまり政治家にとって兵士が幾ら死のうと、痛くも痒くもないと言うことである。その欠点は西洋諸国に多く見られる。

それに対し、武士はシビリアン・コントロールを行わなかった。戦国武将は政治と軍事とを一人で担っていたから、兵士（部下）の信頼がないと武将として成り立たず、従って兵士を無闇に死なせるような戦はしなかった。

それは部下の信頼の篤かった武田信玄と、それがなかった織田信長とを比べれば分かることである。

ところで、福沢諭吉や西田が「考える」ことができたのは、「肉体のなかに住む『無』」を根拠としたからである。福沢は士風の無を、西田は禅のそれをもって「考える」ことができた。ただ両者の違いは、福沢が『学問のすゝめ』に書いているように、西洋文明を利用して「一身独立して一国独立する事」であって、そのためには「逃げ走る」「客分」（農工商という「村」人）ではなく、「主人」（武士）にならねばならぬと、あくまで西洋文明を外観から捉えたのに対し、西田は西洋哲学という西洋人の内面に足を踏み込んだから、悪戦苦闘することになったのである。

西洋人には金輪際、無は理解できない。無は肉体（四次元身体）のなかにあるもので、意識という三次元身体からは見下ろせない。彼らが進化の逆行によって無に達するとニーチェのようにニヒリズムに陥ることになる。彼らの生きている世界は肉体のない意識（有）のそれだから、それによって成立している西洋哲学を、無から理解しようとするのは水と油との関係に近い。西田にはこれが分からなかった。

それに対して、福沢は生まれながらにしてほぼ（無をもった）武士と言っても良かったから、多分、簡単に誰もが武士に成れると思ったのだろう。だから「客分」に「主人」になれと言ったのである。

しかし「逃げ走る」「客分」とは、歴史的古層のものだから――それは闘争本能的価値が退化していることだから――そう簡単に改められるものではない。それは戦後の日本人が一向に「主人」になる気のないことからも明らかだろう。

戦後の日本人に「考える」能力がないのは、なんの根拠もなく「私は考える」と思っていることである。つまりあらゆる生命は群れ本能で生きているから、「私で考える」ことはできぬ、ということが分からない（そのことは後述する西洋人の「我」がいかにインチキであり、それ故ニヒリズム化してしまったことが逆説的に示している）。日本人は自らの「私は考える」がなんの根拠もないものだ、ということを自覚できるだけの知能を持たない。

それは単に自分の幼稚園児並みの空っぽ頭が、その洗脳された暗記知識をもって、日本「村」人の「逃げ走る」「客分」の歴史的古層の上を、なぞっていることを「考える」ことだと思っているのである。つまり「考える」ということを歴史的古層において、一度も経験したことのない「村」人に、それが分かるわけがないのである。

こうした戦後日本人の質の悪さは、たとえばノーベル賞なら喜んで貰うが、文化勲章なんて要らねェよ、というところにも見て取れる。つまり家人（親）に褒められれば、幼稚園児だって嬉しがるのが普通なのに、それを「ふん」と言って顔を背け、隣のオジさんに褒められたからといって大喜びするようなものである。もっともオジさんが沢山の餌を与えてくれれば、ペットは喜んで尻尾を振るかもしれぬが。

そしてさらに自家（親）の悪口を言って、金を儲けて喜ぶ連中もいる。昔のヤクザなら「日本人なら日本人の筋目をきっちり付けてもらいましょうか」と言うだろう。それより質（たち）が悪いのである。

これは「無」を失ったことで「考える」能力を無（な）くした者の悲劇、ないしは喜劇である。

いずれにしても、私はもはや観劇する気にもなれぬ代物である。

そんな戦後の土壌であれば、日本三大愚者がもてるのも無理はない。丸山眞男、小林秀雄、司馬遼太郎である。

丸山はあれほど福沢を論じながら、彼のことがさっぱり分からなかったのは、丸山には福沢のもつ士風が無(な)かったから、「考える」ことができなかったのである。つまり丸山神話とは、戦後、真っ先に「間違った戦争」と言って、自家（親）の悪口を言ったところから生まれた代物なのである。彼は単に「勝ち馬に乗った」だけなのである。

また小林の人気は、小林節という演歌のような、節回しはいいが歌詞のさっぱり分からぬものである。彼にも無というものがなかったから「考える」ことができなかった。

それはたとえば西田を評して「日本語では書かれて居らず、勿論外国語でも書かれてはいないという奇怪なシステム」と言ってることからも明らかだろう。西田が「考える」という苦闘の末、たとえば「絶対矛盾的自己同一」という思想に行き着いたことが彼には分からない。小林には無がないから、言語を上っ面でしか読めぬのである。上っ面で読めば、西田の思想は「奇怪なシステム」かもしれぬが、しかし日本の思想と外国（西洋）のそれとがぶつかり合えば、多かれ少なかれそうなることが小林には分からない。

私に言わせれば、小林の文章には節はあるが、日本人でもない、西洋人でもない、自分が何人であるのかも分からぬ人間が書いた文章としか映らない。だから戦後の、自分が何人なのかも分からぬ、ただ日本人と名の付いただけの日本人に人気があるのである。

そして司馬には、武士の無というものが皆目分からなかったから、幼児向け歴史マンガを大人向けの小説に改竄しただけなのである。彼の思考は所詮「勝てば官軍」観でしかなく、従って『葉隠』の「盛衰を以て、人の善悪は沙汰されぬ事なり」が分からない。つまり大衆の頭と同じだから、彼らに人気があったのである。

この国の国民は所詮、幼稚園児がアメリカという父親のマネをする程度の知能しか持たぬのである。だから横文字が流行るのである。

第三章　ニヒリズム

デカルト

ニヒリズムも「進化の逆行」という意味では無と同じだが、日本人は「無私」（四次元身体）で「考える」ためにそこへ至る修行を行ったのに対し、そもそも意識（三次元身体）の思考で生きている西洋人に、無（四次元身体）はまったく意味を持たなかったし、理解もできなかった。しかも神秘体験（神とは関係ない）によって、たまたま進化の逆行が起こっても、西洋人においてはそこに至るのが無ではなくニヒリズムだ、という関係にあることである。それがニーチェである。

そもそも西洋においては、古代からニヒリズムを育む土壌があった。

まずそこが戦争社会であったことである。それは嫌でも国民に国家というものを「考え」させ、そのための議論を重ねさせることになった。それが彼らの歴史的古層となり、彼らが国家意識を持ち、演説に長けることになった理由である。

プラトンがその著作を対話体で書き、古代ギリシャに政治学が生まれた理由もそこにある。

さらにそこが戦争社会であったということは、死を真っ正面から見据えねばならぬという現実があった。そこにイデアのような思想が生まれることになった。

そしてそれはその後、キリスト教に改竄され受け継がれることになった。

さらにキリスト教が砂漠に生まれた宗教だということは、そこがもともと「0（ゼロ）」の土地だということであり、従ってそこには「1（イチ）」から成る「有の数字」からなる欲望の世界を育む素因を持っていた。

その砂漠という現実は彼らをして忽（たちま）ちにして『聖書』の教えを改竄し、その後押しをして戦争宗教化していくことになった。つまり戦争は、キリスト教の神に保証された価値の拡大としての善だということである。そのことは、ニヒリズムの本質にあるのが、このキリスト教による戦争狂であり、欲望狂だということである。

西洋思想をとことん煮詰めると、キリスト教、デカルト、ニーチェさえ理解できればすべて分かり、さらに日本の思想（無）のなんであるかも分かってくる。少なくとも私にとってはそうであった。つまりデカルトの神の保証による「我考える、故に我あり」に西洋思想の本質があり、ニーチェはそれに風穴を開けようとした異端者であったが、彼の思想はまったく理解されなかったし、今後もされることはないだろう。なぜなら彼らはそうした頭脳構造を持っていないから。それについては追々説明していく。

デカルトは「我考える、故に我あり」を「神の存在証明」によって保証した。その「神の存在証明」をおかしいという人は多くいる。しかしそういう頭、というか視点は、私に言わせればピントがずれている。なぜなら神の下の戦争狂、欲望狂とは、言わば自己偽善による、ある種の集団ヒステリーに陥っている人間であり、そんな彼らにそんなことを言っても意味がないからである。

ここで私の言う自己偽善という概念は、言わば西洋思想という有の思想の本質にあるものであり、それが分からぬと彼らの思想は理解できない。

それはすでに述べたように、ヒトは進化によって言語情報の下降と言語情報の上昇との交差するところに、意識の流れを生み出し、そこに時間と空間とから成る虚構（嘘）の世界を生み出した。

だが西洋人にそんなことを言っても無駄だろう。

そも西洋に科学が生まれながら、なぜ彼らにとってダーウィンの『進化論』が受け入れ難いものだったのか？

それは西洋文明（思想）が、石を積み上げたゴシック建築のようなものであり、その基礎にあるのがキリスト教だからである。つまり彼らの文明からキリスト教を抜き取ったら、その建物（文明）そのものが崩壊してしまうのである。

そうであれば、意識という虚構（嘘）の世界を生きる彼らは、自らの価値の拡大のためには、無意識にではあるが、自らに嘘をつき自らを騙すという自己偽善を行うことになった。つまり西洋思想とはアナトール・フランスの言う、「人は自分で神を作り出し、それに隷属する」自己偽善の上に成り立ち、それがエスカレートすると集団ヒステリー化するのである。

そうであれば、ニーチェなどは無意識にも誤読されることになる。彼の言う「神の死」は、二つの大戦を体験したヨーロッパ人には堪(こた)えただろうが、それでも彼らは間違っても自らの文明からキリスト教を抜き取ることはしない、と言うより出来ぬのである。当たり前の話だが。

そうであれば、彼らにとって神の性質がどんなものであろうと構わぬのである。つまり自分の都合（価値の拡大）で作り出した神であれば、別にデカルトの神であっても一向に差し支えないのである。

しかもデカルトの（有の）哲学は、彼らに都合よく身体（肉体＝無）も抜き取ってくれ、意識だけから成る「我考える」にしてくれたから、無意識にも戦争狂、欲望狂である彼らにしてみれば、肉体（群れ本能的価値）の軛（くびき）を外してくれた彼の思想を否定する理由はない。

その上それが「人は自分で神を作り出し、それに隷属する」神であれば、当然それは自分に都合のよいものしか作らない。すなわち神とは、信者が自分に都合のよい問い掛けをすると「うん、うん」としか返事をせぬ存在だということである。しかし信者にしてみれば、自己偽善によって自己を騙してくれる神という絶対的存在を持たねば、自己の「有る」ことの根拠が持てぬことになるから、神はどうしても存在しなければならない。つまり西洋人にとって、そういう「からくり」神がないと存在し得ぬことをフランスの言葉は物語っている。そのことは裏を返せば、彼らは自己偽善を通して自らを神人化した、ということである。

ところで私はフランスの文章を一行も読んだことがない。実はこれはスターリンの愛語なのである。つまりその「神」の部分を「共産主義」に入れ替えれば、彼らは自己偽善に陥り、集団ヒステリー化し、ロシア革命を起こせることを物語っている。

そうであれば、フランスのこの言葉は重大な意味を持つ、つまり宗教とは自己偽善に外ならぬと。

ここで話はやや逸れるが、この際どうしても述べておかねばならない。それは一神教（ここではキリスト教）と仏教とでは、同じ宗教の名は付けられていても、本質的にまったく異なるものだ、と言うことである。

日本人には、武士を除けば一神教というものがまったく分からない。それがパレスチナという砂漠に生まれた戦争宗教だ、ということである。

新渡戸稲造がその著書『武士道』の「第一版序」で記しているように、ド・ラヴレー氏が「あなたのお国の学校には宗教教育はない、とおっしゃるのですか」の質問に彼は「まごつき」、それがようやく「武士道」であることに気づくのである。彼自身、武士出身者であり、その後キリスト教に改宗したように、たとえ双方の思考メカニズムが異なるにせよ――武士道は「無私」で「考える」のに対し、キリスト教は「我考える」でも――共に絶対神を持つが故に、究極に行き着く先は近似だということである。だから彼の『武士道』は、その本質においてはキリスト教とは異なるにせよ、外見において近いものであったが故に、当時のアメリカ人に歓迎されたのである。

　このことは大きな意味を持つ。それは双方とも、そのよし悪しは別にしても「考える」ことができたことである。それに対して戦後の日本人は、その能力のない空っぽ頭だから、猿マネ、付和雷同に走るしかないのである。

　ところで「考える」ことのよし悪しとは、それが「人は自分で神を作り出し、それに隷属する」ところのものであるからして、その自己偽善を通して他人（ひと）を騙し、集団ヒステリーに陥らせることもできる、ということである。スターリンはむろん、ヒトラー、F・ルーズヴェルトなどがそうである。

　どうして自己偽善を通して、絶対的価値である神を生み出し、それに隷属しなければならぬのかと言えば、人類はその古層（四次元身体）に群れ本能的価値を持っているから、「我」（私）で「考える」ことはできない。そこで虚構（嘘）を生きるヒトは、虚構としての絶対的価値としての神を自ら作り出し、それにからくられる（支配される）ことによって「考える」ことができるようになったのである。

なぜそうなったのかと言えば、生命が宿命として帯びてしまっている本能的価値（ここでは闘争本能的価値）が故に、生命である以上ヒトも戦わねばならなかったからである。ただ日本は島国という特殊性から、武士以外、外敵と戦う必要がなかった。それは鎖国などをやれたことからも明らかだろう。そこに士（武士）と農工商（「村」人）との身分社会（歴史的古層の違い）が生まれ、そこにおいて西洋的意味における宗教は、戦う人の武士道だけになった。

その証に日本の歴史に宗教戦争はまったくなく、せいぜい口喧嘩である。それを憲法に「信教の自由」だなどと明記するのは（宗教などと言える程のものもないのに）、まさに「考える」能力ゼロの猿マネ暗記鸚鵡と言うしかない。口喧嘩だけしかせぬ国民によって国家など成り立つわけがない。

ニーチェ

言うまでもないが、ヨーロッパ文明（思想）には「肉体」がなく、そのある意味空虚なゴシック建築を支えているのがキリスト教だ、と喝破したのがニーチェである。しかし彼の思想はまったく理解されなかった。むろんヨーロッパ・キリスト教文明を歴史的古層において生きてきた彼ら自身が、崩壊してしまうからである。

ニーチェが見舞われた現実とは、日本においては単に武士、禅者が進化の逆行によって、無（本能的価値）に至っただけのことに過ぎない。

では何が異なるのかと言えば、日本は戦争社会ではなく、またインド哲学という「0」の哲学によって「解脱」という、意識が作り出す欲望の世界を無（「0」）化する仏教が伝わっていたことにある。日本人は「我考える」とは無縁な空っぽ頭を含めた無の世界を生きていたから、その本能的価値において、肉体のもつ群れ本能的価値を維持して生きてきたのである。

それに対してヨーロッパ人は、意識から肉体を捨てたキリスト教に支えられた「我考える」に思想進化（外道化）していたから、彼らの群れ本能的価値は肉体と共に捨てられ、そこを「我考える」キリスト教集団価値――これが彼らを集団ヒステリーに陥らせる原因である――で埋められることになったのである。

この「我考える」キリスト教集団価値とは、今日、アメリカにおいて最も顕著に見られるもので、それはそれぞれ個人はばらばらであるが、いざ戦争となると国家として一致団結するような性質のものである。

ニーチェにおいて起こったことは、進化の逆行によって価値が脱落したところまでは無と同じだが、その価値にはキリスト教集団価値も含まれていたから、彼に「我考える」は残されていても、彼には価値の脱落によって本来行き着くべき群れ本能的価値がなく、その代わりにキリスト教集団価値が脱落してしまったから、そこにヒトには本来あり得ぬ『我考える』サルの本能」にまで進化を逆行させてしまうことになったのである。これが彼の苦痛を伴ったニヒリズムである。

だから彼の思考はある意味、サル（本能）から出発するしかなかったのである。つまりサルからヒトに進化する過程において、人類が神話を生み出したように、彼は『ツァラトゥストラ』という神話から始めるしかなかったのである。それがそれを解読不能にさせた理由である。

そうであれば、サルの本能という肉体にまで落ちた彼にしてみれば、肉体の意味がよく分かった。つまりヒトは「肉体のもつ大いなる理性」「肉体のなかに住む『本来のおのれ』」という本能に支配された「からくり人形」だ、ということである（この「からくり人形」とは『葉隠』の思想で、両者の関係は拙著『人類の没落』を参照)。

　このニーチェの思想は日本の武士が知っていた「肉体のなかに住む『無』」(本能的価値)と極めて近い。たとえば三島は彼の著書『葉隠入門』でニヒリズムとして引用している「道すがら考ふれば、何とよくからくった人形ではなきや。糸をつけてもなきに、歩いたり、飛んだり、はねたり、言語(もの)迄(まで)も云ふは上手の細工なり」とは、彼らが「肉体という無の場所」に至ったということである(この「無の場所」は、西田の思想概念を借用したもので、「無とニヒリズムとの場所」という意味である)。

　従ってニーチェは「肉体のなかに住む『本来のおのれ』」(本能)から「我考える」で、自己の意識の文明を見上げたとき、ヨーロッパ文明はキリスト教を自己偽善(彼はそうは言わなかったが)を通して利用し、戦争と欲望とを拡大するインチキ宗教だと言ったのである。そしてそれが第一次世界大戦で当たってしまったから、彼らに彼の思想はさっぱり分からなかったにせよ、驚愕したのである。そしてそれはさらに第二次世界大戦、欲望の資本主義、地球規模の自然破壊へと繋がっていくのである。

『葉隠』のニヒリズム

正直、私には今一つニヒリズムに分からぬものがあった。それを教えてくれたのが、三島の『葉隠入門』であった。

もっともその著書内で、彼自身もほとんどその意味が分かっていなかったし、また私も同様に同書を何度も読みながらも分からないでいた。つまり日本にニヒリズムなどないと。だからなぜ自分がニヒリズムに陥ったのか疑問に思っていた。そしてこれがその答である。

たしかにニーチェの言うキリスト教・ニヒリズムは日本にはない。

それは西洋文明がその本質において「有の数字」から成る哲学と宗教とに基づくもので、それが自己偽善によって戦争狂、欲望狂となっていったのに対し、日本はインド哲学による「０（ゼロ）の数字」から成る解脱の宗教を生きてきたから、もともと戦争狂、欲望狂には成り得なかった。

が、ニヒリズムには別の意味もあったのである。

すでにヒトは「私は考える」ことはできぬと書いたが、ある種の「からくり」によって、それができるのである。それが神である。

西洋ではそれによって「我考える」ことができ、日本においては「無私」（本能的価値）で「考える」ことができたが、その「考える」にも神が必要であった。それが武士にとっての主君、天皇であった。つまり洋の東西を問わず、「考える」ためには神によって「私」の存在が証明されることによって、それを根拠に「考える」ことができたのである。

三島は『葉隠入門』ですでに挙げたニヒリズムに加えて今一つ「幻はマボロシと訓むなり。天竺にては術師の事を幻出師と云う。世界は皆からくり人形なり」を引用している。

これは山本常朝、ニーチェ、三島、そして私にも一様に何ものかに「からくられている」という感覚のあったことを意味している。そしてこの四名に共通しているのが、自己が「考える」ための「有る」の根拠である神を失っていることである。

山本は主君（神）の死にあって、主君の殉死禁止命令によって追腹を切れず、出家することによって神なしに生き長らえた者であり、ニーチェは神の死のなかを生きた者であり、三島は天皇の人間宣言によって神を失ってしまった者であり、そして私はどこにも神を見出すことのできなかった者であることで共通している。

つまり「考える」人間は、信仰をもち神に「からくられて」生きているから、「からくられている」という感覚を持たぬが、神を失った人間は、どうしても自分が何ものか（「肉体の無」「肉体のもつ大いなる理性」）に「からくられている」という感覚、つまり「主体は虚構（嘘）である」という感覚に襲われるのである。

そこでニーチェは「永遠回帰」、三島は「国家」、そして私は「絶対無」を生み出すことになったのである。

むろん「考えない」「村」人に神は無縁である。

戦後「熊・八」民主主義

退化し「考える」能力を失った人間とは、どうにも仕様のないものである。

すでに述べたように、生命はその食うか食われるかの世界において、情報を下降させそれを本能においてその無のなかで「考え」、それに基づいて生を上昇させ進化してきた。

それはヒトも生命であるから、その食うか食われるかの中で「考え」て生きるしかないことになる。そういうことを、野性を失いペット化してしまった戦後の日本人にはまったく分からない。では、なぜペット化したのかと言えば、その主因は江戸時代の「村」人の平和（井の中の蛙）観による歴史的古層によるものである。

それを江戸落語風に言えば「熊さん」と「八つぁん」との次のような会話になる。

「おい、八、お殿様が自由と民主主義を下さったぞ」

「へェー、そいつは美味（うめぇ）もんですか？」

「バカ、食いもんじゃねェ、お前（めぇ）はまったく意地のきたねェ野郎だ」

「じゃぁ、なんで、その自由とトンチキリンてやつは？」

「つまりだな、お殿様が、お前（めぇ）たちも一人前の主人になれ、だからお前（めぇ）たちにも主権をやろうってェ仰（おっしゃ）ってるんだ」

「わしゃ手裏剣なんて、そんな剣呑（けんのん）なものはいらねェ」

「バカ、手裏剣じゃねェ、主権だ」

「主権？　そりゃ一体なんで？」

「つまり亭主になれってェことだ」

「うんにゃ、あっしゃレッキとした亭主ですが……」

「そういうことじゃねェ。つまりだナ、お前（めぇ）も街に出て一人前の意見を言えっていうことだ」

「メシなら一人前以上食うが、意見なんぞ、腹の足しにならねェもんは……」

「お前(めえ)、不平、不満はねェのか？」

「そりゃありますよ。たとえば女房(かかあ)のことで」

「そうだ、それを街に出て言えっていうんだ」

「女房(かかあ)の悪口をですか？」

「そうだ、それだ」

「それが自由とトンチキリンってもんなんですか？」

「そうだ、そのトンチキリンだ。いや、そうじゃねェ、民主主義だ」

「だけど、女房(かかあ)の悪口を言ってなんか変わりやすかねェ」

「変わる、それが主人てェもんだ。……お前(めえ)、口が下手(へた)だから、いっそ瓦版にしちゃぁどうだ？」

「瓦版？」

「そうだ、女房(かかあ)の悪口を瓦版にすりゃぁ、銭にもなるってもんだ」

「へェー、そのトンチキリンてェもんは、そんなにありがてェもんなんですか。あっしも、そのトンチキリン信者になりまさぁ」

日本人の民主主義理解など、所詮この程度である。
たとえば古森義久氏が『産経新聞』（平成七年四月三〇日）で、大江健三郎氏がアメリカで次のように語ったと述べている。これはその一部である。

米国の民主主義を愛する人たちが作った憲法なのだからあくまで擁護すべきだ。軍隊（自衛隊）についても、前文にある「平和を愛する諸国民の公正に信頼して」とあるように、中国や朝鮮半島の人民たちと協力して、自衛隊の全廃を目指さねばならない。

これはまさに、お殿様と「熊・八」との関係そのものに外ならない。つまり戦後日本人は、まさに「熊・八」の歴史的古層を生きているのである。
私は民主主義が、いい悪いと言っているのではない。民主主義を支えている「我考える」キリスト教集団価値を歴史的古層にもたぬ日本人に、そんなものが理解できるわけがない、と言っているのである。つまり戦後民主主義とは、お殿様が下されたものだという以外、なんの根拠もないのである。これはペットや幼稚園児がただ主人の言うことに従うだけで、一切自分で「考え」て判断する根拠を持たぬのと同じである。せいぜい先のお殿様より、良いというだけである。

それに対して西洋においては、神に保証された「我考える、故に我あり」によって、彼ら各個人はよくも悪くも市民という「主人」であるから、その主人が主権者となって民主主義を行うことには根拠がある。

だが、戦後日本人はいまだ「逃げ走る」「客分」の歴史的古層を生きているから――だから自衛隊の全廃だなどと言うのであり――その「考える」ことのできぬ「熊・八」だけからなる市民「0（ゼロ）」の日本で、民主主義などできるわけがないのである。

そうであれば、戦後マッカーサーが「神」を理解しない日本人を「十二歳の少年」と評したのも、謂れなきことではない。

が、私は迂闊にもそれを信じてしまった、つまり十二歳の少年にも知能があるのだから、「考える」能力はあるだろうと。が、「考える」能力ゼロだったのである。それはお笑い芸人と、政治家、学者、知識人、ジャーナリスト等との頭の構造は、同じだということである。つまり戦後の日本人は退化した「村」人だから、頭のよし悪しの問題ではないのだと。

日本で「考える」能力を発達させたのは唯一、武士（禅者）だけであった。それが進化の結果である。それは明治期の思想家がほぼ武士出身者であることを考えれば分かることである。

そうなった理由は日本は外国からの侵略もなく、ただその文化、文明をマネしていれば、それで価値の拡大が図れたから「考える」必要がなかったのである。それは結果的に、日本人をその歴史的古層において、「考える＝猿マネ」することだと勘違いさせることになった。

しかも戦後経済において、その猿マネで成功してしまったから、いよいよ「考える」ことをしなくなった。

では、それでなぜ成功したのかと言えば、数字に歴史的古層はなく、ただマネする能力さえあればよかったからである。

その結果として、西洋文明（思想）を上っ面で猿マネし、その本質を考えてみようともせぬ、いわゆる政治家、学者、ジャーナリスト等の知識階層は暗記鸚鵡化に至るのである。それは西洋思想をキリスト教抜きで考えても分かるわけがない、ということが理解できず、無邪気にそれを上っ面で暗記しているのである。

それは国会を見ているとよく分かる。

それは自民党幕府（武士はいないが）と、権力を取る気もない外様野党との、半ば馴れ合い議会（討論）としか映らぬ現実である。

別に悪口で言うわけではないが、日本共産党などは、単に老舗の看板をぶら下げていれば商売になるという以外の理由を、私は見出すことができない。彼らの頭を、スターリンの「ス」の字も過(よぎ)ったことはないだろう。

日本人は議会（討論）というものを、その歴史的古層において知らぬから、所詮「熊・八」討論になってしまうのである。つまりそれは歴史的古層において、討論の本質である言語戦闘力を持たぬということである。民主国家における議会とは、プラトン以来の言語戦闘力によって討論し、その戦闘力によって白いものも黒に変えてしまうものだ、ということが日本人には理解できない。それはたとえば、ヒトラーがその言語戦闘力で白を黒に変えたという事実を理解する知能を持たない。

日本人は「皆々様」「お互い様」「相身互い」の歴史的古層を今も生きているのである。

その世界の常識、日本の非常識を生きているから、たとえば日韓関係の悪化というようなことが起こるのである。つまり韓国人は、白いものも黒に変えてしまおうという言語戦闘力で物を言っているのであって、日本人の道理など通用せぬのである。その「熊・八」政治家、ジャーナリストの間抜けさが、従軍慰安婦問題で白を黒く塗り潰されたのである。武士がいなくなると、そういうことになるのである。

それはそもそも、日本の歴史的古層に、差別、プライバシーなどというものがなかったことと関係している。それは家の建て付けが、障子と襖（ふすま）とから成っていることを考えれば、プライバシーなど有り様がない。つまりそれがないから「皆々様」等の仲間社会を成り立たせ、そこにおいて差別など——武士は別にしても——なかったのである。それはたとえば『福翁自伝』で彼の母親が、頭のおかしい乞食女の虱（しらみ）を取ってやることを楽しみにし、その褒美に飯まで食わせてやるところにも見て取れる。

それは戦前の日本に朝鮮人差別などなかった（重箱の隅を突つけばあったかもしれぬが）。なぜなら歴史的古層において、そも差別そのものを知らなかったからである（私がキリスト教に引かれぬ理由の一つはそれである）。だから彼らの方から日本へやって来たのである（両班の苛斂誅求は韓国の歴史ドラマを見ているだけでも想像がつく）。

その事実を知っている者は知っているが、従軍慰安婦問題に見られるような退化した頭の悪い連中によって、あたかもそれがあったかのように改竄され、信じ込まされ、書き替えられてしまったのである。

そしてその同じ頭の悪い連中が、差別語だなどと言って重箱の隅を突ついて喜んでいるのである。そも差別とは言葉の問題ではなく、心のそれだということさえ分からぬのである。戦後の日本人はそこまで退化してしまっているのである。

それを思うと李登輝が、戦後の日本人の質の悪さを嘆いていたのを思いだす。彼には『武士道解題』という著作がある。

三島由紀夫の謎

三島という作家は、ついに自分という存在が何ものか分からなかった人間である。つまり『仮面』を被(かぶ)っている自分、それを剝(は)がすとまた仮面が現れるという一生を送った人物である。

彼は文学好きであり、そして有名作家になったが、ついに自分の被っている仮面の正体が解けなかった。

それは彼の『葉隠』への傾倒が示している。つまり彼には、自分が何ものかに「からくられている」という感覚があった。

彼はすらすらと小説は書けたが、しかしその書いている自分が何ものであるか分からなかった。彼は様々な悪ふざけを通して、自分探しをやってみるが、ついにその謎は解けなかった。

彼の「肉体のなかに住む『本来のおのれ』」としての「無」があったのは確かである。しかし彼はそれを肉体的コンプレックスと誤読し（悪ふざけもあっただろうが）、ボディービルに走った。しかし当然それでは仮面の謎は解けない。そして彼は半ば自然に「肉体のなかに住む『無』」に「からくられている」意識から『葉隠』・武士道へと至るのである。

彼の本質にあったのは、「『葉隠』のニヒリズム」で述べたように、彼は天皇という神を失ってしまったが故に、「私はある」の根拠を失い、何ものかに「からくられている」だけの「仮面」の存在になってしまったのである。つまり神を失ってしまった彼は、自己が「無」（本能）に「からくられた」虚構（嘘）の存在という無根拠に陥ってしまったのである。従って「肉体のなかに住む『無』」を自覚した彼は、自然、主君を求めるように武士道に目覚めるのと同時に、自己の存在根拠を国家に求めざるを得ず――すでに神は死んでいるのだから――半ば必然的に「三島事件」に至ることになるのである。

この意味することを、すでに述べてきたことから説明すると次のようになる（なお、ここでは彼の檄文は引用しないが、私の言っていることが分からぬ読者は、彼のそれを読んでいただきたい）。

彼は意識（三次元身体）という、価値の世界をほぼ脱落し、無という四次元身体にまで解脱してしまった。四次元身体とは本能的価値であり、そこには闘争本能的価値、群れ本能的価値があり、そこから意識という三次元身体を見上げたとき、当然そこには群れ本能的価値としての「国家」、また闘争本能的価値としての「軍隊」の意識に目覚めるのは、生命として自然である。そしてヒトは価値の世界を生きているから、当然そこにおいて国家のために軍人として死ぬことは、人間としての誇りだ、という価値が彼に生まれた。と言うより、日本の武士にはそれがあったということである。

そのことを戦後の「無」も分からぬ、ただ洗脳されただけの「熊・八」頭に三島の内面を語ってみても意味ないことかもしれぬが。

私を三島に準（なぞら）えるのは不適切かもしれぬが、私も自分が何ものか分からぬ人間である。

たとえば私には二冊の箴言集がある。合計で八百の箴言である。取り敢えずその一つを挙げる。

ある未来人から聞いた話だが、ある遠い惑星では馬族が支配し、そこでは「競人」という賭事に馬族は夢中だったと言う。その男は百メートルを九秒台で走れたので、「危うく種人にされるところだったよ」と安堵の表情で語った。それに対し速く走れぬ人間は餌を与えられ、丸々と肥らされて「人刺」にして食われると言う。私はその話を聞いてから、人を食った話をしなくなった。

別にこの箴言がよく出来ているから取り上げたわけではない。ただ私の頭の中の、どこを探してもこういう思考をする「私」を見付け出すことができぬのである。

そのことは、私はこれらの箴言を一度たりとも、自分の頭で考えたことがない、つまり私の意志とはなんの関係もなく、いったい誰が書いているのかも私自身分からぬのである。

従って私も箴言集など出す積もりはなく、ただメモしておいたものがたまたま八百以上もあり、それを偶然読んだらその一部に思わず吹き出してしまった、というだけのことである。つまり記憶にまったくないのである。それで面白半分に出版したのである。

そのことが中年以降、ニーチェや『葉隠』を読む内、自分が「肉体のなかに住む『本来のおのれ』（無）」に「からくられた」存在であることに気づかされることになった。それは別言すれば、そも「私」などというものは「存在しない」、「存在した」としてもそれは「仮面」という虚構（嘘）に過ぎぬ、ということである。

近時、私は、「無私」の「仮面」に「からくられて」書かされているように思われてならない。その意味では私も「からくり人形」であるに過ぎぬ、と思うようになった。

それをヨーロッパ人でニーチェ以外に知っていたのが、ランボーである。

彼は手紙に「『私』は一個の他者であります」と記している。それは「私」とは単に、他者によって「からくられている」虚構（嘘）の存在に過ぎぬ、ということである。

このことはデカルトのところで記したように、「我」は神の保証があって初めて存在し得るものであって、その存在証明がなければ「我」は空中分解してしまう存在だ、ということである。

それは質こそ異なれ、日本において「考える」ことができたのは、「無」に基づく武士、禅者の「無私」による「考える」だけだ、ということである。それが私が三島同様、武士道、禅に引かれ、やがて国家意識に目覚めていった理由である。

武士においても、その「無私」は西洋人同様、神の保証がなければ成り立たぬ性質のものである（禅における「無私」は仏によって支えられている）。それは西洋においてはキリスト教という神であるが、武士においてはそれが主君、天皇だということである。

たとえば『葉隠』の述者・山本は主君の死に追腹（殉死）しようとしたが、主君の殉死禁止令によって生き長らえた人物である。なぜ追腹しようとしたのか？　それは彼にとって主君が死んだ以上、主君という神に支えられて生きてきた彼の存在意義は一切失われ、死以外の価値しか残されていなかったのである。そしてそれさえも主君という神に封じられ、生き長らえた者である。これはキリスト教徒が、神のため殉教するのと同性質のものである。

それは明治天皇の死に殉死した乃木希典も同じである。そうであれば三島の死は、武士として極めて自然なことである。そういうことが、戦後の「熊・八」日本人には理解できない。

またそのことは、たとえば水戸学への無理解にも現れている。つまりどうして徳川家という身内から尊皇思想が生まれたのか、という謎（私には謎ではないが）である。

それは徳川慶喜という尊皇思想をもった将軍が立てば、徳川家が自滅し、天皇の時代になるのは自然だということである。その謎を解説できた歴史家を私は知らない。それは一言でいえば、将軍では神たり得ない、と身内だからこそ言えた思想だ、ということである。つまり武士には絶対神の下に隷属したい——自己の存在証明をしたい——という意志が、無意識にもあった、ということである。だから幕末から明治維新にかけて、多くの武士が天皇教に走り、それを呑めぬ一部の者がキリスト教徒になったのである。その意味では、武士道とキリスト教とは似ている。だから二神を持つことを余儀なくされた内村鑑三は、そのどちらか一つの選択を迫られ不敬事件を起こすのである。

それを考えれば、戦後の「熊・八」日本人が武士道もキリスト教も理解できぬのは、当然といえば当然かもしれない。

これは余談めくかもしれぬが、日本を滅ぼしたのは薩長だと私は思っている。ただし悪口ではない。慶喜、河合継之助の「幕府観」がどのようなものであったにしろ（むろん私のそれとは違うという意味で言っているのだが）、もし尊皇思想を旗印とするなら、天皇教・明治幕府にすべきだったと考える。天皇という「うん、うん」神様を中心に諸藩から優秀な武士を集め、彼らの幕府によって中央集権国家を作るべきだったと。そこにはいくら優秀でも、「熊・八」猿マネ暗記鸚鵡は、せいぜい官僚止まりで蚊帳の外に置くべきだ、ということである。そうした政治体制でなくては日本は生き残れなかった。

薩長のどうしようもなさは、単に権力を握ったというばかりでなく、西洋を猿マネしたことである。つまり日本と西洋とでは、その歴史的古層がまるで異なることが分からなかったのである。

そしてその後、三島が評価している二・二六事件の青年将校が同様に分かっていなかったのが、天皇親政を掲げてクーデターを起こしたことである。それは所詮、彼らも「熊・八」だった、ということである。彼らに分かっていなかったのは、天皇親政の意味で、それは天皇に独裁者になれと言ったも同然だということである。それまで「うん、うん」神様でいた昭和天皇は、その事実を突き付けられ仕方なく独裁者に成らざるを得なかった。そして青年将校に死刑を命じたのである。

昭和天皇は、史上もっとも不幸な天皇の一人に数えられるだろう。なぜなら「熊・八」政治家・軍人の起こした大東亜戦争の尻拭いをさせられたのだから。その意味で彼は嫌々ながら二度も独裁者の役を演じなければならなかった。

そしてそこから戦後という「熊・八」民主主義が始まるのである。

三島にとってこの「熊・八」民主主義は我慢のならぬものだっただろう。しかも武士である彼にとって天皇の人間宣言は致命的であった。結局、彼は「私は戦後を鼻をつまんで生きた」のである。

それは逆に言えば、マッカーサーは神の意味をよく知っていたから人間宣言をさせたのだが、「熊・八」日本人にはまったくその意味も分からなければ、理解する能力もなかった。だから彼は「十二歳の少年だ」と言ったのである。

そうであれば、三島にとって「三島事件」は宿命とも言える。彼はあるところで「このまま行ったら『日本』はなくなってしまふのではないかという感を日ましに深くする」と書いているが、彼はまだ日本にかすかな望みを持っていたから、あのような事件を起こしたのだろう。

武士である彼には、戦後の日本人が聾（つんぼ）であり、『英霊の聲』も聞こえなければ、また市ヶ谷の自衛隊のバルコニーから大声で怒鳴ったところで、なにも聞こえぬ位のことは分かっていたはずである。しかし彼には、日本人として日本文明である歴史、伝統、文化が滅んでいくのが耐えられなかったから、命を賭けても日本を救いたいという、「已むに已まれぬ大和魂」があのよう事件を起こさせたのである。しかし戦後、ペット化した日本人に、歴史、伝統、文化はなんの意味もなかった。彼らの頭にあったのは、ただ餌（美食）の問題だけだった。つまり「考えない」人間には神は不要だ、ということである。

そうした彼の事件から私の得た教訓は、所詮、死んだ国家はどう足掻いても蘇らぬ、ということである。月並みな言い方をすれば、「御冥福を祈る」しかないのである。

西田幾多郎

ある朝、目が覚めると「絶対矛盾的自己同一」という言葉が頭の中にあり、そこから一筋の光が射していた。

別に西田の哲学が分かったというわけではない。私は基本的に、その思想家の思想を理解するためにその著作を読むことはしない。薬を飲むようにである。つまり私を悩ませている問題を解くためにである。

私は少年の頃から無自覚ではあったが、「無」を知ってしまっていたから、私のなかに主観・客観の問題はなかった。従って彼の純粋経験も、そんなものはないと思っていた。しかしなぜか分からぬが、西田の存在は気になっていた。

絶対矛盾的自己同一の問題も、西洋哲学（有）と日本の無との問題だと承知していた。しかも私は西洋文明、および戦後日本を殺してしまっていたから、私にとって絶対矛盾的自己同一を、そうした視点から捉えることはなかった。私にとって問題だったのは、自分のなかにある無とニヒリズムとの絶対矛盾的なものを、どう自己同一化するかだった。

彼のその思想言語が私の光明となったのは、突然、無もニヒリズムも殺し、彼の言う「永遠の死」に達し、そこにおいて「絶対無」に至ればいい、ということであった。

絶対無とは、私にとって神であると同時にある意味、出家という内面の行為でもあった。

これは「考える」人間なら誰でも分かることだが、それには神が必要であり、そこに隷属することが必要となる。当然、西田も宗教に深い関心を持っていた。それは彼が西洋思想の本質に触れていた、ということである。つまり神なくしては、西洋哲学も日本哲学も成り立たぬことを。

これは逆説的に言えば、戦後の日本人に信仰心がないのは、「考える」能力のないことの証である。ペットには餌さえあればいいのである。

私にどうして「絶対無」が神になり得たのかはよく分からない。ただ言えることは、彼の言う「永遠の死」の意味である。これは普通、人が「生から死を見る」のとは逆に、「死から生を見る」ということ、それが絶対無である。

これは『葉隠』の「武士道といふは、死ぬ事と見付けたり」とある意味同じである。それに神は「人は自分で作り出し、それに隷属する」性質のものであるからして、「考える」人はそうせねばならぬ、つまり「私がある」ためには自己偽善によって神を作り出すしかないのである。これはキリスト教を否定したニーチェでさえ、自らの神「永遠回帰」を作り出さねばならなかったことが示している。

つまり私にとって、無とニヒリズムとは絶対矛盾的なものであったのを、両者を殺すことによって半ば弁証法的に「絶対無」という神を生み出すことになったのである。

しかしむろん私はそれが自己偽善によるからくりだ、ということを知っているから、絶対無は出家という行為によらねばならぬことになったのである。

ちなみに私は「絶対無」という神のために、なぜ出家しなければならぬのかしばらく分からなかった。そしてようやく気づいたのは、それが内面の救い（楽になる）の口実になるからだと分かった。

それは仏教という宗教が、人生の苦から逃れるために出家する（救いになる）宗教であるのに対し、キリスト教が、イエスの死に見られるように、死と生と（復活）の口実の宗教だということである。それは西洋が戦争社会であれば自然なことである。しかしそれはキリスト教がその素因として戦争狂と欲望狂のそれを孕んでいる、ということでもある。

それに対し仏教は、あくまで救いの宗教であったから、近代科学のもたらした救いによって衰退していくことになったのである。

第四章　人はなぜ自殺するのか

こんなことを書く人間が、世界に一人くらい居てもいいのではないか、と思ってこれを書いている。あるいは、これが私の本音だったのかもしれない。今はそう思っている。

私は今でもどうしても「自分は十四歳で死んでいたら幸福だった」という思いを捨て切れない。そして二十歳のとき自分は決して自殺をしない、などという誓いを立てなければよかったと今でも思う。その誓いがあったが故に、私は頓馬にも地獄の世界で長生きをしてしまったのだから（私自身は五十までには死ぬと思っていたが）。

私は別に思想家に成りたいわけではなかった。それはニーチェも同じだろう。なにもわざわざそんな貧乏籤を引かなくてもよかったのだから。では、なぜそんな籤を引いたのか？　それはニヒリズムと関係がある。

私はこれまで日本にニヒリズムはないと書いてきた。たしかにキリスト教・ニヒリズムはない。

だが、ニヒリズムとは必ずしもそうしたものではないのでは、と今は思っている。

私は前作『人類の没落』で、神話の初期の「有る」について論じた。それは、それまで情報の下降・上昇という無を生きてきた群れ本能に基づく生命（サル）が、言語（価値）化によって、言語情報の下降と言語情報の上昇との交錯するところに、「意識（言語）の流れ」である虚構（嘘）としての、群れの「有る」の意識を生み出した。これはサルから進化したヒトが、肉体上の変異によって、言語（価値）という虚構（嘘）を生み出すメカニズムを作り出すことで、より進化を早めよう（生き延びよう）とした結果である。むろんそれは進化の最初期のものであるから、洋の東西を問わない。

この「有る」は当時の人類には、なにやら分からぬにしても、それがどうやら「私らしきものが有る」という感覚のものであったはずである。しかもそれは進化による肉体上の変異——本能が本能的価値に変わった——によって生み出されたものであるから、それはやがて現代に至るにつれて「私はある」という価値の感覚に変わっていった（この「私」は東西では異なる進化をする。ただし日本「村」人は問題外である）。

ところが、この「私がある」ということがどうしても信じられぬ者が現れてくる。それはニヒリズムに陥った特殊な人間である。だが、どうして信じられぬのか？　それは理屈としても分からぬから——私は理屈としてある程度分かっているからこれを書いているのだが、そんなことが分かっても何の役にも立たぬ種類のものであり——それによって自分がどうして苦しみ、こんな行動を取るのかも分からない。

どうして信じられぬのかは、ヒトにまで肉体的進化（変異）し、価値（言語）の世界を生きる存在になったにも拘わらず、それが進化の逆行によって、サルの本能の虚無にまで落ちてしまったことによって、——ヒトとして「考える」（有る）ことはできても、同時にサルの本能である無にまで落ちることによって——内部分裂を生じさせることになってしまったから、どうしても「有る」ことが信じられない。つまりヒトとして成り立ち得ぬ状態のニヒリズム（虚無）という激痛に陥ることになるのである。と同時にヒトが群れ本能的価値を生きる存在であれば、そもニヒリズムに陥った人間はヒトとしての「有る」が成り立たぬ以上、人々（世間）という群れ集団の価値のなかでも存在し得ない。

これはニヒリズムに陥った人間に限らず、一般的に世間という群れの価値のなかで生きられなくなった人間の陥る孤独地獄であり、それが自殺の根本原因である。

私のニヒリズムに陥った例で言えば、理屈としては紙幣にも、金塊にも、またそれなりの思想家の書物にも価値のあることは分かっていても、それらがどうしても紙切れ、金属、ペテン師の能書としか思えぬのである。つまり世間の価値を共有できぬから、孤独地獄に陥ってしまうのである。

そのことは、ヒトとは言語という価値によって洗脳された「私」、および「私たち」（世間）から成る現実という虚構（嘘）を生きていることを意味する。繰り返せば、ヒトは言語によって洗脳された価値という虚構（嘘）の世界を信じて生きる存在だ、ということである。

しかるにサルにまで進化を逆行させ、ニヒリズムに陥ってしまった人間には、その価値（言語）から成る人々の虚構（嘘）の世界がどうしても信じられぬのである。進化によってヒトにまで肉体変異したにも拘わらずである。これがニヒリズムの激痛である。

話をニヒリズムに陥った人間の自殺から述べ、その後、日本人一般のそれについて言及する。

まずニヒリズムに陥ったニーチェ、三島、太宰治である（後にニーチェがなぜ自殺しなかったのか、ヨーロッパの精神風土についても触れる）。

西洋人は意識――デカルトの、神に保証され、しかも肉体のない「我考える、故に我あり」――の世界を生きているから、ニーチェの言うように彼らの「主体」（我）は文字通りの虚構（嘘）であり、そうした状況下にあって、ニーチェは、その主体のもつ価値を進化の逆行によって、サルの本能にまで脱落させてしまったのである。つまり彼はヒトにまで進化（変異）した「我」を生きながら、同時にサルの本能を生きねばならぬという、内部分裂によるニヒリズムの激痛に陥ってしまったのである。それが彼に、サルからヒトに進化する過程に生み出される神話『ツァラトゥストラ』を書かせる動機となったのである（これについては『人類の没落』を参照）。

その書で彼はニヒリズムの本質を「肉体のもつ大いなる理性」「肉体のなかに住む『本来のおのれ』」へと価値（意識）を脱落させることだと、つまりサルの肉体にまで進化を逆行させることだと（彼は直にそうは言っていないが）説明している。

そうであれば、彼は激しい苦痛に置かれ、それは身体にも及んだから、彼の脳裏に自殺の文字が浮かばぬはずがない。しかし意識においてキリスト教を否定したとはいえ、彼の歴史的古層――これは無意識の領域のものである――から、それを消し去ることはできない。

それが彼を生き延ばす理由の一つになったのだろうが、今一つ、彼は学者だったから、彼自身の肉体のなかに住むニヒリズム（本来のおのれ）と意識（我）との関係を明らかにしたい、という強い欲求があったと思われる。しかしニヒリズムによる激しい自己分裂の苦痛は、ついに彼に「我」を失わせる狂気に陥らせることになった。

問題は三島と太宰とである。

若い頃、私は二人をまったく対照的な存在だと感じていたし、また太宰に関してはその不行跡から、生涯二度と読むことはあるまいと思っていた。が、最近、私も『人間失格』の部類に入るのではないかと思って、彼のそれを読んで私にも共通するところがあることに気づいた。そしてさらに三島と太宰とはまったく異質な存在であると思っていたのが、その根の部分では実に似ていることも分かった。

まず三島だが、ニーチェが「我」とは虚構（嘘）であり、「本来のおのれ」は肉体のなかにあると気づいたように、三島も直感的にそれに気づき、ボディービルに走ったのだが、そんなことで問題が解決しないのは言うまでもない。

彼のニヒリズムは神秘体験（神とは関係ない）によるものだろうが、彼も主体が虚構（嘘）であり「私」などというものが存在しないことを、直感として知っていたから、彼が「私」を「告白」しようとしても、それは『仮面の告白』になってしまうのである。そして彼のニヒリズムを唯一救っていたのが、神・天皇であったのが、人間宣言によってそれも絶たれてしまった。

彼が武士道に走ったのは、かっての武士が天皇に神を見ていたのと同様だから、神を失った彼は『葉隠』に武士のニヒリズムを認めたのである。

彼はニヒリズムにから<ruby>く<rt>ヽ</rt></ruby>ら<ruby>れ<rt>ヽ</rt></ruby>ていたから、ほとんど意味不明な小説がすらすらと書け、またそれがニヒリズムの孤独地獄からの解放だったから、あれほど膨大な作品を残し得たのである。であれば、彼が世間の価値観と折り合えなかったのは当然である。せいぜい世間と悪ふざけをしてごまかすしかなかった。

そんな三島にとって、唯一「仮面」の「私」が折り合えたのが、自己偽善によって、武士の大儀をもって死ぬことであった。むろん自己偽善であるから、自己の生み出した嘘（フィクション）に自らが騙されているが故に、そのからくりの意識は彼にはなかった。

つまりそれは主体は虚構だから、現実も小説も共にフィクションだ、ということである。小説家とは、自らが小説（フィクション）の主人公に成り切れるからそれが書けるのである。

普通の小説家は「私」があると思い、現実を生きていると信じているから、執筆を止めても、実はそれが現実という虚構（フィクション）（嘘）を生きているのだ、という自覚がない。ところが三島にとって「私」とは「仮面」という虚構（フィクション）だったから、無意識にも自己偽善によって自ら小説というフィクション（虚構）を書き、そこにおいて英雄的に死ぬという創作物（フィクション）を作り出すことに、なんの抵抗感もなかった。

それに対して、世間において「私」という現実を生きていると思っている大衆には、その現実なるものもまたフィクションだ、などと分かるわけもないから、彼の作った「楯の会」を軍隊ごっことしか見れず、ましてやそれが彼の死のための軍隊だなど分かるはずもなかった。むろんそれは、自己偽善によるものだから彼にもその自覚はなかった。

それに三島事件が、自衛隊におけるクーデターでもなんでもないことは、そこに計画性の一つもないことからも明らかだろう。もし彼が憲法改正を本気で考えたのなら、――むろん彼が本気だったのは、死を覚悟していることからも嘘偽りはないが——彼はすでに自衛隊に体験入隊しているのだから、そこで、あるいは論文でそれを訴えればいいのであって、今更、市ヶ谷の自衛隊のバルコニーからそんなことを怒鳴ったところで、どうにもならぬのは当然のことである。ただ彼は自己の作り上げた創作物（フィクション）のなかで、大儀をもって武士らしく死ぬことにしか、彼のニヒリズムのもたらす孤独地獄を終わらせる道がなかったのである。

ここで一言述べておく、戦後の日本人には馬の耳に念仏だろうが。なぜなら彼らはその歴史的古層において、「逃げ走る」「客分」だからである。

これは再三述べてきたことだが、自己偽善という「からくり」についてである。しかしこれが分からぬ限り「私は考える」も、民主主義も分からない。

それは「人は自分で神を作り出し、それに隷属する」のはなぜか、ということである。そもそも生命とは単独者としては有り得ぬ存在であり（「私」が成り立たぬという意味であり）、しかも虚構（嘘）上において闘争本能的価値に基づく戦争社会を生きねばならなかったキリスト教徒、武士は、どうしても「考え」ねばならなかった。しかしヒトは同時に群れ本能的価値を生きねばならなかったから、単独者として「考える」ことはできない。そこで虚構上を生きるヒトは、自己偽善というからくりによって「自分で神を作り出し、それに隷属する」ことによって「考える」ことを可能にしたのである。

そのことはデカルトが、さんざん苦労した挙げ句、あのインチキな「神の存在証明」によって、なぜ「我考える、故に我あり」に至ったのかの意味が、日本人にはまったく分からない。なぜなら日本人は「無私」で「考えた」からである。もっともほとんどの日本人は空っぽ頭だから問題外ではあるが。

なぜなら、神という絶対的価値の下にない限り、虚構（嘘）上を生きるヒトは付和雷同的「考え」しかできぬからである。そのいい例が、それを持たなかった戦前の日本人が天皇制国家から、戦後、一斉に民主国家に乗り換えたことである。絶対的価値の下での「考える」がないから、そうなったのであり、そのことはアメリカが去ったら、今度は中国の妾になるだろうということである。

つまりヒトは「私」および「無私」の視点を持ち、それによって「考える」ことを貫き通すためには、時にはその絶対的価値の下に戦争をしなければならぬということである。それは福沢の士風が理解できれば分かることである。あらゆる国家が軍隊を持つのはそのためである。その意味では戦後民主主義とは妾のそれでしかない。「私」を持つキリスト教徒、武士とはそうした存在である。明治維新、多くの武士が天皇教、また少なからぬ武士がキリスト教に走ったのはそのためである。

三島が天皇という神に拘ったのは、武士として「考え」生きるための根拠だったのである。しかるに戦後民主主義に浮かれる日本人はなんの根拠も持たぬ、単なる空っぽ頭の猿マネである。そもそも西洋が民主国家であるのはキリスト教に基づくものだ、ということさえ日本人は分かっていない。だから戦後の日本人の発言は、「私」のない付和雷同に陥ってしまうのである。

そしてそれは三島と同じくニヒリズムに陥りながら、太宰がまったく異なる人生を送ることになった理由もそこにある。

太宰も本質的に日本的ニヒリズムに陥った人間であるが、三島が天皇を神としたが故に、自己偽善を通して――従って太宰のような苦痛を味わうこともなく――武士の痩せ我慢の一生を貫き通せたのに対し、「村」人である太宰には、そうした自己偽善を通しての大義は生じようがなく、「逃げ走る」「客分」としての本音である『心中天の網島』を通して死に至ったのである。それは彼の弱さであったかもしれぬが、とにかく道行人（みちゆき）の同伴がいないと死ねなかったのである。

彼のニヒリズムも（なぜ陥ったのか分からぬが）、当然、三島同様、世間との折り合いがつかず孤独地獄に陥った。彼は『人間失格』で次のように書いている。

> 自分は子供の頃から、自分の家族の者たちに対してさえ、彼等がどんなに苦しく、またどんな事を考えて生きているのか、まるでちっとも見当がつかず、ただ恐ろしく、その気まずさに堪える事が出来ず、既に道化の上手になっていました。つまり、自分は、いつのまにやら、一言も本当の事を言わない子になっていたのです。
>
> 自分にとって、「世の中」は、やはり底知れず、おそろしいところでした。
>
> 死にたい

これらの文章は、彼が子供の頃から世間という群れ本能的価値とは異なる価値観を生きていたことを示している。

そんな太宰であれば、三島の悪ふざけ同様に、それを「道化」でごまかすしかなかった。しかも彼には三島のような痩せ我慢がなかったから、彼には生活にも小説にも本音が出た。

戦後の日本人の能天気は、彼の本質を見ることもできず、彼を無頼派の一味だなどと一括りにしているところにも見て取れる。

しかし彼ら二人に共通しているのは、世間との間に共感性群れ本能的価値ともいえる場において、自己を没し去ることができなかったことである。つまり彼らは世間において、性質は異なるにしても孤独地獄としての文字通りの「有る」の激痛のなかにあったのである。それを三島は悪ふざけで、太宰は道化でごまかしたのである。そして彼らは死への道を和らげるための、半ば本能的直感として――仲間（群れ本能的価値）への共感としての――三島は楯の会を作り、太宰は道行（みちゆき）人を必要としたのである。それは普通の人の幸福である「我を忘れる」ほどの熱中――たとえば賭博、ファン心理など――とは真逆の激痛の「有る」に外ならなかったのである。

ところで私だが、私は三島や太宰のように世間から注目されるような存在ではなかったから——私も一時は小説を書くことに熱中したが——悪ふざけも、道化もやる必要がなく、ただ隠遁者となるだけだった。だからと言って、「私の身の置き所のない」世間と和解できぬ状態は激痛であって、私の生涯——前半生はなんとかごまかせたが、後半生——は孤独地獄であった。

朝、目が覚めると私の脳裏に浮かぶのは「今日もまた地獄の一日が始まるのか」であったから、太宰同様「死にたい」と思うのは日常のことであった。しかもこの苦痛は拷問のようなものだから、慣れるということができない。ただ歯を食いしばって耐えれば、和らぐという知恵がついただけである。

そんな私であれば、世間と没交渉の変人とみられるのは自然だろうし、私もまた武士の痩せ我慢を通してきただけである。それを今になってこんなことを書く気になったのは太宰の『人間失格』を読んだせいだろう。

それに世間というところは、ニーチェ、三島、太宰を曲解するように誤読の名人の住むところだから、なにを言っても無駄だと思っていたし、特に係わりたくもなかった。ただ私が、誰も読まぬ思想書を飽きもせずに書いたのは、それが唯一生きるための大儀（理由）であり、また思想し、書いている間は苦痛が和らいだからでしかない。それは三島・太宰文学にしろ、ニーチェの思想にしろ、彼らにとってそれは所詮ゴミであり、世間というところはそのゴミに熱中するところだ、というだけのことである。だから私の思想もゴミでいいのである。

ところで以上述べた人々は、孤独地獄のなかに置かれ世間の群れ本能的価値を共有できなかったが故に「（私は）ある」の激痛を文字通り生きた人々であるが、そうでない普通の、借金苦、失恋苦等から自殺する人々、あるいは先日このコロナ禍において、二人の若い有名俳優が自殺したことに関してである。

前者の借金苦等は極めて単純である。

ヒトは価値の世界を生きているから、紙幣や金塊にそれがあるという価値から抜け出せない。それが貨幣経済（特に資本主義）の最大の欠点である。つまり資本主義における主人は貨幣であり、ヒトを生かすも殺すも主人次第だということである。すなわち資本主義とは、人と人との和で繋がっている社会ではなく、それが金だから、金の切れ目が縁の切れ目だということである。しかもヒトは価値の世界を生きているから、借金を負えば世間はまさに群れ本能的価値を失った、敵対的存在といってもよく、それが借金地獄という孤独地獄である。その苦痛から逃れるため自殺に走るのである。

これはまた失恋にしても同じで、ヒトが価値の世界を生きるまでに進化してしまったが故に、それが価値を失っただけだということを悟れずに苦しむのである。つまり恋愛相手が世界（群れ本能的価値）のすべてであり、それを失ったことが、あたかもすべての価値を失ってしまったかのような、孤独地獄の苦痛に陥ることによって自殺に走るのである。

それは、自分は恋愛をし失恋したのだから、また恋愛をすればいいじゃないか、という理性のまったく働かぬ世界である。

それは本能を生きる動物が、求愛して受け入れられなければ、外の異性のところに走るだけだという本能が、もはや価値を生きるヒトには失われている、ということである。

ところで私にとって問題となったのは、二人の若い有名俳優の自殺であった。彼らの内面など所詮、知るよしもないが、借金苦、失恋苦、病苦といったものでないのは確かなようである。

私はそれが、日本が自殺大国であることと無関係でないと考えた。

むろんこれは私の勝手な推測だが、それは日本人が無邪気に西洋文明、特に資本主義を取り入れてきたことの付けが回ってきたのだと考える。

日本人には西洋文明が最悪なものだ、という認識がまったくない（そんな頭にニーチェの思想など分かるわけがない）。それは西洋を猿マネしていることからも明らかだろう。つまりそこが戦争狂、欲望狂のそれだということが、である。これについては、これまでさんざん述べてきたことなので多言はしないが、一言でいえば、デカルトの「我」およびキリスト教に繋がるものだ、ということである。

日本人は古事記の時代より、和（群れ本能的価値）の世界を生きてきた。それはたとえば、福沢の母親が、汚く臭い狂者（きちがい）のような乞食女の虱を取ってやり、取らせてくれた褒美に飯を食わせてやることを、楽しみにできるような世界だった、ということである。彼女がそんな和の世界を生きることができたのは、同時に彼女には、自分が何をしているのか「考える」能力がなかったから、それができたのである。

それに対して武士であった福沢は、「考える」ことができたから、母親の手助けに駆り出されるのが、嫌で嫌で堪らなかったのである。

それは程度の差こそあれ、戦後の武士の存在しない日本人も、福沢の母親のように「考える」ことのできぬ歴史的古層を生きている、ということである。つまり歴史的古層とは、意識の問題ではなく、日本人においては古事記の時代から積み重ねられてきた歴史的無意識の層だ、ということである。

戦後の日本の繁栄は、この歴史的古層において「考える」こともせず、和という集団主義（群れ本能的価値）のなかを生き、その中で懸命に働いた結果として、奇跡的ともいえる経済復興を成し遂げることができたのである。

しかしそれにも限界があった。つまり資本主義のなんであるかをまったく「考え」ずに働いてきたのが、ある日突然、その限界に突き当たったのである。それはまさに資本主義が、和に基づく経済思想とはまったく懸け離れた、数字と金とに基づく個人主義の（群れ本能的価値を否定した）それだ、ということである。そこにおいて労働者は人ではなく、延長する物質（モノ）だということである。

和の世界を生きてきた日本人は、資本主義を生み出した西洋文明の本質にある個人主義という思想を歴史的古層にまったく持たない。そうであれば、その本質が孤独地獄だということも分からない。

西洋の神は、日本の武士のもつ神のように人（天皇、主君）ではなかったから、人間的関係は一切ない。つまり絶対にＮＯ（ノー）（自分で作り出した神だから）と言わぬ神だ、ということである。従ってそんな神の下にある以上、自己偽善によって自らを騙すと共に、他人（ひと）を騙すことによって他人（ひと）を神の下に奴隷的に働かすこともできる。カルヴァン主義の「予定説」などはその象徴的なものである。

そうであれば労働者は神の下に金を生み出すモノ（延長する物質）であり、金を稼げぬ者は首になり、他のモノに入れ替えればよいことになる。そこに人間的繋がりは生まれようがなく、ただ金によって繋がっているだけの社会である。

そうであれば、西洋人が家族を大事にする理由も分かろう。そこにおいてのみ人間的和の関係が成り立つのであり、一旦、社会に出ればそこは群れ本能的価値を欠いた孤独地獄が待っているからである。

ただし彼らはそうした歴史的古層しか持たぬから、それに対するある程度の慣れのあるのも事実であるが、その孤独地獄から逃れるために、教会には告解室があり、またアルコール・麻薬中毒者、さらに精神病患者の多発化を招くことになったのである。

フロイトがこの告解をヒントに、彼独自の精神病治療に思い至ったという話を、どこかで読んだ記憶がある。またヨーロッパ人が一ヶ月近くものバカンスを取るのも、孤独地獄のなかで生き抜くための知恵なのだろう。

つまり西洋資本主義文明とは、孤独地獄のなかで個人主義的欲望経済人として生きることの謂である。西洋人はそれはそれで構わぬのだろう。

しかし日本人はそんな経済思想とは無縁な、和という群れ本能的価値の歴史的古層を生きてきた。そこに西洋資本主義の流入の結果として、日本は自殺大国となり、引き籠もりの中年人口が一〇〇万人にも上り、精神病患者も多発するに至った。それは子供にも及び、いじめによる自殺・不登校の多発化である。要するに、戦後の日本人は西洋を猿マネする知能しかもたぬ愚物化（特に知識階層）することによって孤独地獄の付けが回ってきたのである。

そうであれば、和の歴史的古層を生きる日本人にとって、資本主義は多くの者にとって苦である。苦であるが、それの持つ欲望の味を知ってしまった人々は昔に戻ることはできない。またもはや戻る場所もない。

そうした現実から二人の俳優の自殺を推測すれば、それまであったと思っていた和（仲間）の世界が、ある日、突然崩れ、単に金で繋がっているだけのまったくの孤独地獄のなかに置かれていることの「有る」の激痛に襲われ、またそれへの免疫をまったく持たぬ彼らは、「死にたい」という発作的衝動に駆られ、自殺に走ったと私は考える。しかもその「死にたい」という激痛は経験した者にしか分からぬような性質のものである。つまりどうしていいのかも分からぬ内に自殺に走っていた、ということである。

こうした戦後を生み出したのは、日本人（特に知識階層）の猿マネ暗記鸚鵡化と無関係ではない。まったく無考えに、東西の歴史的古層の異なることを思量することもできず、資本主義を取り入れたことである。つまり日本人として、資本主義をどう測るべきかという知恵の欠如である。

日本における資本主義の祖は渋沢栄一である。ただし彼はそれをそのままではなく日本人として、つまり「論語と算盤（そろばん）」として受け入れたのである。資本主義は経済思想だから、本来『論語』のような道徳の入る余地はない。しかし明治人にはまだ武士の血が流れていたから、彼らなりに考えることができたのである。

資本主義とは、西洋戦争社会に基づく個人主義のなかから起こったものであり、私利追求の経済思想である。だからこそ、そこから共産主義思想などが生まれ、また破綻したのである。

そもそも西洋には、人々が幸福に暮らせるような環境が地政学的にも、歴史的古層においてもない。彼らの世界においては、個人が利益等を追求するから、他者は排除されその間に角逐が生ずる。その行き着いた先が悪徳の民主主義である。

しかし日本は「和」の社会であった。日本のように素直に『論語』を受け入れた国はそうあるまい。少なくとも私は知らない。

それは一言でいえば、人々が幸福になるのには損得勘定もなく、他人(ひと)を幸福にしてやることが自分のそれに繋がるという、ほとんど本能に近い感情である。福沢の母親などはまさにその典型である。

それに対して、戦後の猿マネ知識階層は、かつての幸福だった江戸時代のように、『論語』を教育の基礎に置くべきだという知恵もなく、ただアメリカを猿マネしたのである。それが知識人のやることだと思う愚物性は救いようがない。

戦後、資本主義も初めはよかったが、やがて『論語』がなくなると他者を排除し、私利に走るという西洋型資本主義に変わっていった。

だが、そのような歴史的古層をもたぬ日本人に、そんな資本主義はうまく行くはずがない。

そも日本人は知識人からして、振り込め詐欺に引っ掛かる体質だという自覚がない。朝日新聞、大江氏などはその象徴的一端である。

私はこの若い俳優の自殺を、確信をもって言うわけではないが、西洋型資本主義を無考えに導入したことによって、日本人の心のなかに空いた闇のように思える。

第五章　森・ＪＯＣ前会長の女性蔑視発言の本質

　これはある意味、前作『人類の没落』の「あとがき」の続きになる。そのとき、書こうか書くまいか迷ったが、やはり書かねばならぬという思いに達した。

　その内容とは、森・ＪＯＣ前会長の「女性が会議に入ると長くなる」という、いわゆる女性蔑視発言なる珍騒動である。こんなことは、日本女性は昔から井戸端会議をやってきたという歴史的古層を持っているのだから、当たり前のことであり、それが可能だったのは、日本がそれだけ平和だったからだ、というのが私の主張の骨子である。

　そこで明らかにされたのが、まったくともいえる戦後日本人の「考える」能力のなさである。まさに空っぽ頭の猿マネ暗記鸚鵡である。

　それはチェンバレンが言った、日本人の付和雷同性、集団行動癖、外国を模範としてマネする国民性であり、またカール・レーヴィットが『ヨーロッパのニヒリズム』で言った、日本人の思考法が二階ではプラトン、ハイデガーを論じ、階下では日本的に考え感じたりする、その両階を往き来する「梯子」はどこにあるのかと、ヨーロッパ人教師を疑問に思わせることであり、さらにマッカーサーが日本人を十二歳の少年と評したその心中である。むろんそれらは、彼ら西洋人の日本人観として語ったものだから、彼らにも日本人の本質は分かってはおるまい。況してや、空っぽ頭の猿マネ暗記鸚鵡に、彼らがなぜ日本人をそのような目で見るかなど「考える」能力はない。

その空っぽ頭は、あたかも森氏を糾弾するのが当然であるかのように批判し、また森氏にも反論できるような能力はない。自分がなにを根拠にそのような発言をしたのかを。だから珍騒動になってしまったのである。

私が日本人を評してなぜ空っぽ頭というのかといえば、生命世界においてオス・メスは、「平等」（同権）というような性質の価値観の下にあるものではなく、進化の下にあってそれを推し進めるために、それぞれの役割を与えられただけに過ぎぬ、ということである。それを西洋人が男女平等のような価値観に達したのは彼らの勝手である。その理由はキリスト教を信じる彼らは、進化の理論に否定的だからである。それをそも「考える」能力もなく猿マネする現代日本人の無脳こそ、問題だと私は考える。つまり単なる西洋の暗記鸚鵡でしかないことに。

日本人は西洋人とは異なる歴史的古層を持っている。日本人はそこで考えればいいのだが、武士・禅者の存在しない戦後に「考える」能力を持つ者はいない。

日本は西洋のような戦争社会ではなかったから、物事をトップ・ダウンで決めるということはない。「和」の社会であるから男は会議（談合）により、女は井戸端会議好きという歴史的古層を持つことになった。従って、女性が会議に入ると長くなるのは自然なことで、それで日本人は幸福に暮らしてきたのだから、それはそれでいいのである。それに歴史的古層は、歴史意識の深部に染み込んでいる国民性、民族性のようなものであるから、そう簡単に改められるものではない。

戦後日本人の愚民性は、外国（西洋）ではこうだから自国もそうしなければならぬ、という主体性のなさである。自分が何人であるのかも分からぬ、ただ長いものに巻かれる猿マネ人種だということである。だから三島は檄文で「自由でも民主主義でもない。日本だ」と言ったのだが、「考える」能力を持たぬ大空け（うつ）の理解するところではなかった。

この森発言に対し野党（党名までは覚えられなかったが、日本共産党ではない。もっと大きな党である）の党首が、「国際社会の恥だ」と言ったのを聞いて、私はこの人の頭の中に入っているのは、正直、蟹味噌ではないかと思った。これが「日本社会の」と言うのならまだ分かる。なぜなら日本は「恥の文化」だからである。そして恥とは世間へのそれである。ところが、そんなものが果たして国際にあるのか、そんなことも分からずに政治家になれるのが、戦後民主主義という奴である。

たとえばアメリカを国際の一員と考えるのなら、彼らは先住民族を絶滅危惧種に追いやり、黒人を奴隷として拉致し、無辜の民の頭上に原爆を投下し、それと同じようなことをやっている中国を恥ずかしくもなく人権問題で非難するところが国際だと私は思っている。恥などというものが国際ヤクザ世界には無い、ということが分からぬ蟹味噌頭こそが問題なのである。

私は「女性が会議に入ると長くなる」程度の如きで、馬鹿騒ぎする戦後の日本人は完全に愚民化したと思っている。つまり一階は空っぽで、二階でプラトン、ハイデガー、（民主主義）を大合唱する暗記鸚鵡化してしまったことこそ大問題だと。

では、日本人がどうしてこのように愚民化したのかと言えば、それは日本が島国という地政学的条件、またそれによって生み出された歴史的古層が係わっていると考える。

日本「村」人（戦後の日本人）は、過去（特に江戸時代）において、士農工商という身分社会を生きてき、それは西洋戦争社会に比べて、領主（武士）に過酷に扱われることもなく——なぜなら「村」人が武士を養うという関係にあったから——またさらに「村」人が外敵に備え、戦うこともなかったから、彼らの歴史的古層には、国家およびそのために「考える」能力がまったく蓄積されることなく、ただ生き延びるために支配者・武士に「ゴマを擂る」能力だけが発達したのである。それが付和雷同性、集団行動癖、外国の猿マネ化に繋がったのは言うまでもない。

それが戦後、新たな支配者となったアメリカに対する、丸山眞男の「間違った戦争」観に始まり、朝日新聞の従軍慰安婦報道、大江著『沖縄ノート』および氏のアメリカでの「米国の民主主義を愛する人たちの作った憲法だからあくまで擁護すべきだ」発言（このゴマ擂りは余りに露骨である）云々等は、すべて「村」人のゴマ擂り歴史的古層から出たものである。と同時に、それらは権力を失った者への弱い者いじめ（「村」八分）でもあるが、それらは歴史的古層から無意識に出たものであるから、彼らにその自覚がないのは当然である。それは「国際社会の恥」も同様である。

そうであれば戦後民主主義も単なるゴマ擂り民主主義でしかない。いったいそれを支持する根拠はどこにあるのか。つまりその価値観のために「死ねるか」（それだけの絶対的価値があるか）、ということである。私はほぼ「0（ゼロ）」だと思っている。子供の戯言となんら変わらない。

私は戦後の口先、ゴマ擂り民主主義者をまったく信用していない。私は彼らより遥かに自己の歴史的古層を見下ろすことのできる人間だと自認しているが、武士道のために死ぬことはできても、民主主義のためにはできない。それはそも彼らは国家のために「死ぬ気」がないから民主主義（日本国憲法）を擁護するのである。

彼らは仮に中国が攻めてきたら、「中国の共産主義を愛する人たちの作った憲法だからあくまで擁護すべきだ」と言うに決まっているのである。国を守る気がまったくないのである。歴史的古層が「逃げ走る」「客分」なのである。

そも「村」人には国家意識そのものがない。そのことは、日本人の愛国心のなさが世界（国際）的に群を抜いていることからも明らかだろう。彼らに国を守る気があるのなら、徴兵制とまではいかぬにしても、それがどういうことであるかを、三島のように自衛隊に体験入隊くらいはすべきである。しかし口先「村」人はどこまでいっても、口先だけの

「逃げ走る」「客分」なのである。

それが明らかにしていることは戦後民主主義など（その歴史的古層において）誰も信じておらぬ、ということである。ただの鸚鵡人間の暗記である。

そも人は、自らが作りトげた思想に殉ずることはできても（たとえば三島）、暗記した借りもののためにはできない。

それは戦前の天皇制国家において武士出身者はともかく、「村」人にとっては借りものでしかなかったから、敗ければさっさとアメリカ製の、命の得になる借りものの日本国憲法に乗り換えたのである。戦後民主主義を支持する根拠とはそれだけである。その真の価値観を信じている者など誰もいない。ただ新領主・アメリカ頼みである。なぜなら民主主義を生み出せるような歴史的古層を、「村」人はまったく持っていない。それに近いものを生み出せる者がいたとしたら、それはかつての武士だけである。なぜなら西洋人が民主主義に至ったのが、キリスト教であり、「我考える」であったように、武士は天皇、主君という神を持ち、そのために「考える」能力を持っていたのだから。

そうであれば、戦後の政治家、学者、知識人、ジャーナリストは、その頭にアメリカ（西洋、国際）のゴマ擂り「御用」付き民主主義者でしかないのである。つまり口先のたものである。
「逃げ走る」「客分」のそれなのである。そうであれば彼らを支持する国民の知能など知れたものである。

そうなったのは、戦後の大空け暗記鸚鵡教育にある。それは「武士道」という、「宗教教育」の影響が色濃く残っていた明治期に輩出された数多の偉人と比較すれば一目瞭然であろう。武士の死と共に日本は死んだのである。

三島の死に理解を示したのは、私の知る限り皮肉にも、イギリス人ジャーナリスト、ヘンリー・S・ストークス氏だけだった。

第六章　東西文明の相違

　戦後の日本人とは、言わば自分の頭をもたぬ大空（うつ）けだから、まったく「考える」能力がない。それはいまだにＧＨＱの呪縛から抜け出せぬこと一つを取ってみても明らかだろう。だから東西文明の相違だなどと言っても、なんのことだか分からぬだろう。

　だが、まず西洋思想から入ろう。

　それはニーチェとはやや異なる意味ではあるが、西洋思想とはキリスト教に縛られたもの、つまりそこには一切の進化の概念の入る余地がないことである。

　それはたとえば、今日騒がれている男女平等など、オス・メス平等と言ってるような戯言だ、ということである。西洋思想とは、そうした下らぬ一面を持っているのである。

　そも彼らは、生命（自然）が「無」だということが理解できない。進化の概念がないからである。

　彼らがいかに進化を理解していないかをしばらく挙げる。

　それは環境（自然）から情報を本能（あるいはそれに類するもの）に取り入れ、下降・

蓄積し、その情報の下に環境に適応できる（生き延びられる）ための情報を、生の上昇によって身体（肉体）を変異させることを進化という。そしてその無である情報の下降および情報の上昇を言語（価値）化し、進化したのが人類である。つまり言語情報の下降および言語情報の上昇の交錯するところに、意識の流れとしての「有る」という「時間と空間と」を人類は生み出したのである。

しかもヨーロッパは古代より戦争社会であったから、そのためには「我」で「考える」方が有利であったが、生命にはそれを防げる本能としての群れ本能的価値が「我考える」を許さなかった。それをデカルトは「人は自分で神を作り出し、それに隷属する」という神の保証によって愛国心をもった戦争に強い個人（「我」）を作り出すという、からくり哲学を生み出すに至った。

しかもその「我」はさらに戦争に強い自然科学を生み出し、そこから産業革命を通して資本主義という国家の経済基盤を築き上げ、より強い国家を作り出すことに成功した。

そしてその行き着いた先が、キリスト教民主主義である。それはルソーが『社会契約論』で言う「そして統治者が市民に向って『お前の死ぬことが国家に役立つのだ』というとき、市民は死なねばならぬ」という徴兵制の根拠ともなったのである。もっともこんなことを「逃げ走る」「客分」の歴史的古層を生きる、戦後のゴマ擂り民主主義者に言っても無駄だろうが。

ストークス氏も言うように、民主主義とは白か黒かの決着を付ける政治思想である。それはたとえば議会に一〇〇の議席があり、その内の五一を取った政党が政権を担当する政治システムであるから、選挙によって与野党が逆転すれば、前政権の政策がすべてひっくり返されることも起こり得る。これはある意味最低である。

それに対して日本人は、古事記の昔から「灰色の決着」で丸く収めることを常としてきた。つまり人々は談合によって「皆が同じように損をする」ことによって「和」を図る社会を営んできた。この事実は、民主主義など福沢の母親の思想より劣る、ことを意味する。

これは武士においても見られ、徳川幕府、明治新政府にしても、完全に敗者の息の根を止める、ということはしなかった。

それは戦後民主主義においても傾向は同じで、自民党幕府の下に野党という外様がいるだけである。しかもその外様は、ただ外野から野次を飛ばすだけの能力しかないことを、かつての民主党が証明してしまった。そして今日においてもその野次は、「国際社会の恥だ」などと言うお粗末なものである。

つまり現今、行われているのは、灰色の民主主義という談合派閥主義に過ぎぬのである。

民主主義の根底にある白か黒かの決着の世界は、ヨーロッパ戦争社会においての、敗者の息の根を完全に止める、という歴史的古層に根差している。それは古代ローマ帝国のカルタゴへの仕打ちにも見て取れる。だから私の西洋に対する視点からすれば、ヒトラーのホロコースト、アメリカの原爆投下もそれほど異常なことではない。

ところでそこに至るまでの、デカルトの神の保証に基づく「我考える、故に我あり」には大きなからくりがある。私はこのからくりを読めた人を知らない。

彼の行ったことは、その言語情報の下降および言語情報の上昇の交錯するところの意識の流れとしての「有」から、その基底部にある、生命が本来もつべき情報の下降および情報の上昇としての無（自然）を、神の保証の下に抜き取ってしまったのである。つまり彼の哲学に身体（肉体）がないとは、生命が本来その基底部にもつべき自然という無がない、すなわちニーチェの言う「肉体のもつ大いなる理性」「肉体のなかに住む『本来のおのれ』」を、キリスト教という神の保証の下に抜き取ってしまったのである。

　これがニヒリズムに繋がるのだが、では、なぜそのようなことをしたのかと言えば、そもキリスト教という宗教が、砂漠という「0（ゼロ）」（無）の土地に生まれたものであれば、そこにおいて「0（ゼロ）」の概念は否定され（それは古代インドに生まれ）、「1（イチ）」から成る「有の数字」の思考に走るのは当然である。それによって自然という「無＝肉体」の世界は、神の保証の下に否定・侵略され、そこから「有の数字」から成る自然科学、さらに産業革命を経て、資本主義へと発展していったのである。その彼らの自然（無＝肉体）のないことが、ニーチェの言うキリスト教・ニヒリズムを生み出すことになるのである。そのことによって、キリスト教（有）だけが唯一の価値となり、その他の非キリスト教的価値は無に分類され、抹殺の対象となったのである。それがすでに挙げたホロコースト、原爆投下、さらに（キリスト教を歴史的古層に持つ）共産主義思想の虐殺の根拠となったのである。


　さらにニヒリズムについて言及する。

　ニーチェのニヒリズムは、仮に彼が日本人の歴史的古層を持っていたとすれば、それは単なる無で終わっていただろう。

無とは、進化の逆行により原ヒトにまで価値を脱落し、――これはまた原初の本能的価値（本能に近いところ）にまで戻るということであり――ただ価値を失った無の世界に戻るというだけのことである。そして価値イコール言語であるからして、その無価値の世界を言語で表すことはできない。それが無の世界である。

ニーチェにもそれとまったく同じことが起こったのだが、ヨーロッパは戦争社会であり、それを強化するためにキリスト教が利用されたのであれば、すでに述べたようにデカルトは、ヒト（生命としての自然人）の本質としてその基底部にある無（自然＝肉体）を、キリスト教を根拠に抜き取り、「有」（意識）としての「我考える」だけにしてしまったのである。

この意味するところは、ヒト（生命）の基本である本能的価値――中でも群れ本能的価値――を破壊し、代わりにそこを「『我考える』キリスト教集団価値」に置き換えたのである。この「集団価値」は「我」に基づいているから、それぞれ個人はばらばらであるが、戦時においては「キリスト教価値」の下に集団化するものである。

つまりニーチェにも「無」同様に、進化の逆行による価値の脱落が起こったのだが、ヨーロッパ人である彼は、生命としての正常な本能的価値を歴史的古層に持たず、彼のその群れ本能的価値に当たる部分は、「我考える」キリスト教集団価値という片端なものに思想進化（外道化）してしまっていたが故に、彼はニヒリズムに陥ることになったのである。

彼は、進化の逆行によって価値を脱落したが故に、正常な本能的価値（無＝自然＝肉体）に戻ろうとしても、そもそこに群れ本能的価値（肉体）はなく、——彼が「肉体」に拘った理由もそこにあり——しかも価値の脱落によって、進化（外道化）によって作られたキリスト教集団価値も脱落してしまったから、——ただし「我考える」は残されていて——その場所に穴が空くことになり、それによって、言わばサルの本能にまで価値が脱落するという、もはやサルともヒトともつかぬ苦の状態にまで陥ってしまったのである。そして彼がたとえキリスト教を否定しても、彼はヨーロッパ・キリスト教文明の歴史的古層を生きてきたから、無意識の層において「我考える」までは否定できなかった。つまり彼はヨーロッパ・キリスト教文明を否定しながらも、「我考える」までは否定できぬという、矛盾した思想のなかを生きざるを得なかったが故に、それによって彼は、サルからヒトへの進化の過程に生み出される神話（思想）としての『ツァラトゥストラ』等を創作することになったのである。

すなわち彼をして、ヨーロッパ・キリスト教（『聖書』ではない）文明には、生命（肉体）の持つべき無が――それを彼はニヒリズム（虚無）と表現するしかなかったから、彼のその概念は誤解を招くことになったのであり――その無（肉体）がないが故に、キリスト教は真面（まとも）ではないとして激しく非難したのである。そしてその真面でないことはその後の西洋文明史が証明することになる。

その意味するところは、ヒトという自然人が、西洋文明という有の数字から成る、進歩という人工的非自然文明を発展させても、人類がそこで幸福に暮らせるわけがない、という知恵が彼らにはないのである。それだけ西洋文明の「我」は無智にして、傲慢だということである。つまりフランケンシュタイン化した世界である。

それはたとえば、「核兵器のない世界」などという愚かさにも見て取れる。自らの思想が生み出したものを、自らのそれで否定できる訳がない、ということが分からない。

が、いずれにしてもこのニヒリズムは、狂気とすればすれの異常さであると同時に、激痛の世界でもある。ニーチェはこの不可解な昏迷の思考の末、狂気に陥ることになったのである。

ところで西洋人が労働を嫌う理由も同じところから来ている。本来、労働とは好き嫌いの問題ではなく、生きることそのものとして、「無」という自然と向き合うことなのだが、砂漠の思想をもった彼らの「有」の思考法はそれに向き合うことを嫌うことになった。しかも彼らの「我」は、群れ本能的価値を否定したものだから、労働における仲間との共感性価値である「和」の価値観がない。それを日本的に言えば「一緒に働いていても楽しくない」ということである。

彼らが労働価値説などという、労働を「有の数字」で計るというやり方は、そもそれが楽しくないから、それに価値を付け、それを欲望（有）という価値に代替しただけのものである。つまりそれをして欲望の資本主義ということになるのである。しかも欲望とは明確に数値化できるものではないから、彼らは金融資本主義などという、――肉体のない数字だけから成る――どこに実体があるのかも分からぬ市場経済を生み出すことになったのである。

これとまったく対照的な労働価値観をもっていたのが、かつての日本人である。

それはこれまで再三述べてきたが福沢の母親が代表例となろう。

彼女は乞食女の虱を取ってやることを楽しみとし、その取らせてくれた褒美に飯まで食わせてやるのである。武士である福沢にしてみれば戯けたことのように映ったかもしれぬが——なぜなら武士である彼は「考える」という損得勘定ができたから——だが当時の女性としては、特段異常なことではなかったようである。

しかし彼女の良い意味での大戯けの歴史的古層は、戦後の日本人に馬鹿戯けとして受け継がれることになった。

戦後日本が、驚異的な復興を成し遂げられたのは、そこに「和」の社会があったのと同時に、この労働価値観があったからである。

たとえば、私は戦後間もなく、仕事が楽しくて一週間も家に帰らなかった男の話を知っている。この意味することは、たとえ過労死しても本望だ、ということである。その過労死が今日、悪となったのは日本人が労働を嫌うようになったからである。つまりできるだけ労働時間が少なく、賃金の高い職を求めるようになった、ということである。

さらに戦後の日本人は、自らの頭で「考える」ことができぬから、その意味も解さずに労働価値説なるものを有難がる仕儀に至った。その事実は、なにも「考えず」に資本主義を受け入れたということであり、それによって日本人を労働嫌いにさせてしまったのである。


私はここまで書いてきて、改めて西田の偉大さに気づかされた。

確かに西田哲学は失敗に終わったと言えるかもしれない。

彼はレーヴィットの言う、二階の西洋哲学と階下の「無」とを繋ぐ「梯子」を見出すために生涯を捧げたのである。

ただ彼は西洋哲学が意識中の進歩のそれであり、無が「肉体のなかに住む『本来のおのれ』」である進化だというまったく異次元の世界であることに気づかず、さらにその進歩が西洋人にとっては本能的価値を変異させ、もはや日本人のもつ群れ本能的価値を持たず、それが「我考える」キリスト教集団価値に変異していることに――ここに国民性、民族性が生まれるのであり――考え至ることができなかった。

そうであれば、完全に無を失った戦後の日本人は、まったく「考える」能力をなくしてしまった空っぽ頭であるが故に、暗記鸚鵡になるしかなかった。しかも空っぽ頭だから、自分の頭が空っぽだという自覚もできない。そんな国民から成る国は、単なる口先、ゴマ揺り民主国家でしかない。

この国は武士の統治能力と、「村」人の労働好きとによって成り立っていたのだが、その双方を失うことはまさに亡国を意味する。またそこに戻れるだけの思想も取りもどせまい。

あとがき

私はパソコン、スマートフォン等の情報機器をまったく使ってこなかった。それを私は今まで世代間の違いによるものだと思っていた。が、つい最近そうではなく、私は他人から与えられるなんの根拠もない情報によって、洗脳されることを嫌ったが故であることに気づいた。

私が信じられるのは根拠のある情報である。それはニーチェの言う「肉体のもつ大いなる理性」「肉体のなかに住む『本来のおのれ』」である。そしてその情報が私の場合、自らの「肉体のなかに住む『歴史的古層』」だと気づいた。

私は日本人である。日本人の歴史的古層は武士道（禅）と「逃げ走る」「村」人とのそれである。そして戦後、武士が存在しなくなれば、存在するのは後者だけである。

民主主義は「逃げ走る」「客分」のやることではなく、「主人」のやることである。つまり戦後「村」人民主主義とは、口先、ゴマ擂りのそれでしかない。私は武士道に命は賭けられても、そんな借りものにはできない。また多くの日本人もいざとなったら「逃げ走る」だろう。なにせ、日本国憲法という、自国の主義主張を他国に作ってもらうという体たらくだから。

従って私は戦後日本をまったく評価しない。

三島はどこかで「このまま行ったら『日本』はなくなってしまふのではないか」と書いていたが、私はもうなくなっていると思う。

それはたとえばスポーツ一つを取っても、勝って喜べる人間のいることである。喜べるとは、それは多くの敗者の上に成り立っている、ということである。つまり敗者の気持ちが分からぬから喜べるのである。

本書では取り上げなかったが、幕末、イギリス人・ブリンクリが武士の果たし合い見ていて、勝者が敗者の屍を自らの羽織で覆うと、その前に跪(ひざまず)き合掌したのに、ひどく驚かされたという。武士は戦士だから戦わねばならなかったが、勝つことに必ずしも西洋人のような喜びは覚えない。

たしかに勝負に拘らぬ心境になるには、それなりの道徳、そして武士にあっては修行が必要だろう。

だがそれらは、戦後まったく失われてしまい、西洋の「有の数字」の思想を猿マネするに至った。つまり勝ちは幾らになるという「私利」に変わったのである。だからスポーツにドーピングという不正が入り、民主主義においても同様である。

昔の日本人は「無心」になり「私欲」(己)に勝つことを修行の目的とし、誇りとしてきた。だから他者に勝つことは大きな目標ではなかった。むしろ自己に勝ち、他者と「和」することに喜びを覚えるような民族だった。

それに対し西洋思想は、民主主義にしろなんにしろ、個人主義に基づいているから、和とは無縁なロクなものではない。それをなんでも西洋を猿マネし崇め、自国を自虐的に見るのが、戦後日本人の愚民性である。

それは日本人が平和に暮らしてきたが故に、「考える」能力がまったく発達してこなかったことに由来する。

たとえば女性政治家が多かろうが少なかろうが、そんな事はどうでも良いということが分からない。日本人が「考える」とそれは単なる西洋の猿マネになる。「考える」能力がないから「自分は自分だ」という意見がない。周囲の顔色を窺って、それを自分の意見にするのである。

日本女性には日本女性の歴史的古層がある。もし自分に余裕があるなら、福沢の母親のように食うに困っている人を助けることに喜びを見出すことこそ、日本女性（大和撫子）の価値ではないのか？　それが政治家であろうと、庶民であろうと変わるものではない。ただ西洋を猿マネして、女性政治家が多い少ないなどと言ってる人間は、単に頭が悪いというより、もはや生命としての退化である。

むしろ仮に西洋人がそういうことで難癖をつけてきたら、私は正面から反論するだろうが、しかしもし彼らが「お前たちは軍隊も持てぬ病人か」と言われたら、日本人が「逃げ走る」「客分」という空っぽ頭病に罹(かか)っていることを認めるだろう。そしてもはや国家でもないことも。そも国家ではなくペットの国だから、女性政治家が多い少ないなどという下らぬことを議論するのだと。

そんな日本を見ていると、つくづくこの国の終焉に立ち会っている気分になってくる。

著者プロフィール

堀江　秀治（ほりえ　しゅうじ）

昭和21年生まれ。東京都出身、在住。
慶應義塾大学を卒業、その後家業を継ぐ。
特筆に値する著書なし。

堀江秀治全集　第一集

2023年２月15日　初版第１刷発行

著　者　堀江　秀治
発行者　瓜谷　綱延
発行所　株式会社文芸社
〒160-0022　東京都新宿区新宿1－10－1
電話　03-5369-3060（代表）
03-5369-2299（販売）

印刷所　図書印刷株式会社

ISBN978-4-286-28082-0